JN096903

2024年度版

機械保全の徹底攻略

機械系・学科

日本能率協会マネジメントセンター［編］
JMAM

日本能率協会マネジメントセンター

はしがき

1　本書刊行の趣旨・目的

　1984年に機械保全技能士が制定され、8月25日付官報で公示が行われた。1985年2月に第1回の試験が実施され、当初は受検者約2000人でスタートしたが、近年は33000人以上もの受検者を擁するほどになった(特級、3級を含む)。これは厚生労働省所管の技能検定では2番目に多い受検者数である。

　当初は、学科受検準備用のテキストとして、練習問題・予想問題(正解と簡潔な解説を含む)を主体とした「問題集」を刊行し、受検者から好評を得てきた。

　しかし、多くの受検者から、受検準備としてはこれだけでは不安が残るため、技能解説を主体とした受検用参考書がほしいという強い要望が寄せられた。それに応えて刊行されたのが本書である。

2　本書の構成と特徴

（1）　本書は2009年に全面改訂した。その改訂点は以下のとおりである。
　　① とくに重要な項目は「Zoom Up」として大きく取り上げた
　　② 新たに「この章の頻出問題」を設けた。これは、過去の出題傾向を一覧にして頻出問題を整理し、その解法について解説するものである
　　　本書はその改訂内容をさらにブラッシュアップさせた内容となっている。
（2）　本書のベースとなっているものは、『新 機械保全技能ハンドブック』(日本プラントメンテナンス協会編)全6巻である。このハンドブックは保全実務技能を体系化したものとして多くの信頼を集めた出版物である。徹底攻略シリーズでは、発刊当初から技能検定

の範囲と基準の細目に沿って、ハンドブックの要約をベースに編集してきた。

（3） 本書の第1章から第5章までは機械系保全作業・電気系保全作業・設備診断作業とも共通の範囲である。

3 本書での学習の仕方

（1） 本書に基づき十分に学習されたい。その後、『2024年度版 機械保全の過去問500＋チャレンジ100〔機械系学科1・2級〕』で知識の整理をされたい。

（2） さらに、『2024年度版 機械保全の過去問500＋チャレンジ100〔機械系学科1・2級〕』の予想問題にチャレンジし、正答できなかった項目について、本書や『新 機械保全技能ハンドブック』で学習されたい。また、実技試験については、『2024年度版 機械保全の徹底攻略〔機械系・実技〕』が発刊されているので、合わせて学習されることをお勧めする。

本書と『2024年度版 機械保全の過去問500＋チャレンジ100〔機械系学科1・2級〕』および『2024年度版 機械保全の徹底攻略〔機械系・実技〕』などを有効に活用されることによって、読者諸氏全員が合格の栄冠を勝ちとられることを念願している。

2024年7月

日本能率協会マネジメントセンター

目次

第1章 機械一般

第2章 電気一般

第3章 機械保全法一般

第4章 材料一般

技能検定試験について

1 技能検定とは

　技能検定とは職業能力開発促進法に基づき、技能者の技能の程度を一定の基準によって検定することにより技能者の技能が一層みがかれ、技能者の社会的・経済的な地位向上を図ることを目的とした国家試験制度である。

　技能検定は検定職種ごとに1級・2級・3級・特級に区分されている。機械保全は1984年度に1級・2級が、1991年度から特級が、さらに2003年度から3級が設けられた。各級ともそれぞれ学科試験と実技試験によって実施される。技能検定に合格した者には、特級・1級が厚生労働大臣名の、2級・3級が公益社団法人日本プラントメンテナンス協会名の合格証書が公布され、職業能力開発促進法に基づき「技能士」と称することができる。

2 技能検定試験の基準

　「技能検定試験の基準および細目」が職種別・等級別に定められており、それぞれ実技試験と学科試験の範囲およびレベルが示されている。

3 技能検定試験の実施方法

(1)試　験　日

　試験は職種により前期と後期に分かれて全国的に実施されるが、"機械保全"は1984年度以来後期に行われている(3級・機械系／電気系保全作業は前期に実施していたが、2021年度以降は前期、後期の2回実施されている)。2024年度の機械保全の受付は、インターネット申請

が2024年8月26日(月)10：00 ～ 9月27日(金)18：00、郵送申請が2024年8月26日(月)～ 9月20日(金)(消印有効)となっている。

　機械系保全作業・ 設備診断作業は、学科試験・ 実技試験ともに、1級は2025年1月12日(日)に、2級は2024年12月15日(日)に全国一斉に実施される。

　また、電気系保全作業は、学科試験が1級は2025年1月12日(日)に、2級は2024年12月15日(日)に実施されるが、実技試験は、1・ 2級ともに2024年11月30日(土)～ 2025年2月23日(日)のうち随時に実施される。

　受検資格、受検申請手続きなどの詳細は、2015年度から実施・ 運営団体となった日本プラントメンテナンス協会へ問い合わせ願いたい。

(2)実技試験

　"機械保全"の機械系保全作業は2015年度から大幅に変更された。従来、要素試験として、パッキンなどの現物が提示されていた問題もあったが、現物が写真化されて出題されている。

　なお、1994年度からはじまった電気系保全作業については当初から要素試験(プログラマブルコントローラーやシーケンサーによる作業試験)だけの構成となっており大きな変更はない。設備診断作業は1999年度よりの実施である。

　実技試験については、試験日に先立って試験内容の概要が日本プラントメンテナンス協会のホームページで公表されるので事前に勉強できるようになっている。

(3)学科試験

　問題は1級・2級ともに○×式と選択式が併用され、出題数は50問
となる。採点法は得点方式(正答の数が得点)である。

(4)技能検定試験免除

　技能検定試験では、一定の資格を有する者に対して実技試験または学
科試験を免除することになっている。

　詳細は、2015年度から実施・運営団体となった日本プラントメンテ
ナンス協会まで問い合わせ願いたい。

(5)技能検定の合格者

　合格者は、1級(電気系保全作業実技試験除く)が2025年2月25日
(火)、2級(電気系保全作業実技試験除く)が2025年1月31日(金)、1・
2級(電気系保全作業実技試験)が2025年3月21日(金)に、日本プラ
ントメンテナンス協会で発表される。なお、合否基準は100点を満点
として、原則として学科試験が加点法で65点以上、実技試験は減点法
で41点以上の減点がない場合となっている。

【特級および3級試験について】

　機械保全は1級・2級のほかに1991年度から特級が、2003年度か
ら3級が新設されたが、本書は1級・2級を対象としたものであるので、
詳細については日本プラントメンテナンス協会へ問い合わせ願いたい。

技能検定試験の試験科目およびその範囲ならびにその細目

〈1級・2級〉　※2級の空欄は1級と同様の試験科目およびその範囲・細目であることを示す

試験科目およびその範囲	試験科目およびその範囲の細目	
	1　級	2　級
【学科試験】 **1．機械一般** 　機械の種類、構造、機能および用途	次に掲げる機械の種類、構造、機能および用途について一般的な知識を有すること。 (1)工作機械　(2)化学機械　(3)製鉄機械　(4)鋳造機械 (5)繊維機械　(6)荷役機械　(7)自動組立機械 (8)その他の機械	
2．電気一般 　a　電気用語	次に掲げる電気用語について一般的な知識を有すること。 (1)電流　(2)電圧　(3)電気抵抗　(4)電力　(5)周波数　(6)力率	
b　電気機械器具の使用方法	電気機械器具の使用方法に関し、次に掲げる事項について一般的な知識を有すること。 (1)　誘導電動機の回転数、極数および周波数の関係 (2)　電動機の起動方法 (3)　電動機の回転方向の変換方法 (4)　開閉器の取付けおよび取扱いの方法 (5)　回路遮断器の構造および取扱い方法	
c　電気制御装置の基本回路	電気制御装置の基本回路について一般的な知識を有すること。	
3．機械保全法一般 　a　機械の保全計画	機械の保全計画に関し、次に掲げる事項について詳細な知識を有すること。 (1)　次の保全用語 　　イ．ライフサイクル　ロ．故障メカニズム　ハ．初期故障、偶発故障および摩耗故障　ニ．1次故障、2次故障および複合故障　ホ．故障解析　ヘ．故障率　ト．定期保全　チ．予防保全　リ．改良保全　ヌ．事後保全　ル．予知保全　ヲ．保全性 (2)　保全重要度の格付けの方法 (3)　機械の管理方式の種類および特徴 (4)　保全内容の評価の方法	

試験科目およびその範囲	試験科目およびその範囲の細目	
	1 級	2 級
b 機械の修理および改良	機械の修理および改良に関し、次に掲げる事項について一般的な知識を有すること。 (1) 修理および改良計画の作成方法 (2) 修理および改良に要する経費の見積り	
c 機械の履歴	機械の履歴に関し、次に掲げる事項について<u>詳細な知識</u>を有すること。 (1) 機械履歴簿の作成方法 (2) 機械の故障傾向の解析方法	一般的な
d 機械の点検	機械の点検に関し、点検表および点検計画書の作成方法について詳細な知識を有すること。	
e 機械の異常時における対応措置の決定	機械の異常時における対応措置に関し、次に掲げる事項について詳細な知識を有すること。 (1) 異常の原因に応じた対応措置の決定の方法 (2) 点検表および点検計画の修正の必要性の判定の方法	
f 品質管理	1．次に掲げる品質管理用語について<u>詳細な知識</u>を有すること。 (1)規格限界 (2)特性要因図 (3)度数分布 (4)ヒストグラム (5)正規分布 (6)抜取り検査 (7)パレート図 (8)管理限界 (9)散布図 (10)作業標準 (11)官能検査 2．次に掲げる管理図について一般的な知識を有すること。 (1)$\overline{X}$-R管理図 (2)p管理図 (3)np管理図 (4)c管理図	一般的な
4．材料一般 a 金属材料の種類、性質および用途	次に掲げる金属材料の種類、性質および用途について一般的な知識を有すること。 (1)炭素鋼 (2)合金鋼 (3)工具鋼 (4)鋳鉄 (5)鋳鋼 (6)アルミニウムおよびアルミニウム合金 (7)銅および銅合金	
b 金属材料の熱処理	金属材料の熱処理に関し、次に掲げる事項について一般的な知識を有すること。 (1) 次の熱処理の方法、効果およびその応用 イ．焼入れ ロ．焼もどし ハ．焼ならし ニ．焼きなまし ホ．表面硬化 (2) 熱処理によって材料に生じやすい欠陥の種類および原因	

試験科目およびその範囲	試験科目およびその範囲の細目	
	1　級	2　級
5．安全衛生 　安全衛生に関する 詳細な知識	1．機械保全作業に伴う安全衛生に関し、次に掲げる事項について詳細な知識を有すること。 　(1)　機械、工具、原材料などの危険性または有害性およびこれらの取扱い方法 　(2)　安全装置、有害物抑制装置または保護具の性能および取扱い方法 　(3)　作業手順 　(4)　作業開始時の点検 　(5)　機械保全作業に関して発生するおそれのある疾病の原因および予防 　(6)　整理整頓および清潔の保持 　(7)　事故時などにおける応急措置および退避 　(8)　その他の機械保全作業に関する安全および衛生のために必要な事項 2．労働安全衛生法関係法令のうち、機械保全作業に関する部分について詳細な知識を有すること。	
6－イ　機械系保全法 　a　機械の主要構成要素の種類、形状および用途	機械の主要構成要素に関し、次に掲げる事項について詳細な知識を有すること。 　(1)　次のねじ用語の意味 　　イ．ピッチ　ロ．リード　ハ．ねじれ角　ニ．効率 　　ホ．呼び　ヘ．有効径 　(2)　ねじの種類、形状および用途 　(3)　ボルト、ナット、座金などのねじ部品の種類、形状および用途 　(4)　次の歯車用語の意味 　　イ．モジュール　ロ．ピッチ円　ハ．円ピッチ　ニ．歯先円　ホ．歯底円　ヘ．かみ合い率　ト．歯厚　チ．歯幅　リ．圧力角　ヌ．歯たけ　ル．歯形　ヲ．バックラッシ 　(5)　次の歯車の形状および用途 　　イ．平歯車　ロ．はすば歯車　ハ．かさ歯車　ニ．やまば歯車　ホ．ウォームおよびウォームホイール　ヘ．ねじ歯車　ト．ラックおよびピニオン　チ．ハイポイドギ	

試験科目およびその範囲	試験科目およびその範囲の細目	
	1　級	2　級
	ヤ．リ．フェースギヤ (6)　次のものの種類、形状および用途 　　イ．キー、コッタおよびピン　ロ．軸、軸受および軸継 　　手　ハ．リンクおよびカム装置　ニ．リベットおよびリ 　　ベット継手　ホ．ベルトおよびチェーン伝動装置 　　ヘ．ブレーキ　ト．ばね　チ．歯車伝動装置　リ．摩擦 　　伝動装置　ヌ．無段変速装置　ル．管、管継手、弁およ 　　びコック　ヲ．密封装置	
b　機械の主要構成要素の点検	機械の主要構成要素の点検に関し、次に掲げる事項につ いて詳細な知識を有すること。 (1)　機械の主要構成要素の点検項目および点検方法 (2)　機械の点検に使用する次の器工具などの種類、構造お 　　よび使用方法 　　イ．テストハンマー　ロ．聴音器　ハ．アイスコープ 　　ニ．ノギス　ホ．マイクロメーター　ヘ．すきまゲージ 　　ト．ダイヤルゲージ　チ．シリンダーゲージ　リ．温度 　　計　ヌ．水準器　ル．粘度計　ヲ．振動計　ワ．回転計 　　カ．騒音計　ヨ．硬さ試験機　タ．流量計　レ．回路計	
c　機械の主要構成要素に生じる欠陥の種類、原因および発見方法	機械の主要構成要素に生じる損傷および異常現象に関し、 次に掲げる事項の種類、原因およびその徴候の発見方法に ついて詳細な知識を有すること。 (1)焼付き　(2)異常摩耗　(3)破損　(4)過熱　(5)発煙　(6)異 臭　(7)異常振動　(8)異音　(9)漏れ　(10)亀裂　(11)腐食　(12)詰 まり　(13)よごれ　(14)作動不良	
d　機械の主要構成要素の異常時における対応措置の決定	機械の異常時における対応措置に関し、機械の主要構成 要素の使用限界の判定の方法について詳細な知識を有する こと。	
e　潤滑および給油	潤滑および給油に関し、次に掲げる事項について詳細な 知識を有すること。 (1)　潤滑剤の種類、性質および用途 (2)　潤滑方式の種類、特徴および用途 (3)　次の潤滑状態の特徴 　　イ．流体潤滑　ロ．境界潤滑　ハ．固体潤滑	

試験科目およびその範囲	試験科目およびその範囲の細目	
	1　級	2　級
	(4)　潤滑剤の劣化の原因および防止方法 (5)　潤滑剤の分析の方法および浄化の方法	
f　機械工作法の種類および特徴	次に掲げる工作法の種類および特徴について一般的な知識を有すること。 (1)機械加工　(2)手仕上げ　(3)溶接　(4)鋳造　(5)鍛造　(6)板金	
g　非破壊検査	非破壊検査の種類、特徴および用途について、一般的な知識を有すること。	概略の
h　油圧装置および空気圧装置の基本回路	1．油圧装置および空気圧装置に関し、次に掲げる事項について一般的な知識を有すること。 (1)圧力　(2)流量　(3)圧力降下　(4)パスカルの原理 2．油圧サーボ回路および空気圧サーボ回路について一般的な知識を有すること。	
i　油圧機器および空気圧機器の種類、構造および機能	次に掲げる油圧機器および空気圧機器の種類、構造および機能について詳細な知識を有すること。 (1)油圧ポンプ　(2)油圧シリンダーおよび空気圧シリンダー　(3)油圧モーターおよび空気圧モーター　(4)油圧計および空気圧計　(5)電磁弁　(6)圧力スイッチおよび圧力センサー　(7)フィルター　(8)空気圧縮機　(9)アキュムレーター	
j　油圧装置および空気圧装置に生じる故障の種類、原因および防止方法	油圧装置および空気圧装置に生じる故障の種類、原因および防止方法について詳細な知識を有すること。	
k　作動油の種類および性質	作動油の種類および性質について詳細な知識を有すること。	一般的な
l　非金属材料の種類、性質および用途	次に掲げる非金属材料の種類、性質および用途について一般的な知識を有すること。 (1)プラスチック　(2)ゴム　(3)セラミック	
m　金属材料の表面処理	次に掲げる金属材料の表面処理の方法およびその効果について一般的な知識を有すること。 (1)表面硬化法　(2)金属皮膜法　(3)電気めっき　(4)塗装 (5)ライニング	

試験科目およびその範囲	試験科目およびその範囲の細目	
	1 級	2 級
n 力学の基礎知識	力学に関し、次に掲げる事項について一般的な知識を有すること。 (1)力のつり合い (2)力の合成および分解 (3)モーメント (4)速度および加速度 (5)回転速度 (6)仕事およびエネルギー (7)動力 (8)仕事の効率	
o 材料力学の基礎知識	材料力学に関し、次に掲げる事項について一般的な知識を有すること。 (1)荷重 (2)応力 (3)ひずみ (4)剛性 (5)安全率	
p 日本産業規格に定める図示法、材料記号、油圧・空気圧用図記号、電気用図記号およびはめ合い方式	1. 日本産業規格に関し、次に掲げる事項について一般的な知識を有すること。 (1) 次の図示法 イ. 投影および断面 ロ. 線の種類 ハ. ねじ、歯車などの略画法 ニ. 寸法記入法 ホ. 表面粗さと仕上げ記号 ヘ. 加工方法記号 ト. 溶接記号 チ. 平面度、直角度などの表示法 (2) おもな金属材料の材料記号 (3) 油圧・空気圧用図記号 (4) 電気用図記号 2. 日本産業規格に定めるはめ合い方式の用語、種類および等級などについて詳細な知識を有すること。	一般的な
【実技試験】 機械系保全作業 機械の保全計画の作成	機械の保全計画の作成に関し、次に掲げる作業ができること。 (1) 機械履歴簿、点検表および点検計画書の作成 (2) 機械の故障傾向の分析	削 除
機械の主要構成要素に生じる欠陥の発見	機械の主要構成要素に生じる次に掲げる損傷などの徴候の発見ができること。 (1)焼付き (2)異常摩耗 (3)破損 (4)過熱 (5)発煙 (6)異臭 (7)異常振動 (8)異音 (9)漏れ (10)亀裂 (11)腐食	
機械の異常時における対応措置の決定	1. 機械の異常時における対応措置に関し、次に掲げる作業ができること。 (1) 異常の原因の発見	

試験科目およびその範囲	試験科目およびその範囲の細目	
	1　級	2　級
	(2)　異常の原因に応じた対応措置の決定 2．機械の異常時における対応措置に関し、次に掲げる判定ができること。 (1)　機械の主要構成要素の使用限界 (2)　点検表および点検計画の修正の必要性	
潤滑剤の判別	1　潤滑剤に関し、次に掲げる判別ができること。 (1)種類　(2)粘度　(3)劣化の程度　(4)混入不純物 2．混入不純物により潤滑不良個所の推定ができること。	
作業時間の見積り	作業時間の見積りができること。	削　除
6－ロ　電気系保全法 　a　電気機器	1．次に掲げる電気機器の種類、構造、機能、制御対象、用途、具備条件および保護装置について一般的な知識を有すること。 (1)回転機　(2)変圧器　(3)配電盤・制御盤　(4)開閉制御器具 2．次に掲げる事項について一般的な知識を有すること。 　(1)　次の電気機器関連機器の構造、機能および用途 　イ．サーボモーター　ロ．ステッピングモーター 　ハ．シンクロモーター　ニ．電力用コンデンサー 　ホ．リアクトル　ヘ．サイリスターおよび整流装置 　ト．インバーター 　(2)　主要な関連部品の種類、構造、機能および用途 3．配線および導体の接続に関し、配線の種類、配線方式、接続法、配線の良否の判定および接続部の絶縁処理について一般的な知識を有すること。 4．電気機器の巻き線の方法について一般的な知識を有すること。 5．電気機器の計測に関し、次に掲げる事項について概略の知識を有すること。 (1)　測定の種類 (2)　計測器の種類および用途 (3)　測定誤差の表し方および種類	概略の 概略の 概略の 概略の

試験科目およびその範囲	試験科目およびその範囲の細目	
	1 　級	2 　級
b　電子機器	1．次に掲げる電子機器用部品の種類、性質および用途について詳細な知識を有すること。 (1)トランジスタ　(2)ダイオード　(3)集積回路　(4)制御整流素子　(5)センサー（光電スイッチ、磁気近接スイッチ、エンコーダー、レゾルバなど）　(6)抵抗器　(7)コンデンサー　(8)コイルおよび変成器　(9)継電器	一般的な
	2．次に掲げる電子機器用部品の種類、性質および用途について一般的な知識を有すること。 (1)レーザー素子　(2)液晶素子　(3)振動素子　(4)磁気テープ、磁気ディスクなどの磁気記録用媒体　(5)光ディスク　(6)その他の電子機器用部品	概略の
	3．プログラマブルコントローラーの基本的構造、機能および用途について詳細な知識を有すること。	一般的な
	4．次に掲げる電子機器の基本的構造、機能および用途について一般的な知識を有すること。 (1)　オシロスコープ、計数器、テスター、発振器、ノイズシミュレーターなどの電子計測器 (2)　ワンボードマイコン、パーソナルコンピュータなどのコンピュータおよびその周辺機器 (3)　遠隔制御機器、データ伝送端末機器などの制御機器およびデータ機器 (4)　調節計、変換器などの工業用計器 (5)　ソナー、探傷機器、ＮＣ機器、産業用ロボットなどの電子応用機器	概略の
	5．次に掲げる電子機器の計測について一般的な知識を有すること。 (1)電圧、電流および電力　(2)周波数および波長　(3)波形および位相　(4)抵抗、インピーダンス、キャパシタンスおよびインダクタンス　(5)半導体素子特性　(6)増幅回路特性	概略の
c　電気および磁気の作用	電気および磁気の作用に関し、次に掲げる事項について一般的な知識を有すること。 (1)　静電気 イ．静電現象　ロ．静電誘導　ハ．電界　ニ．静電容量	概略の

試験科目およびその範囲	試験科目およびその範囲の細目	
	1 級	2 級
	(2) 磁気 イ．磁気現象　ロ．磁性体　ハ．磁界および磁力線 (3) 電磁誘導 イ．電流と磁気作用　ロ．電流と磁気の間に働く力 ハ．電磁誘導　ニ．インダクタンス	
d　電子とその作用	電子とその作用に関し、次に掲げる事項について一般的な知識を有すること。 (1) 電子 イ．原子の構造　ロ．自由電子　ハ．電子の運動 (2) 電子放出 イ．熱電子放出　ロ．2次電子放出　ハ．光電子放出 ニ．電界放出	概略の
e　電気回路	電気回路に関し、次に掲げる事項について一般的な知識を有すること。 (1) 直流回路 イ．オームの法則およびキルヒホッフの法則　ロ．電気抵抗　ハ．電流の熱作用 (2) 交流回路 イ．交流の性質　ロ．交流のベクトル表示　ハ．インピーダンスおよびリアクタンス　ニ．L.C.R の直列、並列接続 ホ．交流電力　ヘ．三相交流 ト．過渡現象(直流電源とC.R直列回路)	
f　電子回路	次に掲げる電子回路の構成、動作原理および動作特性について一般的な知識を有すること。 (1)増幅回路　(2)発振回路　(3)電源回路　(4)論理回路　(5)計数回路　(6)パルス回路　(7)演算増幅回路	概略の
g　機械の電気部分の点検	機械の電気部分の点検に関し、次に掲げる事項について、詳細な知識を有すること。 (1) 点検項目および点検方法 (2) 点検に使用する次の器工具などの種類、構造および使用方法 イ．回路計　ロ．絶縁抵抗計　ハ．オシロスコープ ニ．回転計　ホ．検相器　ヘ．力率計　ト．検電器 チ．サーモテスター　リ．聴音器　ヌ．振動計	一般的な

試験科目およびその範囲	試験科目およびその範囲の細目	
	1 級	2 級
	ル．電力計　ヲ．電圧計　ワ．電流計（クランプメーター）	
h　機械の電気部分に生じる欠陥の種類、原因および発見方法	機械の電気部分に生じる異常現象に関し、次に掲げる事項の種類、原因およびその徴候の発見方法について、ソフトウェアを含め、詳細な知識を有すること。 (1)静電誘導　(2)電磁誘導　(3)混触　(4)短絡　(5)地絡　(6)高調波　(7)うなり　(8)過熱　(9)発煙　(10)異臭　(11)焼付き　(12)亀裂　(13)変色　(14)作動不良　(15)異音　(16)振動　(17)接触不良　(18)電圧低下　(19)過電流　(20)欠相　(21)絶縁抵抗の低下　(22)断線　(23)溶断　(24)漏電　(25)ノイズとサージ	一般的な
i　機械の電気部分の異常時における対応措置の決定	機械の電気部分の異常時における対応措置に関し、使用限界の判定の方法について、ソフトウェアを含め、詳細な知識を有すること。	
j　配線および結線ならびにそれらの試験方法	1．配線および結線に関し、次に掲げる事項について詳細な知識を有すること。 (1)　次の配線方式 イ．ケーブル配線方式　ロ．ダクト配線方式　ハ．ラック配線方式　ニ．管内配線方式　ホ．ケーブルベア配線方式　ヘ．地中埋設配線方式 (2)　配線に関する次の事項 イ．電線の屈曲半径　ロ．電線被覆損傷の防止　ハ．防湿および防水　ニ．テーピング　ホ．振動機器に対する配線 (3)　接続および分岐作業に関する次の事項 イ．はんだ付け作業　ロ．圧着接続作業　ハ．締付け接続作業　ニ．リングマーク取付け作業　ホ．プログラマブルコントローラーの入出力の接続方法　ヘ．アースおよびシールドの接続方法　ト．配線の色分け、制御系の区分方法　チ．結線作業に使用する器工具の種類、構造、管理および使用方法 2．配線および結線の試験に関し、次に掲げる事項について一般的な知識を有すること。 (1)　導通試験および絶縁抵抗試験の方法 (2)　シーケンス試験の方法 (3)　試験測定器の使用方法	一般的な 概略の

試験科目およびその範囲	試験科目およびその範囲の細目	
	1 級	2 級
k 半導体材料、導電材料、抵抗材料、磁気材料および絶縁材料の種類、性質および用途	1．半導体材料の種類、性質および用途について<u>一般的な</u>知識を有すること。 2．導電材料（接点材料を含む）および抵抗材料の種類、性質および用途について詳細な知識を有すること。 3．磁気材料の種類、性質および用途について<u>一般的な</u>知識を有すること。 4．絶縁材料の種類、性質および用途について詳細な知識を有すること。	概略の 一般的な 概略の 一般的な
l 機械の主要構成要素の種類、形状および用途	次に掲げる機械部品の主要構成要素の種類、形状および用途について<u>一般的な</u>知識を有すること。 (1)ねじ、ボルト、ナットおよび座金　(2)キー、コッタおよびピン　(3)軸、軸受および軸継手　(4)歯車　(5)ベルトおよびチェーン伝動装置　(6)リンクおよびカム装置　(7)ブレーキおよびクラッチ　(8)ばね　(9)搬送位置決め機構　(10)ハンドリング機構	概略の
m 油圧および空気圧の基礎理論	次に掲げる事項について一般的な知識を有すること。 (1)　油圧および空気圧に関する基本原理 (2)　油圧機器および空気圧機器の種類、構造および機能	
n 日本産業規格に定める図示法、材料記号、電気用図記号、シーケンス制御用展開接続図およびはめ合い方式	1．日本産業規格などに関し、次に掲げる事項について<u>詳細な</u>知識を有すること。 (1)製図通則　(2)電気用図記号　(3)電子機器に関する記号　(4)シーケンス制御用展開接続図　(5)回路図、束線図、プリント基板パターン図などの読図　(6)制御フローチャート 2．日本産業規格に関し、次に掲げる事項について<u>一般的な</u>知識を有すること。 (1)油圧・空気圧用図記号　(2)計装用記号　(3)金属材料の種類および記号　(4)絶縁材料の種類および記号　(5)電気機器および制御機器の絶縁の種類　(6)電気装置の取っ手の操作と状態の表示　(7)はめ合い方式	一般的な 概略の

試験科目およびその範囲	試験科目およびその範囲の細目	
	1　級	2　級
【実技試験】 **電気系保全作業** 　機械の保全計画の 　作成	機械の保全計画の作成に関し、次に掲げる作業ができること。 (1)　機械履歴簿、点検表および点検計画書の作成 (2)　機械の故障傾向の分析	削　除
機械の電気部分に 生じる欠陥の発見	1．機械の電気部分の点検に関し、次に掲げる作業ができること。 (1)電動機の点検　(2)電線の点検　(3)はんだ付け部の点検 (4)圧着接続部の点検　(5)遮断器の点検　(6)電磁開閉器の点検　(7)検出スイッチの点検　(8)計装機器の点検 2．機械の電気部分に生じる次に掲げる欠陥などの徴候の発見ができること。 (1)短絡　(2)断線　(3)地絡　(4)接触不良　(5)絶縁不良 (6)過熱　(7)異音　(8)発煙　(9)異臭　(10)焼付き　(11)溶断　(12)漏電	
電気および電子計 測器の取扱い	次に掲げる電気および電子計測器を用いて計測作業ができること。 (1)電圧計　(2)電流計　(3)電位差計　(4)電力計　(5)回路計(テスター)　(6)オシログラフ　(7)ブラウン管オシロスコープ	
機械の制御回路の 組立および異常時に おける対応措置の決 定	1．プログラマブルコントローラのプログラミングおよびリレーシーケンス回路の組立ができること。 2．機械の電気部分に生じる異常時における対応措置に関し、次に掲げる作業ができること。 (1)異常の原因の発見　(2)修理部品の選定および異常個所の復旧　(3)保全作業時に必要な工具、測定器の選定および使用　(4)不良個所研究時および修理完了後の機能およびシーケンスの動作のチェック　(5)電気回路の改善 (6)電気、エア、油圧に関する安全性の確認　(7)再発防止の対策 3．機械の電気部分に生じる異常時における対応措置に関し、次に掲げる判定ができること。 (1)電気部分の使用限界　(2)点検表および点検計画の修正の必要性	
作業時間の見積り	作業時間の見積りができること。	削　除

試験科目およびその範囲	試験科目およびその範囲の細目	
	1 級	2 級
6－ハ　設備診断法 　a　設備診断技術	設備診断に関し、次に掲げる事項について<u>一般的な知識</u>を有すること。 (1)目的　(2)簡易診断　(3)精密診断	概略の
b　機械要素およ 　　　び要素機械	1. 機械の主要構成要素に関し、次に掲げる事項について<u>一般的な知識</u>を有すること。 　(1)　ねじ 　　イ.種類　　ロ.用途 　(2)　ボルト、ナット、座金などのねじ部品 　　イ.種類　　ロ.用途 　(3)　軸、軸受および軸継手 　　イ.種類　ロ.形状　　ハ.用途 　　ニ.軸受の構造および劣化 　　（イ)構造　　（ロ)劣化　　（ハ)寿命の定義 　　　（ニ)寿命計算 　(4)　歯車 　　イ.種類　ロ.形状　　ハ.用途 　　ニ.歯車用語　ホ.歯当たり 　(5)　次のものの種類および用途 　　イ.キー　　ロ.コッタ・ピン　ハ.ベルト 　　ニ.チェーン　ホ.カム・リンク　ヘ.ばね 　(6)　潤滑剤 　　イ.種類　　ロ.性質　　ハ.用途 2. 主要要素機械に関し、次に掲げる事項について<u>一般的な知識</u>を有すること。 (1)変速機　(2)ファン・ブロワ　(3)ポンプ (4)コンプレッサー　(5)電動機	概略の 概略の
c　設備の症状	1. 設備・要素の劣化・故障モードに関し、次に掲げる事項について<u>一般的な知識</u>を有すること。 (1)異常振動　　　(2)異常音　　　(3)摩耗 (4)腐食　　　　　(5)割れ　　　　(6)ゆるみ・がた (7)異常温度　　　(8)油劣化　　　(9)絶縁劣化 (10)ひずみ　　　　(11)異臭　　　　(12)漏洩 (13)作動不良　　　(14)導電不良　　(15)詰まり (16)アンバランス　(17)フレーキング　(18)油汚染	概略の

試験科目およびその範囲	試験科目およびその範囲の細目	
	1　級	2　級
	(19)漏電　　　　(20)ミスアライメント 2．次に掲げる軸受の損傷に関する現象・原因・対策について一般的な知識を有すること。 (1)フレーキング　(2)かじり　　　(3)スミアリング (4)摩耗　　　　　(5)圧こん　　　(6)割れ・欠け (7)フレッチング　(8)さび・腐食　(9)焼付き (10)クリープ　　　(11)電食　　　　(12)保持器破損	概略の
	3．次に掲げる歯車の損傷に関する現象・原因・対策について一般的な知識を有すること。 (1)ピッチング　(2)スポーリング　(3)アブレシブ摩耗 (4)スコーリング	概略の
d　測定法および 　　測定解析	1．設備診断測定法に関し、次に掲げる事項について一般的な知識を有すること。 (1)振動測定　　　(2)音響測定　　　(3)温度測定 (4)超音波探傷　　(5)放射線透過試験(6)磁気探傷 (7)浸透探傷　　　(8)漏洩検出　　　(9)化学計測 (10)ＡＥ（アコースティック・エミッション） (11)電気抵抗測定　(12)圧力測定 (13)応力・トルク測定　　(14)絶縁測定 (15)微小電流・電力測定　(16)油汚染分析	概略の
	2．振動測定法に関し、次に掲げる事項について詳細な知識を有すること。 (1)　ピックアップの取付け方法と周波数特性 (2)　検出感度を支配する測定位置および測定面 　　イ．測定位置　ロ．測定方向　ハ．対象面の状況 (3)　振動ピックアップ	一般的な
	3．測定解析に関し、次に掲げる事項について一般的な知識を有すること。 (1)ＦＦＴ解析　　　(2)フィルタリング処理 (3)エンベロープ処理(4)平均応答処理 (5)相関解析　　　　(6)伝達関数 (7)次数比分析　　　(8)キャンベル線図	概略の
e　判定法	1．判定法に関し、次に掲げる事項について詳細な知識を有すること。	一般的な

試験科目およびその範囲	試験科目およびその範囲の細目	
	1 級	2 級
	(1)絶対判定法　(2)相対判定法　(3)相互判定法 (4)波高率法 2．振動診断に関し、次に掲げる事項について<u>詳細な知識</u>を有すること。 (1) 振動の波形 　イ．周期　　　ロ．周波数 　ハ．振幅(加速度、速度、変位、最大値、平均値、実効値) 　ニ．位相 (2) 振動特性 　イ．共振　　ロ．強制振動　　ハ．自励振動 　ニ．固有振動 (3) 異常原因と発生する振動周波数、位相、振幅の関係 　イ．軸受　　ロ．歯車　　ハ．軸・ローター 　ニ．漏れ　　ホ．電動機 (4) バランシング　　(5) 音源推定	一般的な
	3．絶縁診断による電動機、ケーブルなどの異常診断に関し、次に掲げる事項について<u>一般的な知識</u>を有すること。 (1)絶縁　(2)絶縁診断に関する測定と判定	概略の
	4．AE（アコースティック・エミッション）による異常診断に関し、次に掲げる事項について<u>一般的な知識</u>を有すること。 (1) AEの現象 (2) AEとUTの違い (3) 可聴音のAE (4) AE系の観察 　イ．イベントカウント　　ロ．カウントレート 　ハ．持続時間 (5) AE法の応用分野 　イ．圧力タンク　ロ．疲労進展監視　ハ．リーク 　ニ．工具損耗　ホ．ころがり軸受診断 　ヘ．すべり軸受診断　ト．位置評定（発生源の特定） 　チ．低速回転軸受診断	概略の
	5．油汚染分析による潤滑油診断に関し、次に掲げる事項について<u>一般的な知識</u>を有すること。	概略の

試験科目およびその範囲	試験科目およびその範囲の細目	
	1　級	2　級
	(1)　油汚染分析法（NAS、SOAP、フェログラフィ） (2)　油のサンプリング法と希釈法 (3)　汚染原因分析と判定法 6．温度測定によるころがり軸受およびすべり軸受の異常 　診断に関し、次に掲げる事項について一般的な知識を有 　すること。 　(1)　発熱の原理と設備異常の関係 　　　イ．金属の接触　　ロ．ジュール熱 　　　ハ．誘導加熱　　　ニ．輻射熱 　　　ホ．燃焼 　(2)　異常温度の診断機器とその特徴 　　　イ．触手　　　　　ロ．サーモラベル 　　　ハ．熱電対　　　　ニ．棒状温度計 　　　ホ．非接触式 　(3)　測定点方法の留意点 　　　イ．測定点　　　　ロ．周囲温度の影響 　　　ハ．安全面 　(4)　判定方法 　　　イ．ころがり軸受　ロ．すべり軸受	概略の
f　故障解析技術	故障解析技術に関し、次に掲げる事項について一般的な 知識を有すること。 　(1)　構造物の内部、表面、破損原因解析 　　　イ．超音波探傷　ロ．放射線透過試験 　　　ハ．磁気探傷　　ニ．浸透探傷 　　　ホ．破面解析（マクロ、マイクロフラクトグラフィ） 　　　ヘ．渦流探傷 　(2)　ころがり軸受の損傷解析 　　　イ．外観　ロ．潤滑剤分析　ハ．フェログラフィ 　　　ニ．振動解析 　(3)　歯車の損傷解析 　　　イ．外観　ロ．潤滑剤分析　ハ．フェログラフィ 　　　ニ．振動解析　ホ．磁気探傷　　ヘ．浸透探傷 　(4)　ストレス解析 　　　ひずみゲージ	概略の

試験科目およびその範囲	試験科目およびその範囲の細目	
	1　級	2　級
g　診断結果に基づく処置の方法	診断結果に基づく処置の方法について、次に掲げる事項に関する一般的な知識を有すること。 (1)異常有無の判定　(2)異常原因の究明 (3)対応処置の決定	概略の
【実技試験】 設備診断作業 設備の状況がわかる測定データの収集	1．日常的な設備診断の計画を次に掲げる事項について策定できること。 (1)測定周期　(2)測定部位　(3)測定パラメーター (4)測定条件　(5)判定基準 2．振動モードにおけるデータの収集のために、次に掲げる事項を設定できること。 (1)加速度　(2)速度　(3)変位 (4)加速度エンベロープ 3．次に掲げる試験法による絶縁測定のデータの収集ができること。 (1)耐圧試験　　　(2)絶縁抵抗試験 (3)誘電正接試験　(4)部分放電試験 4．油汚染分析に必要なデータを収集するために、次に掲げる作業ができること。 (1)　サンプリング (2)　潤滑油の種類、粘度、劣化の程度および混入不純物の測定 5．非破壊検査によるデータを収集するために検査法を選択し、適用することができること。	1は削除
測定データの解析および判定	1．振動測定により、次に掲げる診断ができること。 (1)　次の機械要素に関する精密診断 　　イ．ころがり軸受　ロ．歯車　ハ．軸・ローター (2)　次の要素機械に関する簡易診断 　　イ．減速機　ロ．ファン・ブロワ 　　ハ．ポンプ・コンプレッサー 2．絶縁測定により、次に掲げる機械および機械要素の診断ができること。 (1)　電動機　　　(2)ケーブル	

試験科目およびその範囲	試験科目およびその範囲の細目	
	1　級	2　級
	3．油汚染分析により、次に掲げる機械および機械要素の診断ができること。 (1)ころがり軸受　(2)すべり軸受 (3)歯車　　　　　(4)スクリュー圧縮機 4．次に掲げる非破壊検査に基づく診断ができること。 (1)超音波探傷　　(2)放射線透過試験 (3)磁気探傷　　　(4)浸透探傷 5．次に掲げる損傷を見分けられること。 (1)フレーキング　(2)かじり　　　(3)スミアリング (4)摩耗　　　　　(5)圧こん　　　(6)割れ・欠け (7)フレッチング　(8)さび・腐食　(9)焼付き (10)クリープ　　　(11)電食　　　　(12)保持器破損	
設備の保全方法の決定および処置	診断結果に基づいて、次に掲げる事項を立案できること。 (1)保全時期　　(2)保全内容 (3)応急処置　　(4)恒久処置	

第 1 章

機械一般

1 工作機械

第**1**章 機械一般

出題の傾向　　学習のPOINT

　公示されている技能検定試験の基準および細目によると、次に掲げる機械の種類、構造、機能および用途について一般的な知識を有することとなっている。
　(1)工作機械、(2)化学機械、(3)製鉄機械、(4)鋳造機械、(5)繊維機械、(6)荷役機械、(7)自動組立機械、(8)その他の機械

・対象が広範囲であるが、実際に出題されているのは、(1)の工作機械がほとんどであり、その他としては(2)の化学機械のポンプ(H21年1、2級)、(6)荷役機械の立体自動倉庫(H18年1級)。また(8)については、4択問題の出題範囲から問われることがあるが、こちらは6章以降の4択の学習で十分対応可能である(機械系受検の場合)。ポンプについては今後も出題が予想されるので本章の問題について理解をしておくこと。また、工作機械に関しては、砥石やバイトなどの工具も出題されている。この傾向は今後も継続されるであろう。また問題の内容、レベルは一般的な知識をもっていれば十分に解答可能なものである。
・同一問題の応用が出題されることがあるので、工作機械については掘り下げた学習をするとともに、それぞれの機械で使用する工具も合わせた学習が必要である。

1 工作機械

1・1 旋盤

　旋盤とは、工作物を回転させ、主としてバイトなどの静止工具を使用して、外丸削り、中ぐり、突切り、正面削り、ねじ切りなどの切削加工を行う工作機械である(**図1・1**)。

　一般に、旋盤の大きさは振り(ベッドまたは往復台に触れないで回転して切削できる工作物の最大径)とセンター間距離で表す。旋盤には普通旋盤、正面旋盤、タレット旋盤、ならい旋盤などがある。

施盤用工具(バイト)

　施盤用工具(バイト)には、むくバイト刃部とシャンクまたはボデーを同一工具材料でつくったものが多いが、ある程度以上大きいものは鋼製のボデーまたはシャンクにチップという超硬などの工具材料をろう付けした付刃バイトや機械的に固定したクランプバイトが一般的である(**図1・2**)。

図1・1　旋　　盤

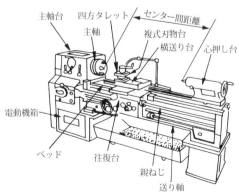

主軸台　四方タレット　センター間距離
主軸　　複式刃物台
　　　　　　横送り台　心押し台
電動機箱
ベッド　　往復台
　　　　　　　親ねじ
　　　　　　　送り軸

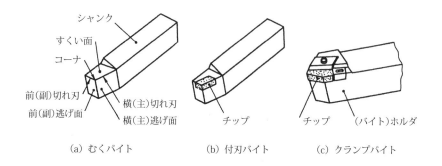

シャンク
すくい面
コーナ
前(副)切れ刃
前(副)逃げ面
横(主)切れ刃
横(主)逃げ面
チップ
チップ
(バイト)ホルダ

（a）むくバイト　　　　　（b）付刃バイト　　　　　（c）クランプバイト

1・2　ボール盤

　スピンドルを回転させ、これに刃物を取り付けて軸方向に動かして穴あけ作業を行う機械である。普通、穴あけにはドリルを用いるが、工具を取り換えてリーマ通し、タップ立て、中グリ、座グリなどの作業ができる。ドリルの回転数（切削速度）は、工作物が軟らかい場合には早く、硬い場合には遅く設定し、ドリルの直径が小さいほど早く、大きいほど遅く設定する。

　ボール盤の大きさはスピンドルの直径または振りで表す。振りとは、取り付けることができる工作物の最大直径をいう。

（1）　ボール盤の種類

・直立ボール盤：主軸が垂直になっている立て形のボール盤（図1・3）
・ラジアルボール盤：直立したコラムを中心にして旋回できるアーム上を、主軸頭が水平に移動する構造のボール盤
・多軸ボール盤：1つのドリルヘッド（主軸頭）に多数のドリルスピンドル（主軸）をもち、同時に多数の穴あけを行うボール盤
・多頭ボール盤：1つのベースに、直立ボール盤の上部機構を複数個並べたボール盤

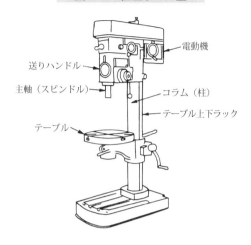

図1・3　直立ボール盤

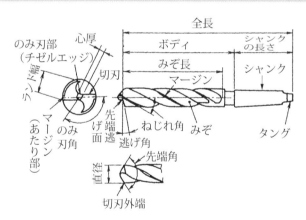

図1・4　ドリルの形状と各部の名称（JIS B0171：2014（ドリル用語）

（2）　ボール盤用工具（ドリル）

　ボール盤で使用するドリルは、テーパ穴に応じて主軸にはまる部分にシャンクを設け、先端の刃（のみ刃）部は切削抵抗を減らすために種々の形に削ぎ落としている（シンニング）。**図1・4**にドリルの形状と各部の名称を示す。

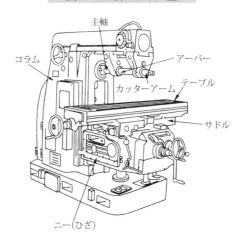

図1・5　横フライス盤

主軸

コラム

アーバー

テーブル

カッターアーム

サドル

ニー(ひざ)

1・3　フライス盤

円周上に多くの同形の回転切刃をもつ刃物(フライス)を回転させ、工作物に送りをかけながら平面削り、溝削りなどの加工を行う工作機械である。

(1)　種類と用途

・ 横フライス盤：主軸が水平。一般に軽切削用、小型部品の加工に適する(図1・5)

・ 立てフライス盤：主軸が垂直。一般に重切削用、平面削り、みぞ削り、形削りに適する

・ 万能フライス盤：テーブルまたは主軸頭が旋回可能。ねじれみぞ加工など作業範囲が広い

(2)　大きさ

フライス盤の大きさは、テーブルの大きさ、テーブルの移動量(左右×前後×上下)、主軸中心線からテーブル面までの最大距離(もしくは主軸端からテーブル面までの最大距離)で表す。また、0番が最小で番号が大きいほど大きいと決められている。ひざ形フライス盤は通常5番が最大である。

図1・6　上向き削りと下向き削り

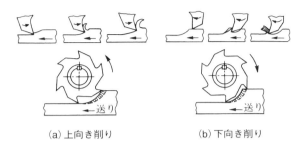

(a) 上向き削り　　　　　　　　(b) 下向き削り

表1・1　上向き削りと下向き削りの特徴（参考：機械工学便覧「加工学・加工機械」）

上　向　き　削　り	下　向　き　削　り
・工具逃げ面摩耗が多い ・切りくずの処理性悪く加工精度が低下 ・仕上げ面粗さは小（仕上加工に適する） ・工作物の取付は堅牢にする	・工具逃げ面摩耗が少ない ・切りくずの処理性良く精度に影響なし ・仕上げ面粗さは大（荒加工に適する） ・工作物の取付は簡単でよい

(3)　フライス盤作業（切削方向の特徴）

　フライス盤作業では、フライスでの切削方向によって上向き削りと下向き削りがある（図1・6、表1・1）。

1・4　形削り盤

　テーブルをラムの運動と直角方向に間欠的に送り、往復運動するラムに取り付けたバイトを使用して、比較的小型の工作物の平面および溝削りを行う工作機械である。大きさはラムの最大切削行程、テーブルの移動距離、テーブルの大きさなどで表す。加工の範囲は水平削り、垂直削り、側面削り、広幅みぞ削り、角度削り、曲線削り、歯削りなどで、ねじの加工はできない（図1・7）。

図1・7 形削り盤

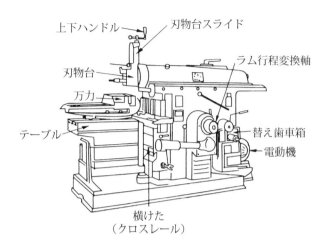

- 上下ハンドル
- 刃物台スライド
- 刃物台
- ラム行程変換軸
- 万力
- テーブル
- 替え歯車箱
- 電動機
- 横けた（クロスレール）

図1・8 円筒研削盤(引用：海野邦昭、切削の実務、日刊工業新聞社、2007年、P70)

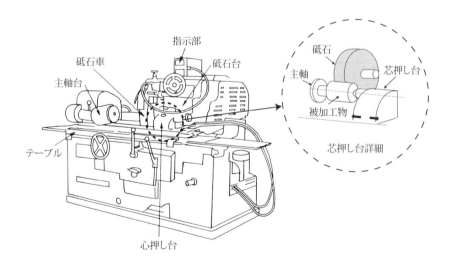

- 指示部
- 砥石車
- 砥石台
- 主軸台
- テーブル
- 心押し台
- 砥石
- 主軸
- 芯押し台
- 被加工物
- 芯押し台詳細

1・5　研削盤

　研削は、砥石車の高速回転により、その砥石を構成する砥粒の切刃によって加工物を少しずつ削るものである。その研削仕上げ面の粗さは一般に2〜5μmである。

（1）　円筒研削盤

　円筒形工作物の外周を研削することを、円筒研削という。円筒研削盤とは、おもに円筒研削を行う工作機械である（**図1・8**）。加工法には、プランジ研削方式とトラバース研削方式がある。プランジ研削は、砥石または砥石台を砥石の軸方向と直角の方向に動かして削る方法であり、トラバース研削は砥石軸の軸方向に移動させる方法である。研削盤の種類によって砥石軸を動かす場合もあれば工作物を動かす場合もある。

（2）　万能研削盤

　全体のしくみは円筒研削盤とほぼ同じであるが、工作主軸台と、砥石台が旋回できるところが特徴である。円筒研削盤は生産性に重点を置くのに対し、万能研削盤は多能性、汎用性に重点を置いたもので、工作主軸台、砥石台が旋回できるほかに、内面研削装置を持つなど、広い範囲の作業ができる。

（3）　研削砥石

砥石の3要素

　砥粒（切刃に相当するもの）、結合剤（砥粒を適当な強さに結合するもの）、気孔（砥粒と砥粒間のすき間）から構成される。

研削材の種類

　研削材の種類は、JISにおいて、アルミナ質研削材（記号A）、炭化けい素質研削材（記号C）、アルミナジルコニア質研削材（記号Z）の3種類が規定されている。

砥粒の粒度

　砥石の粒子の大きさを表す単位を粒度といい、全量通過するふるいの公称目開きで表す。JIS R6001-1:2017により粒度はF4〜F220の記号で表されて、記号の数字が大きいほど粒度は小さい（目が細かい）。

1・6　ホーニング盤

　主として、工作物の円筒内面を、ホーニングヘッド（数個の棒状砥石を円筒内面に押し付けながら回転するとともに、軸方向に往復運動する）を使用してホーニング仕上げ（honing：表面をとぎ上げる加工）を行う工作機械である。目的によっては円筒外面または平面を仕上げることもある。

1・7　ラップ盤

　と粒と加工液とを混合したラップ剤を、ラップといわれる工具と工作物との間に入れ、両者に圧力を加えながら滑り動かし、工作物の加工面を滑らかに仕上げる工作機械である。仕上げしろは0.005mm程度である。

1・8　ブローチ盤

　ブローチを使用して、工作物の表面または穴の内面にいろいろな形状の加工を行う工作機械である。

　ブローチとは、加工形状と相似する多数の刃が先端部から段階的に寸法を大きくしながら、直線状に配列された工具で、軸方向に動かして加工する。ブローチ加工は多量生産に適する。

1・9　放電加工機

　放電現象を利用して工作物を加工するもので、工作物と電極との間に放電を起こさせ、この放電作用によって工作物の表面加工、穴あけ、切断などを行う加工法である。放電加工の特徴は、超硬合金のような非常に硬い金属や導電性のある非金属でも容易に加工できる点であり、したがって材料に導電性が必要になる（図1・9）。電極にはグラファイトが多く使われる。

　放電加工機には形彫り放電加工機とワイヤ放電加工機がある。形彫り

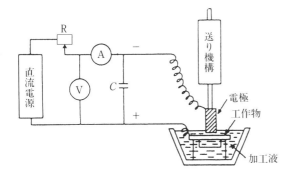

放電加工機は加工する形状を反転させた形の電極を使用するもので金型製作などに用いられる。ワイヤ放電加工機は0.03 〜 0.35mmのタングステンなどの線状のワイヤー電極を移動させながら使用するもので、鉄板のくり抜きや輪郭加工を行う。

Zoom Up

両頭グラインダー

両頭グラインダーとは、モーターの両端に回転砥石を取り付けたもので、1500 〜 3600r/min（rpm）で砥石車を回転させ、研磨作業を行う工作機械である。

両頭グラインダーの砥石を取り付けるねじ軸の回転方向は作業者から見ると、図の→方向となる。そこで、作業者から見て左側には締まり勝手となるように左ねじ、右側は右ねじを使用する。

砥石回転方向　　　砥石回転方向

作業者

1・10 FA(ファクトリーオートメーション)で使用される機械

(1) FA(Factory Automation)

工場における生産機能の構成要素である生産設備(製造、搬送、保管などにかかわる設備)と生産行為(生産計画及び生産管理を含む)とを、コンピュータを利用する情報処理システムの支援のもとに統合化した工場の総合的な自動化。

(2) 数値制御工作機械(NC工作機械)

工具と工作物との相対運動を、位置、速度などの数値情報によって制御し、加工にかかわる一連の動作をプログラムした指令によって実行する工作機械である。

一般的な特徴として、次のとおりある。

①加工精度が高く加工品質に均一性がある

②複雑な形状の加工が自動運転で容易にできる

③1回の段取りで複数の工程加工ができる

数値制御工作機械の例としては、NC旋盤やNCフライス盤などがある。

(3) マシニングセンタ

主として回転工具を使用し、フライス削り、中ぐり、穴あけ及びねじ立てを含む複数の切削加工ができ、かつ加工プログラムに従って工具を自動交換できる数値制御工作機械(図1・10)である。機械の構造によって、主軸が水平の横形および垂直の立形がある。

(4) 自動工具交換装置(Automatioc Tool Changer:ATC)

マシニングセンタなどの数値制御工作機械において、工具マガジンなどから必要な工具を選択し、自動的に交換する装置である。

(5) 産業用ロボット

自動制御によるマニピュレーション機能または移動機能をもち、各種の作業をプログラムによって実行でき、工場などで使用される機械である。

(6) オートローダ

工作機械などに、工作物を自動的に取付け、取外しをする装置である。

(7) パーツフィーダ

加工、組立などに供給する部品を整列して所定の場所まで自動的に送

図1・10　マシニングセンタ

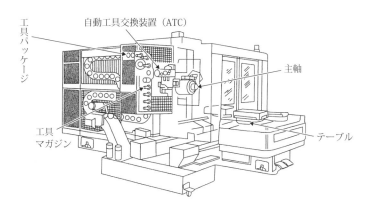

工具
パッケージ

自動工具交換装置（ATC）

主軸

工具
マガジン

テーブル

り出す装置である。

（8）　**マニピュレータ**

　互いに連結された関節で構成し、対象物(部品、工具など)をつかむ、または動かすことを目的とした機械である。

（9）　**自動倉庫**

　製造工程およびマテリアルハンドリングの中で、一時的に部品及び製品を間口・奥行き・高さ方向に配置された棚(ラック)に自動的に格納し、その入出庫、保管及び管理を行う倉庫である。

（10）　**スタッカークレーン**

　自動倉庫内の格納物を入出庫するための自走式のハンドリング装置である。

＊この章の頻出問題＊

問　題	電解加工機は、工具を陰極、工作物を陽極として、電解液中で電極間に電流を流すことで加工する工作機械である。 （2023年　2級）
解　答	○
解　説	JIS B 0106：2016（工作機械―部品及び工作方法―用語）によれば、電解加工とは、電気化学反応を利用して除去加工する工作機械と規定されており、問題文は正しい。

■ 解法のポイントレッスン

　頻出問題である「放電加工機」と紛らわしい名称の「電解加工機」に関する出題である。「放電加工機」に関する問題と誤判断しやすいので注意が必要である。放電加工機とは、工作物と電極との間の放電現象を利用して物理的に除去加工する工作機械であり、電解加工機とは電気分解を利用して化学的に除去加工する工作機械である。電解加工は、工作物を陽極（＋）、電極を陰極（－）とする電極間に、高圧の電解液を流しながら通電することで生じる電気分解で、工作物の表面を電極形状に倣って、微量ずつ所定の形状に加工する。電解加工は放電加工と比べて工具電極の消耗がない、加工速度が速いなどの特徴がある。

■ 過去18年間の傾向分析

　次の出題傾向グラフのように、1、2級ともに放電加工機、工作機械・マシニングセンタ・ ATC、研削盤・砥石・ グラインダに関する出題が多い。特筆すべきは、1級ではFA機械についてオートローダ（2021年）、パーツフィーダ（2022年）、マニピュレータ（2023年）と連続出題されている。2級については、ボール盤の部分名称（2021年）やフライス盤の上向き削り（2021年、2022年）について図を示して解答させる出題が続いていることである。いずれの問題も本書の学習で十分対策が可能であるので、復習をしておくことが大切である。

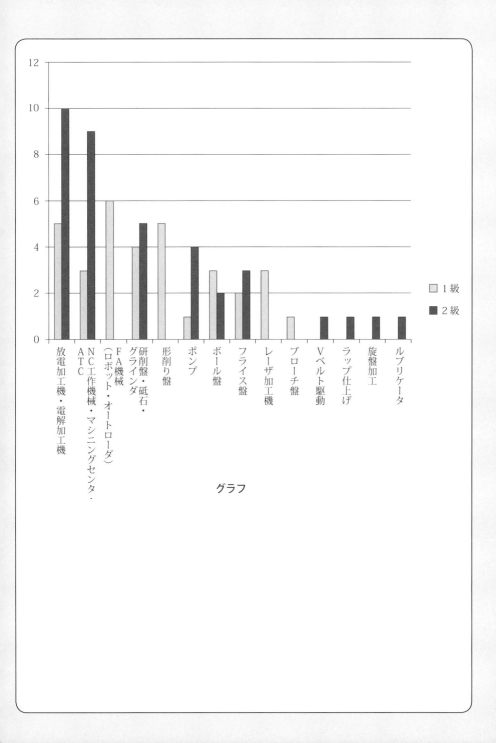

グラフ

実力確認テスト

【1】 日本産業規格(JIS)によれば、マシニングセンタとは主として回転工具を使用し、フライス削り、中ぐり、穴あけおよびねじ立てを含む複数の切削加工ができ、かつ加工プログラムに従って工具を自動交換できる数値制御工作機械である。

【2】 ATCとは自動工具交換装置のことであり、マシニングセンタなどに備えられる。

【3】 形削り盤は、刃物を回転運動させて、平面削りや溝加工を行う機械である。

【4】 旋盤の大きさは最大高さとベッドの幅、ベッドの長さで表す。

【5】 フライス盤による加工において、下図に示す削り方を、上向き削りという。

(a) 上向き削り

【6】 工作機械の制御盤とは、工作機械の制御に必要な機器や、トラブル時に電流を遮断する遮断器などが収められた箱である。

【7】 ブローチ盤は、工具(ブローチ)を引き抜くように動かすことで内周や外周の加工ができるが、多量生産には適していない。

【8】　ボール盤において、材質が硬い工作物に穴を開ける場合、ドリルの回転数を下げる。

【9】　直立ボール盤における振りとは、取り付けることができる工作物の最大直径のことである。

【10】　ワイヤ放電加工機では、加工物に導電性がなければ、セラミックスのように硬い材質でも加工できる。

【11】　一般的に形削り盤は、小型のものを加工するのに適しており、往復運動をするラムに取り付けたバイトを使用して、工作物の平面のみを専用に切削する工作機械である。

解答と解説

【1】 ○ 題意のとおり。JIS B 0105：2012（工作機械―名称に関する用語）に問題の文章のとおり規定されている。

【2】 ○ 題意のとおり。マシニングセンタは複数の加工法が可能であるので加工の種類によって変わる使用工具をツールマガジンに収納した工具の中から選択し、主軸の工具と交換する必要がある。この工具の交換を自動的に行うのが自動工具交換装置（ATC：Automatic Tool Changer）である。

【3】 × 回転運動ではなく直線往復運動であるので誤り。本章「1・4 形削り盤」を参照。回転運動で平面削りや溝加工を行うのはフライス盤である。

【4】 × 旋盤の大きさは機械寸法ではなく、振り（ベッドまたは往復台に触れないで回転して切削できる工作物の最大径）とセンター間距離（主軸から心押し台の先端までの距離）で表すので誤り。

【5】 ○ 題意のとおり。平フライスによる断続切削では、カッターの回転方向と送りの方向によって図のように上向き切削と下向き切削の2方式があり、この違いによって工具逃げ面の摩耗量や仕上げ面の粗さ状態が変わってくる。

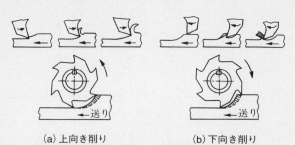

（a）上向き削り　　　　　（b）下向き削り

【6】　○　題意のとおり。制御盤は機械を電気制御するための電気制御
機器・電気機器・電気部品(電磁リレー、電磁接触器、インバー
タ、ブレーカ、変圧器など)を結線して納めた箱である。

【7】　×　多量生産に適しているので誤り。ブローチとは荒刃と仕上刃
を組み合わせた多数の切れ刃を寸法順に配列した工具で、加工
製品に合わせて専用設計される。そこでブローチ盤による加工
は工具の交換が不要で荒加工から仕上げまで、1回の引き抜きで
加工するため、多量生産に向いている(ブローチ加工については、
https://monoto.co.jp/broaching/ が参考になる)。

【8】　○　題意のとおり。硬い工作物で回転数を上げると、摩擦熱によ
る工具の寿命が早まる。ドリルの回転数(切削速度)は、工作物
が軟らかい場合には早く、硬い場合には遅く設定する。

【9】　○　題意のとおり。JIS B 0182-1993(工作機械－試験及び検査
用語)において、振りとは「普通旋盤、立て旋盤、直立ボール盤
などにおいて、取り付けることができる工作物の最大直径」と規
定されている。

【10】　×　加工できないので誤り。電極と被加工物間の放電による除
去加工という特性上、被加工物が電気を通す材質(導体)でなけ
れば加工できない。

【11】　×　平面削りのみではなく、溝削りも行えるので誤り。JIS B
0105：2012(工作機械—名称に関する用語)によれば、「形削り
盤はテーブルをラムの運動と直角方向に間欠的に送り、往復運
動をするラムに取り付けたバイトを使用して、工作物の平面及
び溝削りを行う工作機械」と規定されている。

第 **2** 章

電気一般

出題の傾向　学習のPOINT

　傾向としては、遮断器やインバータなどの電気機器の特徴や構造に関する問題と計算（合成抵抗、電力量、電動機の回転数など）に関する出題となっている。
・電気の基礎
　合成抵抗の計算、電力および電力量の計算
・電気機械器具の使用方法
　電動機の始動方法の名称、特徴、具体的な数値
・電気の基本回路
・制御方法や誘導電動機の始動方法
・インバーターの基礎知識、交流・直流ソレノイドの特徴
などがポイントである。

1　電気回路の基礎

1・1　オームの法則

　図2・1に示す直流の電気回路においては、直流電流 I（A：アンペア）が流れている導体中の2点間の電位差 V（V：ボルト）は I に比例する。つまり、

　　$V〔V〕= I〔A〕× R〔Ω〕$

の関係があり、これを「オームの法則」という。上の式の比例定数 R を抵抗といい、Ω（オーム）という単位を用いる。

1・2　電気抵抗

　電気抵抗とは電気の流れにくさのことをいい、単に抵抗ともいう。抵抗は導体の材質、形状、温度などで変わる。同じ材質であれば抵抗値は、長さが長くなると増大し、断面積が大きくなると低下する。すなわち

　　$抵抗 R〔Ω〕= 電気抵抗率 \rho〔Ωm〕\dfrac{長さ L〔m〕}{断面積 A〔m^2〕}$

の関係がある。上の式の比例定数 ρ は電気の通しにくさを表すもので、電気抵抗率といいΩm（オーム・メートル）という単位を用いる。また、金属などの導体は温度が上昇すると抵抗値が上昇し、プラスチック、セラミックス、純水などの不導体（絶縁体）は反対に減少する。

　抵抗には、図2・1(b)の負荷抵抗のほかにも、接触抵抗や接地抵抗と呼ばれるものがある。

接触抵抗：接点や端子間など、2つの導体の接触面を通って電流が流れるとき、その間に発生する抵抗

接地抵抗：電気機器と地面が接続されている（接地がとれている）ときの両者の間の抵抗で、抵抗値が低いほど安全な接地である

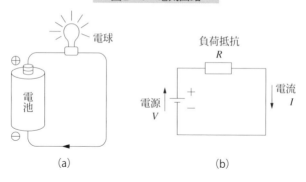

図2・1　電気回路

(a)　　　　　　　　　　　(b)

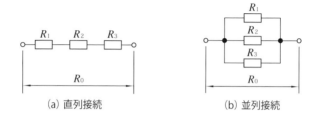

図2・2　抵抗の接続

(a) 直列接続　　　　　　　(b) 並列接続

1・3　抵抗の合成

　抵抗の接続には**図2・2**のように、直列に接続する場合と並列に接続する場合がある。それぞれ直列接続、並列接続という。これらの合成抵抗R_0は次の式で求められる(合成抵抗：直列接続や並列接続あるいはこれらの組合わせである抵抗をまとめて、同じ働きをする1つの抵抗に置き換えたもの)。

　・　直列接続

　　　$R_0 = R_1 + R_2 + R_3$　〔Ω〕　(図2・2(a))

　　　合成抵抗は接続された各抵抗値よりかならず大きくなる。

　・　並列接続　(図2・2(b))

$$R_0 = \cfrac{1}{\cfrac{1}{R_1} + \cfrac{1}{R_2} + \cfrac{1}{R_3}} \; (\Omega)$$

$$= \frac{R_1 \times R_2 \times R_3}{(R_1 \times R_2 + R_2 \times R_3 + R_1 \times R_3)} \; (\Omega)$$

合成抵抗は接続された各抵抗値よりかならず小さくなる。

2 電力と電力量

2・1 直流の電力

直流の電力は以下の式で表される。

$P = V \times I$ 〔W〕

ここで、P =電力〔W〕、V =電圧〔V〕、I =電流〔A〕

電力とは、モーターを回すなどして1秒の間に電気がする仕事である。

また、電力量は電気がある時間内に仕事をした量であり、以下の式で表される。

電力量〔Wh〕=電力〔W〕×時間〔h〕

　　　　　　=電圧〔V〕×電流〔A〕×時間〔h〕

2・2 交流の電力

交流の電力は、**図2・3**(a)のように皮相電力(供給電力)、有効電力(消費電力)、無効電力(消費されない電力)からなり、cos θ =有効電力／皮相電力の関係がある。cos θを力率といい、この値が大きいほど電力の使用効率が良い。力率の概数を**表2・1**に示す。また負荷がコイルなどの誘導成分を含む場合には、**図2・3**(b)のように電流は電圧より位相

図2・3　交流電力のグラフ(モータ負荷の場合)

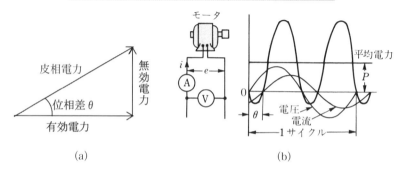

(a)　　　　　　　　　　　　　　(b)

表2・1　力率の概数

種　　　　　類	力率(%)
白　熱　照　明　器　具	100
誘　導　電　動　機	60 ～ 80
蛍　光　灯　照　明　器　具	60

差 θ〔ラジアン〕分遅れる。交流ではこの位相差 θ を考慮しなければならない。

　交流の電力 P〔W〕は、電圧の実効値を V〔V〕、電流の実効値を I〔A〕とし、その位相差を θ とすれば、

単相交流：$P = VI\cos\theta$

三相交流：$P = \sqrt{3}\,VI\cos\theta$

で表される。

2・3　電動機

　電動機(モータ)は、電磁力を利用して電気エネルギーを機械エネルギーに変える機器である。その種類を大別すると**表2・2**のようになる。

　電動機の回転原理は、フレミングの法則で説明できる。

　磁束中にある1巻きのコイルに電流を流すと、コイルには力(電磁力)が働いて回転する(左手の法則)。これが直流電動機の原理である。また、回転する磁界中に導体でつくったロータを入れると、電磁誘導により導体に電流が流れる(右手の法則)。電流が流れると、その導体には電磁力が働いてロータが回転す

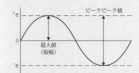

Zoom Up

交流の実効値と周期

交流の電流と電圧は図のように正弦波形となっているために、理解しにくい。たびたび出題される交流の基礎的事項をまとめておこう。

実効値

実効値：交流の電流と電圧は時々刻々と変化する。そこで次の実効値というもので電流と電圧を代表して表す。

電流または電圧の実効値＝

$$\frac{電流または電圧の最大値}{\sqrt{2}}$$

周期

　交流の周期(1サイクルに必要な時間)〔s〕T と振動数(毎秒あたりの振動の回数)f〔s⁻¹〕＝〔Hz〕の関係は次のとおりである。

$$f = \frac{1}{T}$$

表2・2　電動機の種類と用途

種別	電動機の名称	お　も　な　用　途
直流	他励電動機 分巻き電動機 }	精密で広範囲な速度や張力の制御を必要とする負荷（圧延機など）
	直巻き電動機	大きな始動トルクを必要とする負荷（電車、クレーン）
	複巻き電動機	大きなトルクを必要とし、かつ速度があまり変化しては困る負荷（切断機、コンベヤ、粉砕機）
交流	かご形 三相誘導電動機	ほぼ定速の負荷（ポンプ、ブロワ、工作機械、その他）
	巻き線形 三相誘導電動機	大きな始動トルクを必要とする負荷、速度を制御する必要がある負荷（クレーンなど）
	単相誘導電動機	小容量負荷（家庭用電気品など）
	整流子電動機	広範囲な速度制御を必要とする小容量負荷（電気掃除機、電気ドリルなど）
	同期電動機	速度不変の大容量負荷（コンプレッサー、送風機、圧延機など）

る(左手の法則)。これが交流電動機の原理である。電磁誘導を利用した電動機を誘導電動機といい、ロータとしてかご状の導体を使ったものをかご形誘導電動機という。

2・4　単相誘導電動機

　単相誘導電動機は比較的小容量なので、家庭用、農業用などの小器具駆動用電動機として使用される。始動トルクがゼロであるため、始動装置が必要である。

　最初に回転させる方向を決める方式としてコンデンサー始動方式、くま取りコイル（固定子コイルの一部にくま取りコイルをつける）方式の2つの方式がある。

2・5　三相誘導電動機

　三相交流でつくられる固定子の回転磁界により、回転子に誘導電流を発生させて回転トルクを得る電動機である。三相電源のうち、二極を入れ替えることで正転と逆転を切り換えられることや単相誘導電動機と異なり、回転磁界をつくるための装置が不要である、などの特徴がある。三相誘導電動機にはかご形と巻線形があり、一般産業機械に汎用的に使用されている。

Zoom Up

三相交流電力

三相交流電力Pは、次のように表される。

$$P = \sqrt{3}\,VI\cos\theta \quad [\text{W}]$$

単相交流電力に比べ、$\sqrt{3}$倍になることが特徴である。

下の図に示すように、三相交流回路にはスター結線とデルタ結線がある。

(a) スター結線

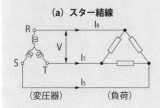

（変圧器）　　（負荷）

(b) デルタ結線

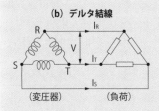

（変圧器）　　（負荷）

ただし、V＝線間電圧〔V〕
I＝I$_R$＝I$_S$＝I$_T$＝負荷電流〔A〕

3 制御機器

3・1 遮断器

遮断器には配線用遮断器(MCCB)と漏電遮断器(ELB)がある。配線用遮断器は負荷電流の開閉とともに、電線が短絡したときの大電流(短絡電流)を遮断する。また漏電遮断器は漏電時に地絡電流を検出して回路を遮断する。

3・2 開閉器

電動機(厳密には600V以下の低圧交流電動機)では、配線用遮断器と交流電磁開閉器により電動機回路の保護を行う。

交流電磁開閉器は配線用遮断器と電動機の間に設置して、電動機などの起動・停止と過負荷保護を行う。交流電磁開閉器は電磁接触器とサーマルリレー(熱動継電器)で構成される。電磁接触器は電磁石コイルが励磁されることで回路を閉じる。サーマルリレーは電動機に過電流が発生するとバイメタルが温度上昇で湾曲して電磁接触器の励磁を解き、回路を開いて電流を遮断する。

電動機には過負荷であるが、配線用遮断器には設定値以下の電流が回路に流れた場合、配線用遮断器のみでは電流を遮断できない。しかし、交流電磁開閉器のサーマルリレーで電流を熱に変えることで、バイメタルを変形させて電流が遮断できる。

3・3 ソレノイド

ソレノイドは、電源により特性が異なってくるので注意が必要である。ソレノイドに用いられる電源の種類として、直流電源と交流電源があり、建機・車両関係にはDC12V、DC24V、また工作機械、成形機用などではAC100V (50/60Hz)、AC200V (50/60Hz)がよく用いられている。

（1）　直流ソレノイド

　電圧が低かったり過大であると、ソレノイドの吸引力不足による切換え不良が発生するが、作動の途中でロックしてもコイルの焼損は問題とならない。

（2）　交流ソレノイド

　コイルに流れる電流が周波数に反比例し、同一コイルでは50Hzの方が60Hz印加時よりも約1.2倍の電流が流れるため、50Hzの方が吸引力が大きくなり、切換えに余裕がでてくるが、逆に保持電力が高くなる。しかし、作動の途中でロックするとコイルが焼損する。

3・4　ソリッドステートリレー（Solid State Relay：SSR）

　可動部のない半導体リレーで、無接点リレーとも呼ばれる。可動部がないことから、高頻度開閉においてのメンテナンスフリーが可能となる。

4　誘導電動機の運転と制御

4・1　始動方法

　始動方法を大別すると、直入れ始動と減電圧始動がある。直入れ始動は文字どおり定格電圧で始動するもので、定格時の数倍もの始動電流が流れる。その結果、電動機の過熱損傷、電源電圧の低下による始動停止などのトラブルを起こす恐れがあるので、電動機容量や負荷の状況によって制限を受ける。

　これらの対策として、始動トルクをあまり下げずに始動電流を少なくする工夫をしたものが減電圧始動である。表2・3は従来からの始動方法の比較である。

　また可変速を目的とした電動機では、最近はインバータを用いた回路が主流となりつつあり、減電圧だけではなく周波数も同時に制御できるので、通常は始動電流が150％以下に抑えられ、スムーズな始動が可能

表2・3　かご形電動機の始動方式比較

比較項目＼始動方式	直入れ始動	減電圧始動		
		スターデルタ始動	リアクトル始動	コンドルファ始動
始動電圧（電動機）	V（基準）	0.58V	0.5～0.8V	0.5～0.8V
始動電流（電動機側）	Is（基準）	0.33Is	0.5～0.8Is	0.5～0.8Is
始動電流（電源側）	Is（基準）	0.33Is	0.5～0.8Is	0.25～0.64Is
始動トルク	Ts（基準）	0.33Ts	0.25～0.64Ts	0.25～0.64Ts
始動時間	ta（基準）	3ta	4～1.6ta	4～1.6ta
特性（トルク−速度）		加速中のトルクの増加少ない	加速中のトルクの増加大きい（T_Rは0.5Vのトルクカーブ）	加速中のトルクの増加少ない（T_Cは0.5Vのトルクカーブ）
特徴	・設備費が安い ・始動時間が短い ・始動時のショックが大きい	・始動電流は変更できない ・軽負荷始動に適している	・始動電流はタップ切換えで可変できる	・電源側の始動電流を小さくできる ・単巻きトランスを必要とするので設備費が高い

である。

（1）　スターデルタ（Y−Δ）始動法

　減電圧始動法の中でもっとも設備費が安く、かご形電動機に適用される。これは電動機の1次巻き線のリード線を各相2本ずつ出して始動時はY結線とし、加速後にΔ結線に切り換えるもので、電磁開閉器とタイマーで構成される。

　始動電流、始動トルクが直入れ始動の3分の1になる。

（2）　2次抵抗始動法

　始動時の電流を下げるために巻き線に加わる電圧を下げると始動トルクが減少する。巻き線形電動機では2次側に抵抗を挿入することによって始動電流を小さくし、同時に始動トルクを大きくすることができる。

　この方法では始動条件を改善するだけでなく速度制御も可能となる。

4・2　速度制御の原理

　交流電動機の固定子巻き線へ交流電圧を加えると回転磁界が生じ、この磁界の速度によって回転速度が決まってくる。これを同期回転速度と呼び次式で与えられる。

$$N_S = \frac{120f}{P} \; (\text{min}^{-1}(\text{rpm}))$$

　　Ns：同期回転速度、f：電源周波数〔Hz〕、P：電動機の極数（たとえば、N極とS極の1組で、$P=2$、2組の場合$P=4$となる）

　また、電動機がトルクを発生するためには、同期回転速度Nsと回転子の速度N_Rに差が必要である。この比を「すべり（s：スリップ）」といい次式で与えられる。

$$S = \frac{N_S - N_R}{N_S}$$

　また、上の式を書き換えると次のようになる。

$$N_R = N_S(1-S) = \frac{120f}{P}(1-S) (\text{min}^{-1}(\text{rpm}))$$

　なお、すべりは$S \times 100$〔%〕のように百分率で表すことが多い。

図2・4　速度制御要素別の制御方式

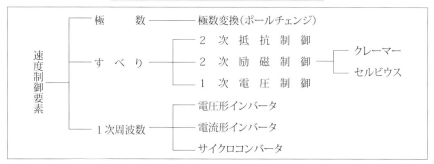

以上から速度の制御要素は極数、すべり、周波数の3点であり、これらを整理すると**図2・4**のようになる。

4・3　トラブル対処

　誘導電動機のトラブルはコイルに集中しがちで、絶縁劣化が多い。絶縁劣化は漏電や回転不良、騒音を生じさせる。劣化の原因としては、熱、疲労、水、部分放電などがあげられる。

4・4　基本回路と制御方式

（1）　自己保持回路
　シーケンス制御に使われる回路で、スイッチをONにすることでいったん電磁リレーのコイルを動作させると、その電磁リレー自身のa接点をバイパス動作回路とし、スイッチをOFFにしてもリレーの励磁が続く回路である。

（2）　インターロック回路
　自己保持リレー回路でリレー R_1、R_2 が同時に作動した場合に異常が発生するような回路では、各リレー回路に相手側リレーの b 接点（制御機器が動作することにより接点が開放する－ブレーク接点）を接続し、片方が動けば他方は動かなくなるようにして異常の発生を防止する回路である。

（3）　シーケンス制御
　シーケンス制御とは、あらかじめ定められた順序に従って制御の各段階を逐次進めていく制御である。

（4）　フィードバック制御
　サーボモータを用いて精密な位置決め制御や速度制御を行う場合、あらかじめ目標値をモータに指令 → 検出器で速度を検出 → 演算装置で指令値と検出値を比較 → 両者の差がゼロとなる新たな値をモータに指令することを繰り返す。このような繰返しによって運転状態を常に指令側に帰還（フィードバック）することで目標値に近づける制御をフィード

表2・4 タイマの動作機能上の分類

タイマの種類	動　　　　作
オンディレイタイマ	電源を印加したときに計時を開始し、設定時間経過後に出力をオンとするタイマ
オフディレイタイマ	電源を印加したときに出力がオンとなり、電源をオフとしたときに計時を開始して、設定時間経過後に出力をオフとするタイマ
フリッカタイマ	電源印加中に、出力がオン・オフを繰り返すタイマ

バック制御という。

（5）　制御回路に使う接点

・メーク接点（a 接点）：コイルに電流が流れていないとき（通常時）は接点が開いており（OFFの状態）、コイルに電流を流すと閉じる（ONとなる）

・ブレーク接点（b 接点）：コイルに電流が流れていないとき（通常時）は接点が閉じており（ONの状態）、コイルに電流を流すと開く（OFFとなる）

4・5　限時継電器（タイマ）

　限時継電器（タイマ）は交流および直流制御回路に用いられ、機器・装置の動作、時限制御、タイミング制御などに用いられる。

　タイマの分類を動作機能からまとめると**表2・4**のようになる。

4・6　インバータ

　インバータとは、厳密には直流電力を交流電力に変換する電源回路、またはその回路を持つ電力変換装置のことである。一方、**図2・5**のように商用電源の単相交流・三相交流をいったん整流して直流に変換してから、再度交流にするための整流器（コンバータ）と（厳密な意味での）

インバータを組み合わせ、同一パッケージ内に収容した電力変換装置全体をインバータと呼ぶことも多い(産業用インバータなど)。

図2・5　インバータの基本構成

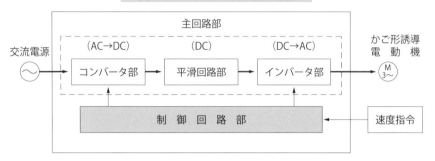

＊この章の頻出問題＊

問　題	下図に示す回路に流れる電流Iは、0.3Aである。 （2022年度　1級） 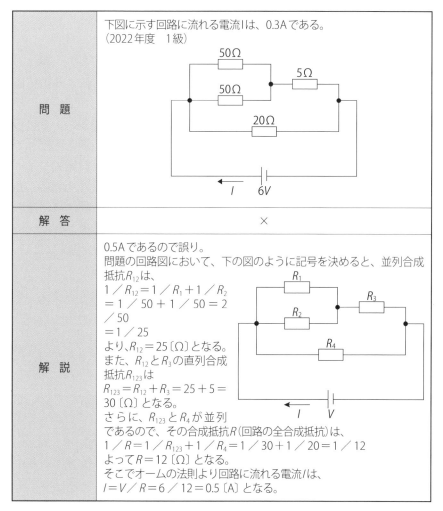
解　答	×
解　説	0.5Aであるので誤り。 問題の回路図において、下の図のように記号を決めると、並列合成抵抗R_{12}は、 $1／R_{12}＝1／R_1＋1／R_2$ $＝1／50＋1／50＝2／50$ $＝1／25$ より、$R_{12}＝25〔Ω〕$となる。 また、R_{12}とR_3の直列合成抵抗R_{123}は $R_{123}＝R_{12}＋R_3＝25＋5＝30〔Ω〕$となる。 さらに、$R_{123}$と$R_4$が並列であるので、その合成抵抗$R$（回路の全合成抵抗）は、 $1／R＝1／R_{123}＋1／R_4＝1／30＋1／20＝1／12$ よって$R＝12〔Ω〕$となる。 そこでオームの法則より回路に流れる電流Iは、 $I＝V／R＝6／12＝0.5〔A〕$となる。

■ 解法のポイントレッスン

　頻出問題の典型でもある複数抵抗のある直流回路問題である。しっかりと基礎を思い出そう。抵抗が直列の場合は抵抗値の和、並列の場合は抵抗値の逆数の和となる。解法の定石は、① 並列抵抗の合成抵抗を求

める、② 回路を全て抵抗の直列問題に変えて全抵抗Rを求める。そして③ 1つの抵抗Rを持つ回路としてオームの法則を適用して電流I（場合によっては電圧V）を計算する。

■過去18年間の傾向分析

　グラフ1のように導体の抵抗や接地抵抗に関する出題が多い。導体・不導体による抵抗値の増減、同じ導体材料の断面積や長さによる抵抗値への影響などの問題や、接地抵抗の意味を問う問題が頻出している。続いてサーマルリレー、タイマ、遮断器などに関する出題が多い。これらは人身や設備を災害から守る安全機器でもあることから出題を重視していることが伺える。また1級では電動機の始動方法（直入れ始動やY－Δ始動の特徴比較など）やa接点（JIS用語ではメーク接点）、b接点（JIS用語ではブレーク接点）の違いに関する出題がが多く、2級は電動機の回転方向やインバータに関する出題が目立つ。また1、2級ともにシーケンス回路に関する問題（自己保持回路、シーケンス制御の意味など）も過去に良く出題されているので、今後の出題も予想される。

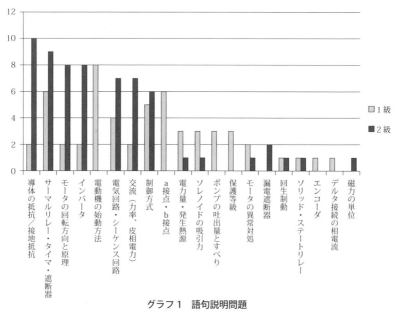

グラフ1　語句説明問題

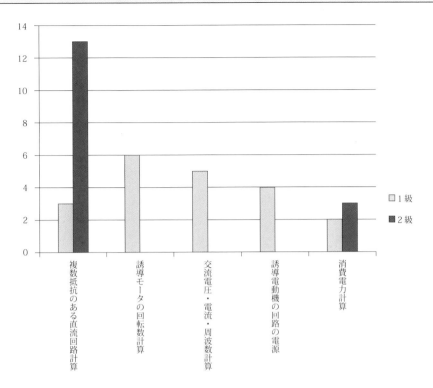

グラフ2　計算問題

【計算問題】

　計算問題の傾向は1、2級で大きく異なるので注意が必要である。1級については交流回路の計算と誘導電動機の回転数の計算が頻出、2級についてはオームの法則を使った電流や電圧の計算、直流回路の合成抵抗計算が繰り返し出題されている。これらの問題も出題パターンが決まっているので十分な試験準備が可能である。

実力確認テスト

【1】 フィードバック制御とは、あらかじめ定められた順序または手続きに従って制御の各段階を逐次進めていく制御である。

- -

【2】 下の図の回路でR₂の抵抗値が10〔Ω〕のとき、直流電流計Aが2〔A〕、直流電圧計Vが12〔V〕を示した。このときのR₁の抵抗値は12〔Ω〕である。

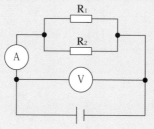

- -

【3】 三相交流回路において、力率80%の負荷に200Vの電圧を加えたら、4kWの電力を消費した。この負荷に流れた電流は25Aである。

- -

【4】 接地された導体と大地間の接触点に生じる抵抗を接触抵抗という。

- -

【5】 直流ソレノイドでは、電源電圧変動によって吸引力の低下やコイル焼損などが発生することがある。

- -

【6】 インクリメンタル形ロータリエンコーダには、基準位置がある。

- -

【7】 有効電力とは、交流回路において、負荷に電圧Vを加えて電流Iが流れているときのみかけ上の電力VIのことである。

- -

【8】 電源周波数60〔Hz〕の工場において1500〔min⁻¹〕で使用していた三相誘導電動機を電源周波数50〔Hz〕の工場に移設した場合、回転数は1250〔min⁻¹〕となる。ただし、すべりはないものとする。

【9】 直流回路において、電圧と電流の位相差を θ とするとき、$\cos \theta$ を力率という。

【10】 周波数50〔Hz〕の交流電圧の周期は10〔ms〕である。

【11】 インバータにより電源周波数を任意に変換することはできるが、それにより誘導電動機の回転数を制御することはできない。

【12】 直流の直巻電動機は大きなトルクを必要とし、かつ速度があまり変化しては困るコンベヤや切断機などに使われる。

【13】 三相誘導電動機のスターデルタ始動では、始動トルクは直入れ始動時の3倍になる。

【14】 電磁接触器の接点のうちメーク接点は、電磁接触器のコイルに電流が流れている間だけ、接点が開いた状態となる。

【15】 自己保持回路は電磁開閉器や継電器(リレー)などが自己の接点を利用して、コイルの励磁状態を保持する回路である。

【16】 配線用遮断器は、漏電時に地絡電流を検出して回路を自動的に遮断する。

【17】 サーマルリレーは、バイメタルとヒートエレメントが内蔵された保護継電器である。

【18】 金属は、一般的に温度が上がると電気抵抗値は増加し、主な半導体は温度が上がると電気抵抗値が減少する。

【19】 2極と4極の三相誘導電動機を同じ電源で使用する場合、4極の回転数は2極の回転数の1／2倍になる。ただし、両電動機のすべりも同じ値とする。

【20】 漏電遮断器は感度電流により分類され、高感度型の定格感度電流は30mA以内である。

【21】 非常停止用押しボタン回路の押しボタン接点は、一般的にブレーク接点が使われる。

【22】 下の直流回路において電流計に流れる電流は約3Aである。

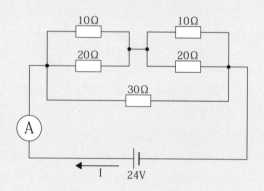

【23】 電源を印加したときに出力がオンとなり、電源をオフとしたときに計時を開始して、設定時間経過後に出力をオフとするタイマをオンディレイタイマという。

【24】 交流ソレノイドの吸引力は、印加する電圧が同じ場合、電源周波数が50Hzよりも60Hzの方が小さくなる。

【25】 配線用遮断器は電動機回路の電源側に設置する。サーマルリレーは同回路の電動機側に設置する。

解答と解説

【1】 ×　問題文はシーケンス制御についての説明となっているので誤り。JIS Z 8116-1994（自動制御用語－一般）によると、フィードバック制御とは「フィードバックによって制御量を目標値と比較し、それらを一致させるように操作量を生成する制御」となっている。また、同JISによるとフィードバックとは「作用又は信号の伝達の下流側から上流側へ信号を戻すこと」である。

【2】 ×　15〔Ω〕であるので誤り。抵抗R_1とR_2による合成抵抗Rは、

$1 / R = 1 / R_1 + 1 / R_2 = (R_1 + R_2) / R_1 R_2$ ………(1)

また、この回路にオームの法則を適用すると、

$V = I \times R$

よって、$R = V / I$ ………(2)

電流$I = 2$〔A〕、電圧$V = 12$〔V〕であるから(2)式より、

$R = V / I = 12 / 2 = 6$〔Ω〕

この値および$R_2 = 10$〔Ω〕を(1)式に代入して、

$1 / 6 = (R_1 + 10) / 10 R_1$

上式より、$R_1 = 15$〔Ω〕

【3】 ×　14.43（A）なので誤り。三相交流電力Pは、線間電圧をV、線電流をI、力率を$\cos \theta$とすると、$P = \sqrt{3} \times VI \times \cos \theta$である。この式より、

流れた電流Iは、$I = P / (\sqrt{3} V \times \cos \theta)$

$P = 4000W$、$V = 200V$、$\cos \theta = 0.8$であるから

$I = 4000 / (\sqrt{3} \times 200 \times 0.8) = 14.43$（A）となる。

【4】 ×　接触抵抗ではなく、接地抵抗であるので誤り。接触抵抗とは、2つの物体の接触面を通って電流が流れるとき、その間にできる電気抵抗である。

【5】 ○　題意のとおり。電圧が低いと吸引力減少、吸引不能や応答時間の遅延、応答不能となる。また、電圧が高すぎると、コイルの破損・焼損やリード線などが破損する。

【6】 ×　基準位置がないので誤り。ロータリエンコーダにはインクリメンタル形とアブソリュート形があり、インクリメンタル形ロータリエンコーダには基準位置がないが、アブソリュート形ロータリエンコーダには入力回転軸のゼロ位置がある。インクリメンタル形ロータリエンコーダは動く前と動いた後で、どれくらいの角度を移動したかを検出、アブソリュート形ロータリエンコーダは原点から何度の位置にいるかを検出する。

【7】 ×　有効電力ではなく、皮相電力であるので誤り。有効電力は負荷で消費される電力で $VI \cos \theta$（$\cos \theta$：力率＝有効電力÷皮相電力）である。

【8】 ○　題意のとおり。すべりがない場合の三相誘導電動機の回転数 N は、周波数を f〔Hz〕、極数を P とすると、
$N = 120f / P$
となる。60〔Hz〕での回転数を N_{60}、50〔Hz〕での回転数を N_{50} とすると、
$N_{50} = 120 \times 50 / P$
$N_{60} = 120 \times 60 / P$
であるから、$N_{50} / N_{60} = 50 / 60$
$N_{50} = (50 / 60) \times N_{60} = (50 / 60) \times 1500 = 1250$〔$\mathrm{min}^{-1}$〕となる。

【9】 ×　直流回路ではなく、交流回路であるので誤り。交流回路では電流と電圧は正弦曲線を描いて相互に位相差が発生するために、力率角 θ が生じるが、直流ではそもそも位相差は発生しない。

【10】 × 10〔ms〕ではなく20〔ms〕であるので誤り。周期$T = 1 /$
周波数fである。題意より、$f = 50$〔Hz〕$= 50$〔s^{-1}〕であるから、
$T = 1/50$〔s^{-1}〕$= 0.02$〔s〕$= 20$〔ms〕となる。

【11】 × 誘導電動機の回転数を制御できるので誤り。商用電源である交流の周波数と電圧の大きさは決まっているが、インバーター装置を使って、交流をいったん直流に変換(コンバーター回路)した後、再度交流に変換(インバーター回路)することで、周波数fと電圧の大きさを自在に変えることができる。
一方、三相誘導電動機の回転数N_Rは、極数をPとして
$N_R = 120\,f(1\text{-}S\,)/P$〔$\min^{-1}$〕 (1)
で求められるので(1)式のfをインバータを使って変化させることでN_Rを制御できる。

【12】 × 問題文は直巻電動機ではなく、複巻き電動機に関するものであるので誤り。直巻電動機はクレーンなど大きな始動トルクを必要とする場合に使われる。

【13】 × 3倍ではなく、1／3になるので誤り。電動機との接続配線を最初スター(Y)結線で始動し、同期回転速度に近づいた状態でデルタ(Δ)結線に切り替える方法で、始動電流が直入れの1／3となる。

【14】 × メーク接点ではなく、ブレーク接点であるので誤り。
ブレーク接点：接点は常に閉じており、コイルに電流を流す(信号)ことで接点が開く。
メーク接点：接点は常に開いており、コイルに電流を流す(信号)ことで接点が閉じる。

【15】 ○ 題意のとおり。自己保持回路とはリレーなどが持っている自己の接点を利用して、自己の動作を保持しようとする回路である。この回路は、一度入力された信号を解除信号があるまで

保持するので記憶回路とも呼ばれており、電動機の始動・停止
をはじめ、数多くの回路に利用されている。

【16】　×　配線用遮断器ではなく、漏電遮断器であるので誤り。配線
用遮断器は過負荷や短絡などによって回路に異常な過電流が流
れたときに電路を遮断するが、漏電による電路の遮断はできな
い。

【17】　○　題意のとおり。バイメタルは2枚の膨張率が違う金属を張
り合わせ、温度の上昇によって湾曲する。ヒートエレメントは
熱によって接点が作動する機械的な機構であり、この2つを組み
合わせることで、異常電流の発生でバイメタルが熱変形するこ
とで接点が切れて電路を遮断し、回路の保護を行う。

【18】　○　題意のとおり。一般的に金属の場合、加熱すると金属の分
子運動が激しくなり、流れる電子を阻害するため、抵抗値が上
昇する。一方、半導体の場合は、加熱すると不純物（ドナーやア
クセプタ）がイオン化して、電子やホールを出し、それが伝導に
寄与することで抵抗値が下がる。

【19】　○　三相誘導電動機の回転速度N_Rは、次の式で表される。
$N_R = 120f(1\text{-}S) / P$（ここで、$f$は電源周波数、$s$はすべり、$P$極
数）
題意より同じ電源であることから、fは一定である。また、すべ
りsも一定であるので、
2極の電動機の回転速度$N_{R2} = 120f(1\text{-}S) / 2$
4極の電動機の回転速度$N_{R4} = 120f(1\text{-}S) / 4$
よって$N_{R4} / N_{R2} = 1 / 2$であるので、4極の回転数は2極の回
転数の1 / 2になる。

【20】　○　題意のとおり。JIS C8201-2-2：2011（低圧開閉装置及び

制御装置－第2-2部：漏電遮断器）に「高感度形漏電遮断器とは定格感度電流が30mA以下の漏電遮断器」との規定がある。一般的に感電事故時人間の体内に流れる致死電流は50mAだと言われているので、このような事故を防ぐ用途には高感度形30mA以下が使われる。同JISによると、定格感度電流は中感度形では30mAを超え1000mA以下、低感度形では1000mAを超え30A以下となっている。

【21】　○　題意のとおり。非常停止押ボタンはブレーク接点が使われる。メーク接点は常時開いており、ボタンを押すことで接点を閉じるがブレーク接点は常時閉じており、押すことで回路を切断する。

参考：JIS C0617-7：2011（電気用図記号－第7部：開閉装置、制御装置及び保護装置）にはa接点、b接点の用語はない。

【22】　○　題意のとおり。複雑に見えるが、並列の合成抵抗を順次行う。

問題の回路図において下図のように記号を付けると、

抵抗R_1と抵抗R_2の合成抵抗R_{12}は、

$1／R_{12}＝(R_1＋R_2)／R_1R_2＝(10＋20)／(10×20)＝0.15〔Ω〕$

よって$R_{12}＝6.67$

この合成抵抗が2個直列になっているのでその直列合成抵抗R_4は

$R_4＝2×R_{12}＝2×6.67＝13.34〔Ω〕$

R_3とR_4は並列であるので、その合成抵抗R_{34}は、

$1／R_{34}＝(R_3＋R_4)／R_3R_4＝(30＋13.34)／(30×13.34)＝0.108〔Ω〕$

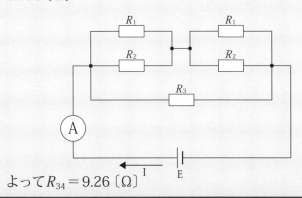

よって$R_{34}＝9.26〔Ω〕$

そこでオームの法則により、回路に流れる電流Iは、
$I = E / R_{34} = 24 / 9.26 = 2.59 ≒ 3$〔A〕となる。

【23】　×　オフディレイタイマであるので誤り。JIS C61812-1：2014（産業用及び住宅用タイマ-第1部）によると、オンディレイタイマとは電源を印加したときに計時を開始し，設定時間経過後に出力をオンとするタイマである。

【24】　○　題意のとおり。交流ソレノイドの吸引力は電源周波数に反比例する。そこで電源周波数が高くなると吸引力は小さくなる。ソレノイドの動きは、機械系受験者にとっては油圧・空気圧の電磁弁に関係するので理解しておきたい。

【25】　○　題意のとおり。本章「3・2　サーマルリレー」を参照のこと。

第3章

機械保全法一般

出題の傾向 ⬇ 学習のPOINT

　まず重要なことは、機械保全法一般においては次の3つの内容が出題されている。①機械の保全・修理・点検・履歴、②品質管理、③機械の異常時における対応処置の決定である。機械系受検では、③については「試験の細目」の6-イ-dに示されている4択問題の「機械の主要構成要素の異常時における対応処置の決定」と出題範囲が同じである。

　①〜③の学習ポイントを以下に示す。

　① 機械の保全・修理・点検・履歴について

　保全業務に従事する者にとってもっとも重要なことは、設備をよく知って設備管理の方針を立案し、それに基づいてステップを踏んだ業務を進めることである。このことから試験でも設備管理に関する用語が数多く出題されている。この傾向は回を重ねるごとに強くなると思われる。

　また、設備管理の諸活動は設備点検活動による設備状態の把握から始まる。いままでは数少ない出題傾向であったが、点検計画や修理計画、その実績把握・記録に関することは活動の基本であるため理解・整理をしておきたい。

　② 品質管理について

　特性要因図、ヒストグラム、正規分布などの品質管理手法に関する用語、$\bar{X}-R$管理図、p管理図、np管理図などの一般的な知識について出題されている。

　③ 機械の異常時における対応処置の決定について

　機械系を受検する場合、本書の6章(4)「機械の主要構成要素の異常時における対応措置の決定」を勉強することがもっとも効率の良い対策となる。

1　機械の保全計画

1・1　保全方式に関する用語

（1）　TPM（Total Productive Maintenance）

　生産システム効率化を極限まで追求（総合的効率化）をする企業の体質づくりを目標にして、生産システムのライフサイクルを対象とし、「災害ゼロ・不良ゼロ・故障ゼロ」などあらゆるロスを未然防止する仕組みを現場・現物で構築し、生産部門をはじめ、開発、営業、管理などの全部門にわたって、トップから第一線従業員に至るまで全員が参加し、重複小集団活動によって、ロス・ゼロを達成する生産保全活動である。

（2）　生産保全（PM：productive maintenance）

　生産目的に合致した保全を経営的視点から実施する、設備の性能を最大に発揮させるためのもっとも経済的な保全方式。生産保全の目的は、ライフサイクルコストを最小にすることによって経営に貢献することである。

　この目的の達成のために、以下のような各種の保全手段がある（**図3・1**）。

①　予防保全（PM：preventive maintenance）

　設備や部品などの使用中の故障の発生を未然に防止するために、規定の間隔または基準に従って、前もって実行する保全方式を予防保全と言い、次の3つの活動がある。

・劣化を防ぐ活動：日常保全
・劣化を測定する活動：定期検査（診断）
・劣化を回復する活動：補修・整備

　予防保全の方法を大別すると時間基準保全と状態基準保全とに分けられる。これらは後述の「1・4　保全計画・工事に関する用語」の「（2）重点設備」をベースとして実施される。

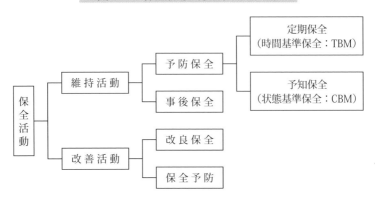

図3・1　保全活動の分類（JIS Z 8141）

定期保全（periodic maintenance）

　この方法は過去の故障実績や整備工事実績を参考にして、一定周期（一般的には1ヵ月以上）で行われる点検検査、補修、取替え、更油を計画・実施するものと、クレーンの月例点検などにみられる法的規制に準拠して、一定周期で点検・検査および補修や取替えを計画・実施する場合とがある。

　時間を基準にして一定の周期で行うのでタイムベースの保全といい、時間基準保全（TBM：time based maintenance）ともいう。

予知保全（predictive maintenance）

　設備の状態を基準にして保全の時期を決める方法で、設備診断技術によって設備の構成部品の劣化状態を定量的に傾向把握し、その部品の劣化特性、稼動状況などをもとに劣化の進行を定量的に予知・予測し、補修や取替えを計画・実施するものである。これを状態基準保全（CBM：condition based maintenance）ともいう。

② 事後保全（BM：breakdown maintenance）

　設備に故障が発見された段階で、その故障を取り除く方式の保全であり、予防保全（事前処理）をするよりも事後保全のほうが経済的である機器について、計画的に事後保全を行う保全のやりかたである。

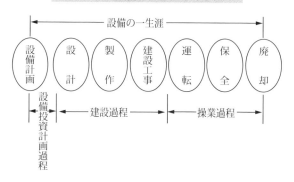

図3・2　設備のライフサイクル

設備の一生涯
設備計画　設計　製作　建設工事　運転　保全　廃却

設備投資計画過程　建設過程　操業過程

③　改良保全（CM：corrective maintenance）

設備の信頼性、保全性、安全性などの向上を目的として、現存設備の悪いところを計画的・積極的に体質改善（材質や形状など）をして劣化・故障を減らし、保全不要の設備を目指す保全方法である。

④　保全予防（MP：maintenance prevention）

設備を新しく計画・設計する段階で、保全情報や新しい技術を取り入れて信頼性、保全性、経済性、操作性、安全性などを考慮して、保全費や劣化損失を少なくする活動を指す。

（3）　ライフサイクル

ライフサイクルとは、システムや装置（設備）の開発から使用、廃棄に至るまでの全段階およびその期間のことで、いわばシステムや装置（設備）の「一生」のことをいう（**図3・2**）。

この設備の一生涯にかかるすべての費用の合計（たとえば開発費、製造費、保全費、補給費、教育訓練費など）を最適（最小化）にしようとする活動をライフサイクル・コスティング（LCCing）という。

1・2　信頼性と保全性に関する用語

（1）　信頼性

ある装置や機械が故障を起こさないようにするのが信頼性（信頼する能力）で、それらが与えられた条件で規定の期間中、要求された機能を果たすことができる性質である。

このことから、ある設備が計画した期間中に故障しないで稼動すると製品が「満足しうる状態」にあり、それは信頼性の高い設備という。

（2）　信頼度

信頼性は抽象的な表現なので、これを量的に表す尺度が信頼度である。

信頼度は、ある装置・機械（部品）が与えられた条件で、規定の期間中に要求された機能を果たす確率で、総コストが最低になる点が最適信頼度である。

また、信頼度の評価尺度としては次のようなものがある。

①　故障率

故障率は故障の起きる割合であり、平均故障率と瞬間故障率の2種類があり、一般に故障率という場合は瞬間故障率を指す。

$$平均故障率 = \frac{期間中の総故障数}{期間中の総動作時間} 〔回／h〕$$

瞬間故障率：ある時点までに作動してきた設備などが引き続く単位期間内に故障を起こす割合

信頼性の高い設備や設備数が多い場合には、故障率は極めて小さい値になるため、故障率の単位としては設備の動作10億（10^9）時間あたりの平均故障回数である〔FIT：Failure In Time〕＝〔個（回）／10^9h〕や〔％／10^3h〕が使われる。

②　平均故障間動作時間（MTBF：Mean（Operating）Time Between Failures）

故障設備が修復してから、次に故障するまでの動作時間の平均値

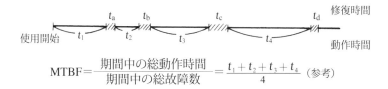

$$\mathrm{MTBF} = \frac{\text{期間中の総動作時間}}{\text{期間中の総故障数}} = \frac{t_1 + t_2 + t_3 + t_4}{4} \text{（参考）}$$

③ 平均故障寿命（MTTF：Mean（Operating）Time To Failures）

修理しない部品などの使用を始めてから故障するまでの動作時間の平均値。（JIS Z8115：2019（ディペンダビリティ（総合信頼性）用語）

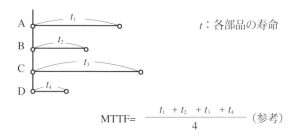

t：各部品の寿命

$$\mathrm{MTTF} = \frac{t_1 + t_2 + t_3 + t_4}{4} \text{（参考）}$$

（3） 保全性

保全のしやすさ（正常に保つ能力）を表す。

保全性のよい設備とは故障を防ぐための清掃、点検、給油、定期整備が容易で、故障・劣化したときになるべく早く不良個所が発見でき、短時間に修復して正常に維持できる設備のことである。簡単にいうと、故障しても修理容易なことが保全性である。

（4） 保全度

保全のしやすさを量的に表すもので、修理可能なシステムや設備などの保全を行うとき、与えられた条件において要求された期間内に終了する確率のことである。

保全度の評価尺度には次のようなものがある。

① 保全度関数

アイテムに対する保全作業が規定の時間 t に終了する確率を保全度関数といい、M(t) で表す。修理系において M(t) の平均値が次の平均修復時間である。

② 平均修復時間（MTTR：Mean Time To Restoration（Repair））

故障した設備を運用可能状態に修復するために必要な時間の平均値

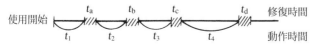

$$MTTR = \frac{期間中の修復時間の合計}{期間中の総故障数} = \frac{t_a + t_b + t_c + t_d}{4} \ （参考）$$

（5） 固有アベイラビリティ

修理可能なシステムや設備などが、ある期間中においてその機能を果たしうる状態にある時間の割合である。

固有アベイラビリティ（記号＝A）は、次の式で求める場合が多い。

$$A = \frac{動作可能時間}{動作可能時間＋動作不可能時間} = \frac{MTBF}{MTBF + MTTR}$$

（6） MP設計（Maintenance Prevention design）

新しい設備の設計、稼動中の設備の改善・改造を行うとき、新しい技術の導入だけでなく、既存・類似設備の保全データや情報などを十分に反映させ、信頼性、保全性、経済性、操作性、安全性などの高い設計・改造を行い、故障、劣化損失、保全費を少なくする活動である（メンテナンスフリーを目指す）。

1・3　故障解析に関する用語

（1）　故障（failure）

設備が次のいずれかの状態になる変化のことである。① 規定の機能を失う、② 規定の性能を満たせなくなる、③ 設備による産出物や作用が規定の品質レベルに達しなくなる。

①　一次故障

他の設備、部品などの故障または故障状態によって、直接または間接に引き起こされるものではない故障。

②　二次故障

他の設備、部品などの故障または故障状態によって引き起こされる故障。

（2）　故障モード

故障メカニズムから発生した結果としての故障状態の分類である。特性値の劣化、断線、短絡、折損、変形、クラック、摩耗、腐食などである。

（3）　故障のメカニズム

ある故障が表面に現れるまで物理的、化学的、機械的、電気的、人間的などの原因により、システムや設備でどんな過程をたどってきたかの仕組みである。

（4）　故障の木解析
（FTA：Fault Tree Analysis）

システム、設備、部品の開発・設計のとき、または使用時点において発生が予想される故障あるいは発生した故障について、論理記号を用いてその発生の過程をさかのぼって樹形

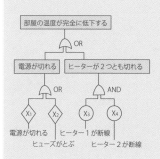

故障モード影響解析 (FMEA)

設計の不完全や潜在的な欠点を見出すために
↓
構成要素の故障モードを洗い出し、
↓
稼動中にそれらの故障が生じた場合の上位システムや機能達成に及ぼす影響を評価する。
↓
簡単に表現すれば故障の木解析とは逆に原因→故障を予測するものである。
とくに故障モードの影響する致命度の格付けを重視する場合は、FMECA (Failure Mode Effect and Criticality Analysis) という。

図に展開し、トップダウンで発生過程および発生原因を予測・解析する技法である。

(5) 故障モード影響解析(FMEA：Failure Mode and Effect Analysis)

部分(部品)に発生する故障モードや人間のエラーモードなどの原因が、機能的に見てより複雑な上位の装置やシステムの故障にどんな影響を及ぼすのか、どんな対策があるのか、改善方法はあるのかなどを表をつくって順次解析する技法である。

この方法は信頼性・保全性のみでなく安全性の評価にもしばしば使われる。この場合はハザード解析(hazard analysis)と呼ばれている。

1・4 保全計画・工事に関する用語

(1) 最適保全計画

生産保全(PM)の考えかたはもっとも経済的な保全を行うことであり、現在の設備と現在の保全技術の範囲で、保全費と劣化損失の和が最小になる保全方式・計画をいう。

(2) 重点設備

重点的に予防保全を行う設備をいう。保全の現状を評価し、PMによって改善できることが明らかになったら、限られた保全能力を重点的に活用するために重点設備・重点個所を選ぶ。重点的に行わないとPMの効果は上がりにくい。そのための重点設備を選ぶには、普通はP(生産量)、Q(品質)、C(コスト)、D(納期)、S(安全・衛生・環境)、M(作業

意欲)、E(環境)の7項目の各要素について設備を評価し順位をつける。

(3) 故障停止損失

設備が故障停止することによって発生する損失をいう。また、生産の形態や企業のおかれている状態(手余り状態および手不足状態)によって損失は異なるが、分類すれば次のようになる。

機会損失　　　：製品の販売減につながる場合の損失
不良品損失　　：設備の停止に伴って発生する不良品の損失
エネルギー損失：生産に寄与しないエネルギーの消費による損失

(4) 性能劣化

設備が本来備えているべき性能が発揮できなくなることを性能劣化という。

また、故障を起こして生産を停止する状態だけを指すものではない。たとえ装置や機械が稼動していたとしても、生産量や要求する品質が低下すればやはり性能劣化という。使用による劣化、自然劣化(経年劣化)、災害による劣化もある。

(5) オーバーホール

単一設備の総合的な分解検査および復元修理を行うことをいい、更生修理ともいう(本来は海事用語の"船の開放検査"であった)。

(6) ガントチャート法

工事の進行状況や余力を把握するための方法で、縦軸に作業名、横軸に時間を入れ、作業の長さをBarで表示する。そのため別名Bar-chartともいう。

単位作業が少なく、比較的短期工事の工程管理として使用される。

(7) PERT法(Program Evaluation & Review Technique)

ガントチャート法は、単位作業ごとの前後関係および作業余裕を表示しにくいことと、管理可能な単位作業数に限度があるという欠点をもっており、これを補う方法として考案されたのがPERT法である(**表3・1**)。

PERT法の手法上あるいは運営上の特徴をあげると次のようなものがある。

・ネットワーク表示により単位作業の相互関係が明らかになる

・クリティカルパス(ネック工程)の考えかたにより、各作業の所要時間

表3・1　PERT(ネットワーク表示)による工程表

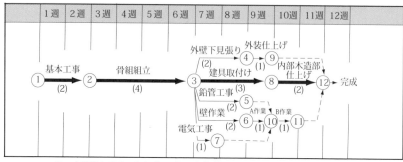

	1週	2週	3週	4週	5週	6週	7週	8週	9週	10週	11週	12週

表示の説明
1. 太線はクリティカルパス（ネック作業）
2. ①→②：単位作業①の起点と終点および単位作業②の起点を示す
3. ④→⑨→⑫：単位作業④→⑨の余裕時間（ダミー）を⑨→⑫に示す

の工期に対する拘束性が明示され余力管理に適している

・要員、資材、予算のタイムリーな投入計画が立てられる

・プロジェクトあるいは工事に関係する人びとの目標が明確化するため、総合力の発揮にきわめて有利である

2 機械の点検

2・1 点検の方法

(1) 日常点検

設備の運転に支障をきたさないために日常行う外観点検・検査で1ヵ月未満のものを指す。通常は操業中に行われ、主として人間の五感で行うが簡易な計測器を使用する場合もある。

(2) 定期点検

点検周期が1ヵ月以上のものとすることが多い。外観点検、簡易測定器による稼動中の点検診断と、設備を休止して行う分解点検検査がある。

(3) 精密点検

回転機械の異常や劣化の傾向を簡易測定器で定量的に把握した診断結果から、より具体的に異常の位置・原因・修復方法や範囲を決定するための点検を精密点検という。また、精密点検は設備診断技術者などの専門技術者が行う点検をいっている。非破壊検査、破壊検査、設備診断などがある。

(4) 設備診断技術

設備の性能、劣化状態などを、設備の運転中に定量的に把握し、その結果をもとにして、設備の信頼性、安全性、寿命の予測を行う活動。備考：設備診断では、不具合現象を発見するのに、電力、潤滑油、振動、音、温度、圧力などを調べる。（JISZ8141：2001　生産管理用語）

2・2 寿命特性曲線

設備の故障率を稼動時間に対して示すと、初期と後期に故障率が高くなり図3・3のようになる。すなわち、初期故障、偶発故障、摩耗故障の3つの期間に分けられる。これをバスタブ曲線と呼んでいる（西洋の浴槽に似ているため）。

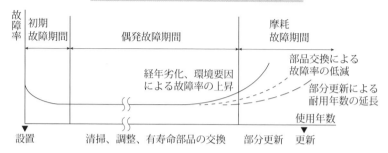

図3・3 バスタブ曲線（故障率曲線）

出典：厚生労働省　職場のあんぜんサイト，安全衛生キーワード「バスタブ曲線（故障率曲線）」
https://anzeninfo.mhlw.go.jp/yougo/yougo59_1.html

（1）　初期故障期間（故障減少形）

使用開始後の比較的早い時期（新設備の稼動開始など）に設計・製造上の欠陥あるいは使用条件、環境との不適合によって故障が生じる時期をいう。

（2）　偶発故障期間（一定故障形）

初期故障期を過ぎて摩耗故障期に至る以前の故障が偶発的（ランダム）に発生する時期で、いつ次の故障が起こるか予測のできない故障であるが、故障率がほぼ一定とみなすことができる時期をいう。

（3）　摩耗故障期間（故障増加形）

疲労、摩耗、老化現象などによって、時間の経過とともに故障率が大きくなる時期である。この時期は事前の検査または監視によって予知できる故障期間で、上昇する故障率を下げることができる。

2・3　保全費

保全費は、税務取扱い上では「設備の性能を維持復元させるための経費処分しうる範囲の支出である」とされている。しかし、実態は保全費にはいろいろなものがある。

製造原価（コスト）に占める保全費の位置付けとしては、
① 素材費（工場製品の材料費）
② 変動費（生産量によって変動する費用：直接材料費・直接労務費など）

③ 固定費(生産量によって変動しない費用)
の製造原価の内訳で、③の固定費の中に保全費として位置付けられている。

　この保全費も、現在ではコスト切下げ対象として管理努力の対象である。

2・4　保全効果の測定

　設備保全活動を進めていくうえで、設備から起こる現象と原因、原因と結果の因果関係を常に正しい事実とそれらのデータによって科学的に分析し、活動することが重要である。その活動を効果的・効率的に実施していくために保全記録が必要である。

(1)　保全記録の種類
・劣化を防ぐ活動　　　：日常点検チェックシート、給油・更油記録表
・劣化を測定する活動：定期検査記録、改良保全記録
・劣化を回復する活動：保全報告書、設備台帳、MTBF分析記録表

(2)　設備の効率を測定する指標
・設備総合効率＝時間稼動率×性能稼動率×良品率

$$時間稼働率 = \frac{負荷時間 - 停止時間}{負荷時間} = \frac{稼働時間}{負荷時間} \times 100 [\%]$$

$$性能稼働率 = 速度稼働率 \times 正味稼働率 = \frac{基準サイクルタイム \times 加工数量}{稼働時間} \times 100 [\%]$$

(3)　保全活動の効率を測定する指標
　修繕工人員の推移、計画工事率、計画工事遂行率、油使用率、製品または作業単位当たり修繕費、運転1時間当たり修繕費など。

(4)　設備履歴簿(機械の履歴台帳)
　設備履歴簿は、購入した機械設備の内容(仕様、メーカー、金額など)と、現在までの点検・交換・修理・改良などの履歴および金額を記録したものである。機械ごとに履歴簿(台帳)を作成・管理しておくことで、保全計画や故障解析、改修、更新などの際に適切な判断資料として役に立つ。

3 品質管理

3・1 品質管理手法に関する用語

(1) 管 理

　ある仕事を計画値どおりに達成することで、その基本的な進め方は、Plan（計画）→Do（実行）→Check（点検・診断）→Action（修正・改善）の管理（コントロール）の輪を回すことである。これを管理のサイクルと呼んでいる（**図3・4**）。

(2) 特性要因図

　品質特性（結果）に対して、その要因を体系的に明確化するものである（**図3・5**）。形が魚の骨に似ているため、「魚の骨の図」とも呼ばれている。

(3) 度数分布

　製品1つひとつの品質特性値を大きさの順にいくつかの等間隔のクラスに組分けして、各クラスのうちに含まれている測定値の数（度数）を調べる方法である。度数とは同じ値あるいは同じクラスの値が出現する回数をいい、その各クラスのデータの出現回数を表にまとめたものが度数分布表である。

(4) ヒストグラム

　度数分布表でも、だいたいの分布の状態を知ることができるが、これを柱状図で正確に表したものをヒストグラムという（**図3・6**）。

　これは平均値やバラツキの状態を知るのに用いたり、規格値と比較して不良品をチェックするなど、一種の工程解析の手法として重要な役割をもつ。

(5) 正規分布

　正規分布は計量値の分布の中でももっとも代表的な分布である。その分布曲線は**図3・7**のようなベル形をしたもので、中心線の左右は対称になっている。

　図において中心のところが平均値 μ で、左右に標準偏差（σ）で分けて

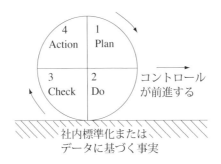

図3・4　管理(コントロール)の輪

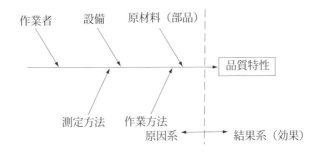

図3・5　特性要因図(魚の骨の図)

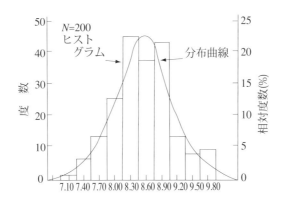

図3・6　ヒストグラム

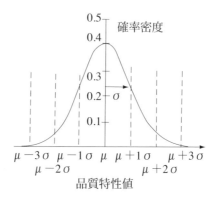

図3・7　正規分布

品質特性値

いく。μ±1σ、μ±2σ、μ±3σとしていくと、分布曲線に囲まれた全体の面積に対する割合がわかる。

　つまり、±1σ内のデータの出る確率は約68％、これより外にデータの出る確率は32％となる。同様にして±2σ内のデータの出る確率は約95％、これより外にデータの出る確率は5％、また±3σにおいてはこの内にデータの出る確率は99.7％で、これより外にデータの出る確率は0.3％すなわち3/1000であり、俗に千3つ（センミツ）という非常にまれなことである。

　このようなことは通常は起こらないから、3σよりデータが飛び出すような場合は分布が変わった、工程が変わった、工程に異常があると判断することになる。この性質は管理図法で用いられる3σ法の基礎になっている。

（6）　抜取り検査

　JISの定義では、「同一の生産条件から生産されたと考えられる製品の集まり（ロット）から、無作為（ランダム）に一部を取り出して試験（測定）し、その結果を判定基準と比較して、そのロットの合格、不合格を決定する検査」を抜取り検査といっている。

①　抜取り検査が必要なもの

・破壊検査を行うもの（材料の引張り試験、水銀灯の寿命試験）

・製品が連続しているもの(ケーブル、フィルム)または石油、ガス、石炭などの嵩(かさ)もので全数検査が不可能なもの

② 抜取り検査が有利なもの

・ボルト・ナットなどのように多数・多量のもので、ある程度の不良品の混入が許されるもの

・1製品、1部品の検査の場合でも、検査項目が非常に多く全数検査が困難なもの

③ 生産者危険

基準型抜取り検査(製品の不良率、平均値、標準偏差などにある基準をおき、生産者と消費者の両方を保護し、両方の要求を満足させようとするもの)で、品質の良いロット(不良率、平均値、標準偏差などの良いロット)が抜取り検査で合格としても良いロットであるにもかかわらず、これを不合格としてしまう誤りをいう(第1種の誤り:あわて者の誤りに相当する)。

④ 消費者危険

生産者危険とは反対に、品質の悪いロットが抜取り検査で消費者の要求にもかかわらず、不合格とすべきものが合格となってしまう誤りを消費者危険という(第2種の誤り:ボンヤリ者の誤りに相当する)。

(7) パレート図

一種の度数分布で故障、手直し、ミス、クレームなどの損害金額、件数、パーセントなどを原因別・状況別にデータをとり、その数値の多い順に並べたヒストグラムをつくれば、もっとも多い故障項目やもっとも多い不良個所などがひと目でわかる。そのようにしてできあがったヒストグラムの各項目を、折れ線グラフで累積図示したものがパレート図である(図3・8)。

(8) 管理図

管理図は、生産管理において品質や製造工程が安定な状況で管理されている状態にあるかどうかを判定するために使用するグラフで、縦軸が品質特性値、横軸が群の番号を表す。

管理図には、平均値を示す中心線(CL:Central Line)があり、その上下にそれぞれ3σの幅をとって上方管理限界線(UCL:Upper Control

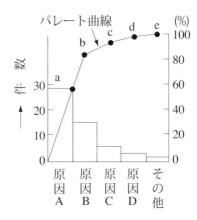

図3・8　パレート図

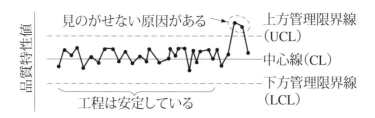

図3・9　管理図（管理限界線のあるもの）

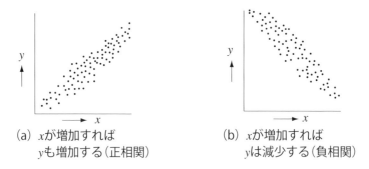

図3・10　散布図

（a）xが増加すれば
　　yも増加する（正相関）

（b）xが増加すれば
　　yは減少する（負相関）

Limit)、下方管理限界線(LCL：Lower Control Limit)がある。上方管理限界線と下方管理限界で囲まれる部分が管理限界であり、品質特性値のデータがこの範囲内に収まっているように管理する(**図3・9**)。

(9) 散布図

1種類のデータについては度数分布などで分布の大体の姿をつかむことができるが、対になった1組のデータ(体重と身長のような)の関係・状態をつかむには散布図を用いる(**図3・10**)。

(10) 連関図

連関図法とは、要因と結果や要因同士の関係が複雑に絡み合った問題について、その相互関係を矢印で結ぶことで全体像を把握し、複雑に絡み合う問題から重要な要因を見つける方法である(**図3・11**)。

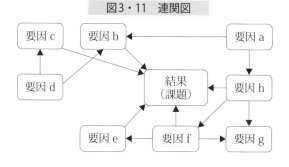

図3・11　連関図

3・2　管理図の基礎知識

(1) $\overline{X} - R$管理図

$\overline{X}$管理図とR管理図を組み合わせたものである。$\overline{X}$管理図は主として分布の平均値の変

計量値と計数値

① 計量値
長さ、重さ、時間、温度などのように連続した値のことをいう

② 計数値
人の数、故障発生件数など、本来整数でしか表さない不連続な値をいう(不良数、欠点数、不良率も計数値である)

$\overline{X} - R$管理図の$\overline{X}$とRの計算の仕方

群の平均値$\overline{X}=$
$$\frac{群内のデータの合計}{群の大きさ(群内のデータ数)}$$

群の範囲$R=$
群内のデータの最大値－
群内のデータの最小値

化を見るために用い、R管理図は分布の幅や各群内のバラツキの変化を見るために用いられる。

$\overline{X} - R$ 管理図は工程の特性が長さ、重量、強度、純度、時間、生産量などのような計量値の場合に用いる。

(2) np管理図

群の大きさが一定の場合に、不適合品数によって工程を管理するための計数値管理図である。

(3) p管理図

群の大きさが変動する場合に、比率や％で表される不適合品率によって工程を管理するための計数値管理図である。

(4) c管理図

サンプルの大きさ(面積や個数など)が一定の場合に、そのサンプルの大きさ当たりの不適合数によって工程を管理するための計数値管理図である。

(5) u管理図

サンプルの大きさ(面積や個数など)が変動する場合に、不適合数を一定のサンプルの大きさで割った単位当たりの不適合数によって工程を管理するための計数値管理図である(単位あたりの不適合数とは、たとえば鉄板の大きさがまちまちで一定でないとき、単位面積を100cm^2と定めたら、100cm^2の中にいくつきずがあるかを数える)。

＊この章の頻出問題＊

問　題	ある設備において、設備の稼動時間の合計が240時間、故障停止回数が6回、故障の修復にかかった時間の合計が60時間であった。このときのMTBFは10時間である。 （2023年度　1級）
解　答	×
解　説	MTBFは平均故障間隔といい、「故障した機械が回復してから次に故障するまでの時間」のことで、「動作している時間の平均」である。そこで、稼動時間の合計÷故障回数の合計＝240時間÷6回＝40時間となる。

■ 解法のポイントレッスン

　保全性用語の頻出問題で、MTTRとMTBFに関する問題は2017～2023年まで7回連続して出題されている。MTBF、MTTR、MTTFと紛らわしい保全用語に関する問題は落ち着いて考える必要がある。MTBFは動いている時間の平均値、MTTRは停止している時間（＝修復時間）の平均値、MTTFは使い捨て製品の平均寿命というポイントをしっかり押さえておこう。

　本問題は「故障の修復にかかった時間の合計が60時間」という文章によって「平均修復時間：MTTR」へと答えを誘導する引っ掛け問題となっている。

■ 過去18年間の傾向分析

　保全や品質管理の出題に関しては、グラフ1のように出題項目は多岐にわたっているが、同じ項目が繰返し出題されているのに気付くであろう。とくに、1、2級とも信頼・保全性の用語（MTBFやMTTRなど）、故障解析の用語（FTAや故障モードなど）、保全方式の用語（CBMや改良保全など）、品質管理図（p管理図やヒストグラムなど）が頻出である。

　また、2級では品質管理手法の用語（抜取り検査や生産者危険など）、

点検表や設備履歴簿に関する問題が同程度で頻出である。グラフ1・2のキーワードを参考にして本書において受検準備をすれば、良い結果が期待できるであろう。

　トラブル対処の問題としては、グラフ2のように1、2級共に測定器・誤差・公差が最多で次に機械要素についての出題が多いが、最近の傾向として腐食や摩耗に関する出題も増えつつある。1、2級ともに電気マイクロメータ、ダイヤルゲージ、シリンダゲージ、サーミスタ温度計、抵抗式接触温度計に関しての問題が繰り返し出題されている。機械要素については、1級は歯車のバックラッシ、まがりばかさ歯車の騒音に関する問題、2級ではVベルトとプーリみぞのすき間、グランドパッキンの締付け、二重ナットでの薄いナットの使い方、使用中の軸受の検査方法に関する問題が交代しながら出題されている。

　また、調整型抜取検査、計数抜取検査、抜取検査におけるOC曲線、マトリックス図、連関図、ヒストグラム、標準偏差、キャビテーション、ウォーターハンマ、サージングなどについての出題が繰り返されているので、1、2級ともに対策準備をしておくことが必要である。

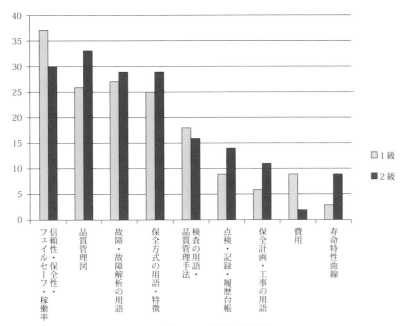

グラフ1　保全用語問題

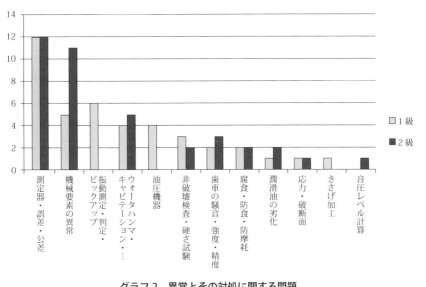

グラフ2　異常とその対処に関する問題

実力確認テスト

【機械の保全計画、修理および改良、履歴、点検、対応措置と決定】

【1】　日本産業規格（JIS）によれば、TPMとは「設備性能を維持するために、設備の劣化防止、劣化測定及び劣化回復の諸機能を担う、日常的又は定期的な計画、点検、検査、調整、整備、修理、取替えなどの諸活動の総称」と規定されている。

【2】　故障モード影響解析（FMEA）とは、設備の信頼性、保全性、安全性などの向上を目的として、現存設備の悪いところを計画的・積極的に体質改善して劣化・故障を減らすことである。

【3】　二次故障とは、異常の兆候を見逃したために発生するより重大な故障のことである。

【4】　保全予防は、故障に至る前に寿命を推定して、故障を未然に防止する方式の保全である。

【5】　日本産業規格によれば、保全とは故障の排除及び設備を正常、良好な状態に保つ活動の総称であり、計画や検査などは含まれない。

【6】　保全方式の1つであるTBMは、従来の故障記録、保全記録の評価などから周期を決め、周期ごとに行う保全方式である。

【7】　生産保全（PM）の目的は設備の一生涯（設備の計画〜廃棄・再利用）にわたって発生するコストを最小にすることである。

【8】 機械設備が修復してから、次に故障するまでの最小時間をMTBF という。

【9】 ある設備において、1年間の総動作時間100時間のうち、故障停止が3回でその合計時間は7時間であった。このときの平均故障率は、7%である。

【10】 解析手法の1つであるFMEAとは、故障発生の過程を遡って樹形図に展開し、トップダウンで発生原因を解析する手法である。

【11】 定期保全とは、従来の故障記録、保全記録の評価から周期を決め、周期ごとに行う保全方式のことである。

【12】 事後保全とは、設備装置・機器の使用中の故障の発生を未然に防止するために、規定の間隔または基準に従って、前もって実行する保全方式である。

【13】 生産活動や保全活動の効果指標となるPQCDSMEのうち、Sは Sense(センス)のことである。

【14】 予知保全とは、設備の劣化傾向を設備診断技術などによって管理し、故障に至る前の最適な時期に最善の対策を行う予防保全の方法である。

【15】 ライフサイクルには、設備の使用を中止してから廃却、または再利用までの期間も含まれる。

【16】 日本工業規格(JIS)によると、予防保全とは、アイテムの使用中の故障の発生を未然に防止するために、規定の間隔または基準に従って、前もって実行する保全である。

【17】 JISにおいて、設備総合効率は下記の式で求められる。
設備総合効率 ＝ 時間稼動率 × 性能稼動率 × 不良品率

【18】 保全の評価指標の1つであるMTBFは、故障設備が修理されてから次に故障するまでの動作時間の累積値である。

【19】 ガントチャートは、単位作業における作業ステップがわかりにくいが、単位作業ごとの前後関係や作業の余裕を表示しやすい。

【20】 日本産業規格(JIS)において、設備の廃却・再利用は、設備管理には含まれない。

【21】 ある設備において、設備の稼動時間の合計が200時間、故障停止回数が5回、故障の修復にかかった時間の合計が60時間であった。このときのMTTRは12時間である。

【22】 改良保全とは、生産設備などにおいて改良を加えた個所や部品を集中的に保全する方法である。

【23】 バスタブ曲線における摩耗故障期間とは、設備を使用開始後の比較的早い時期に、設計・製造上の不具合や、使用環境の不適合などによって故障が発生する期間のことである。

【品質管理】

【1】 品質管理などに使われる正規分布は計量値の分布曲線であり、曲線の形は平均値を中心とした左右対称である。

【2】 右の表のデータで$\overline{X}$-R管理図を作成する場合、群1と群2のRはどちらも5.2である。

群の番号	品質特性値				
	X_1	X_2	X_3	X_4	X_5
1	8.2	5.5	6.4	4.0	7.3
2	7.6	9.1	7.1	4.9	5.1

【3】 連関図法において、下図のAには「課題や問題」、B_1 ~ B_6には「要因」を記入する。

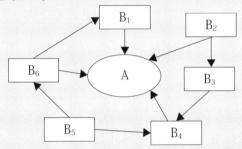

【4】 計量抜取検査は、サンプル中の不良品の数、または欠点数を合否判定の基準とする検査方式である。

【5】 散布図において、2つの対になった測定値の図中の点が右上がり傾向にあるとき、これを正の相関関係があるという。

【6】 ヒストグラムは、計量値の度数分布を表の形で表したもので、分布の形を可視化することができる。

【7】 パレート図では、横軸に測定値の級の値、縦軸に度数を目盛り、各級に属する度数を柱の高さで示す。

【8】 ある製品の重量を測定した結果、7g、9g、10g、11g、13gの5個のデータが得られた。これらの製品の標準偏差は2gである。

【9】 品質特性に影響を与える要因群を明確化するために、特性と要因の関係を系統的に線で結んで樹状に表した図を特性要因図という。

【10】 アルミ板表面の100mm^{2}あたりの欠点(へこみのきず)の数を管理図を使って管理する場合には、*np*管理図を使用する。

【機械の異常時における対応処理の決定】

【1】 コロージョンとは、配管のエルボ部分などの曲がり部分の内面が徐々に摩耗する機械的な浸食現象である。

【2】 サージングとは、ターボ送風機・ターボ圧縮機の不安定領域で配管を含めた系が一種の自励振動を起こし特有の一定の周期で吐出し圧力及びガス量が変動する現象のことである。

【3】 ウォータハンマとは、流速の急激な変化により管内圧力が過渡的に上昇または下降する現象である。

【4】 油圧シリンダにスティックスリップが発生したので、シリンダの速度を早くした。

【5】 機械の異常発見を目的として設置する機器のうち、非接触式のセンサの例として、サーモグラフィが挙げられる。

【6】 ころがり軸受の振動や軸の変位を小さくするため、呼び番号6312の軸受を6312C3に変更した。

【7】 ポンプのグランドパッキン部からわずかな水漏れがあったので、漏れがなくなるまでパッキン押さえのボルトの増締めを行った。

【8】 異常振動の判定において、同一部位を定期的に時系列的に比較
し、正常な場合の値を初期値としてその何倍になったかを見て
良好、注意、危険の判定をする判定法を相互判定法という。

【9】 ころがり軸受で内輪のはめ合い面にクリープが発生したので、
軸受と軸とのしめしろを大きくした。

【10】 すべり軸受において生じたオイルホワールの振動数は、回転周
波数の2倍に近い。

【11】 ボルトのゆるみを発見したので、図のように二重ナットとする
ことにし、下に薄いナットを、その上に厚いナットを取り付けた。

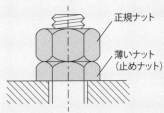

正規ナット

薄いナット
（止めナット）

【12】 歯車のアブレシブ摩耗対策として、摩耗する側の歯面の硬度を
上げることや潤滑油の清浄化などがあげられる。

【13】 Vベルトの上面がVプーリー外周表面から沈んでいたので、摩耗
はないと判断して交換は行わなかった。

解答と解説

【機械の保全計画、修理および改良、履歴、点検、対応措置と決定】

【1】　×　問題文の規定は設備保全に関するものであるので誤り。JIS Z 8141：2001（生産管理用語）によれば、TPMとは「a）生産システム効率化の極限追求（総合的効率化）をする企業の体質づくりを目標にして、b）生産システムのライフサイクルを対象とし、"災害ゼロ・不良ゼロ・故障ゼロ"などあらゆるロスを未然防止する仕組みを現場現物で構築し、c）生産部門をはじめ、開発、営業、管理などの全部門にわたって、d）トップから第一線従業員に至るまで全員が参加し、e）重複小集団活動によって、ロス・ゼロを達成する生産保全活動。故障の排除及び設備を正常、良好な状態に保つ活動の総称」と規定されている。設備保全については同JISにおいて問題文のとおりの規定がある。

【2】　×　問題文は改良保全のことであるので誤り。故障モード影響解析は、ユニットや部品の故障が上位システムにどのような影響を与えるかについて調べるものである。本章「ZoomUp　故障モード影響解析（FMEA）」を参照。

【3】　×　二次故障とは、他の設備の故障の影響を受けて発生する故障であるので誤り。JIS Z 8115：2019（ディペンダビリティ（総合信頼性）用語）には「他のアイテムの故障又はフォールトによって引き起こされる故障」と規定されている。

【4】　×　問題文は予防保全の説明となっているので誤り。保全予防とは、設備、系、ユニット、アッセンブリ、部品などについて、計画・設計段階から過去の保全実績または情報を用いて不良や故障に関する事項を予知・予測し、これらを排除するための対策を織り込む活動である。

【5】　×　計画や検査も含むので誤り。JIS Z 8141：2001（生産管理用語）によれば、保全とは「故障の排除及び設備を正常，良好な状態に保つ活動の総称」とあり、同JISの備考において「計画、点検、検査、調整、修理、取替えなどを含む」と規定されている。

【6】　○　題意のとおり。TBMは時間基準保全（Time Based Maintenance）の略語である。定期保全ともいう。予防保全には、TBMとCBMがあり、CBMは状態基準保全（Condition Based Maintenance）で、設備の劣化傾向を設備診断技術などによって管理し、故障に至る前の最適な時期に最善の対策を行う予防保全の方法である。

【7】　○　題意のとおり。JIS Z 8141：2001（生産管理用語）によれば、生産保全の目的は「設備の計画、設計・制作から運用・保全を経て廃棄、再利用に至る過程で、発生するライフサイクルコストを最小にすることによって経営に貢献することである」と規定されている。

【8】　×　修復後次に故障するまでの最小時間ではないので誤り。MTBFは（Mean（Operating）Time Between Failure）の略で、故障設備が修復されてから次に故障するまでの動作時間の平均値である。

【9】　×　平均故障率は（期間中の総故障数÷期間中の総動作時間）
　　　期間中の総故障数＝3回
　　　期間中の総動作時間＝負荷時間＝100時間
　　　であるので、平均故障率＝（3÷100）＝0.03回／hとなる。

【10】　×　トップダウンではなくボトムアップであるので誤り。FTAでは、製品の上位の故障・事故から、下位の原因へとトップダウン的に展開して真の故障原因を探すが、FMEAは想定される故障モードがユニットや全体にどのような影響を与えるかについ

てボトムアップ的に展開して設備全体としての故障を予測する。

【11】　○　題意のとおり。JIS Z 8141：2001（生産管理用語）に問題文どおりの規定がある。

【12】　×　問題文は予防保全についての説明となっているので誤り。事後保全とは、設備に故障が発見された段階で、その故障を取り除く保全方式である。

【13】　×　Sは Sense（センス）ではなく Safety（安全）であるので誤り。保全活動の効果指標となる PQCDSME について、頭文字の表す意味は下の表のとおりである。

P	Productivity	生産性
Q	Quality	品質
C	cost	コスト
D	Delivery	納期
S	Safety	安全
M	Morale, Moral	モラール、モラル
E	Environment	環境

【14】　○　題意のとおり。JIS Z 8141：2001（生産管理）に問題文どおりの規定がある。

【15】　○　題意のとおり。JIS Z 8141：2001（生産管理用語）によると、ライフサイクルとは「設備の計画、設計、製作、運用、保全を経て、廃却または再利用までを含めたすべての段階及び期間」と規定されている。

【16】　○　題意のとおり。JIS Z 8141：2022（生産管理用語）に問題文どおりの規定がある。本章「1・1　①予防保全」を参照。

【17】　×　不良品率ではなく、良品率であるので誤り。JIS Z 8141：2022（生産管理用語）によると、設備総合効率は「設備効率を阻害する停止ロスの大きさを時間稼動率、性能ロスの大きさを性能稼動率、不良ロスの大きさを良品率で示すと、設備総合効率は、次の式で表される。設備総合効率 ＝ 時間稼動率 × 性能稼動率 × 良品率」と規定されている。

【18】　×　累積値ではなく、平均値であるので誤り。JIS Z 8141：2022（生産管理用語）によれば、MTBF（Mean Time Between Failures）とは「ある特定期間中の総動作時間を総故障数で除した値」と表現されている。

【19】　×　単位作業における作業ステップがわかりやすいが、単位作業ごとの前後関係や作業の余裕を表示しにくいので誤り。単位作業ごとの前後関係や作業の余裕を表示にはPERTを使う。

【20】　×　設備の廃却・再利用も含まれるので誤り。JIS Z 8141：2001（生産管理用語）によると、設備管理とは「設備の計画、設計、製作、調達から運用、保全を経て廃却・再利用に至るまで、設備を効率的に活用するための管理。備考：計画には、投資、開発・設計、配置、更新・補充についての検討、調達仕様の決定などが含まれている」と規定されている。

【21】　○　題意のとおり。平均修復時間MTTR（Mean Time to Restoration）は、MTTR ＝ 故障の修復に要した時間の合計 ÷ 故障停止回数 ＝ 60 ÷ 5 ＝ 12時間となる。

【22】　×　集中的な保全ではないので誤り。改良保全とは、設備の信頼性や経済性、操作性、安全性などの向上を目的として、現存設備の問題点や悪い所を計画的・積極的に改善して保全不要の設備(メンテナンスフリー)を目指す保全方法である。

【23】　×　摩耗故障期間ではなく、初期故障期間であるので誤り。摩耗故障期間とはバスタブ曲線において疲労、摩耗、劣化などによって時間の経過とともに故障率が大きくなる期間である。

【品質管理】

【1】　○　題意のとおり。正規分布は平均を中心に左右対称で、教会にある「ベル(釣鐘)」のような形をしていることから、「ベルカーブ(bell curve)」とも呼ばれる。正規分布は連続的な変数に関する確率分布の1つで、データが平均値の付近に集積するような分布を表す。特徴としては、平均値と最頻値、中央値が一致すること、平均値を中心にして左右対称であることなどが挙げられる。

【2】　×　どちらも4.2であるので誤り。本章のZoomUpの式　$R=$(群のデータの最大値)$-$(群のデータの最小値)において、
群1では、$R=8.2-4.0=4.2$
群2では，$R=9.1-4.9=4.2$
となるので、群1と群2のRはどちらも4.2となる。

【3】　○　題意のとおり。連関図法とは、要因と結果や要因同士の関係が複雑に絡み合った問題について、その相互関係を矢印で結ぶことで全体像を把握し、複雑に絡み合う問題から重要な要因を見つける方法である。

【4】 ×　計量抜取検査ではなく、計数抜取検査であるので誤り。計量抜取検査はサンプルの計量値を取得し、平均値と標準偏差から合否を判定する検査である。

　　　（参考）抜取検査には計量抜取検査と計数抜取検査があり、JIS Z 8101-2：2015（ISO 3534-2：2006）統計－用語及び記号－第2部：統計の応用　によると以下のように規定されている。

　　　計量値抜取検査：プロセスの合否が、ロットからのサンプル中のそれぞれのアイテムの規定された品質特性の測定値から統計的に判定される合否判定抜取検査

　　　計数値抜取検査：サンプル中の各アイテムの1つ以上の規定された特性の有無を観察し、ロットまたはプロセスの合否を統計的に定める合否判定抜取検査

【5】 ○　題意のとおり。散布図は2つの要素からなる1組のデータが得られたときに、2つの要素の関係を見るためにプロットしたグラフであり、2つの要素の間に何らかの関係がある場合、これらのデータ間には「相関関係」があるという。相関関係には、図中の点が右上がり傾向にある正の相関関係と右下がり傾向にある負の相関関係がある。

【6】 ×　度数分布を表の形で表したものは「度数分布表」であり、ヒストグラムはその表をグラフ化したものであるので誤り。ヒストグラムは量的データをいくつかの階級に分けて作成した度数分布表を元にグラフ化したものである。グラフの横軸にデータの階級（身長の幅など）、縦軸にその階級に含まれるデータの数（人数など）をとる。ヒストグラムは一見棒グラフに似ているが、その面積が度数を表していることが特徴である。

【7】 × 問題文はパレート図ではなく、ヒストグラムの説明となっているので誤り。JIS Z 8101-2：1999（統計－用語と記号－第2部：統計的品質管理用語）においてパレート図とは「項目別に層別して、出現頻度の大きさの順に並べるとともに、累積和を示した図。たとえば、不適合品を不適合の内容の別に分類し、不適合品数の順に並べてパレート図をつくると、不適合の重点順位がわかる」と規定されている。同JISにはヒストグラムについて問題文どおり定義している。

【8】 ○ 題意のとおり。資料の数をn個、データの平均値をx_a、個々のデータをx_iとすると、標準偏差Sは、
$$S = \sqrt{(1/n) \times \Sigma (x_i - x_a)^2}$$
で計算できる。
問題文より$n = 5$、$x_a = (7 + 9 + 10 + 11 + 13) \div 5 = 10$であるから、
$$\Sigma (x_i - x_a)^2 = (7-10)^2 + (9-10)^2 + (11-10)^2 + (13-10)^2$$
$$= 9 + 1 + 1 + 9 = 20$$
また$(1/n) = 1/5 = 0.2$
そこで$S = \sqrt{0.2 \times 20} = \sqrt{4} = 2$となる。

【9】 ○ 題意のとおり。その図の形から魚の骨の図とも呼ばれ、1956年に石川馨が考案した。

【10】 × np管理図ではなく、c管理図であるので誤り。np管理図は不適合品の数によって工程を管理する管理図である。

【機械の異常時における対応処理の決定】

【1】 × コロージョンではなく、エロージョンであるので誤り。機械的に起こる摩耗作用はエロージョンであり、コロージョンとは、腐食のことである。なお、両者が合わさる腐食摩耗はエロージョ

ン・コロージョンと呼ばれ、JIS Z 0103-1996（防せい防食用語）に「流動する水、土砂などの環境物質の摩耗作用と腐食作用の相乗作用によって金属に生じる損耗」と規定されている。

【2】　○　題意のとおり。JIS B 0132：2005（送風機・圧縮機用語）に問題文のとおりの規定がある。

【3】　○　題意のとおり。流体に関して良く出題される現象にキャビテーションがあり、これは流体の流れの中で、短時間に泡の発生と消滅が起きる現象のことである。ウォータハンマと混同しないように注意してほしい。

【4】　○　題意のとおり。油圧シリンダを極低速で動作させると、静摩擦から動摩擦に移る際の不連続的な摩擦係数の変化により振動（ビビリ振動）が発生し、スティックスリップとなる。スティックスリップ現象はすべり面で発生する振動現象であり、パッキンや軸受部など、接触すべり面の潤滑状態の変化、油中混入空気の圧縮性、摺動面の形状、作動油の潤滑特性／粘度、機器や配管の剛性および共鳴振動に関る増幅要因の影響で発生する。（ジュンツウネット：https://www.juntsu.co.jp/qa/qa2018.php）

【5】　○　題意のとおり。サーモグラフィは非接触式の温度計で、異常温度箇所ばかりではなく、表面の亀裂や肉眼では見えない表層近くの剥がれなどを検出できる。この他にも異常検出に使われる非接触式のセンサとしては、超音波式液面センサーや光電センサなどがある。

【6】　×　C3ではなくC2に変更する必要があるので誤り。JIS B 1520-1：2015（ころがり軸受−内部すきま−第1部：ラジアル軸受のラジアル内部すきま）において、ころがり軸受のラジアル内部すきまがC2、CN、C3、C4、C5の5段階の記号で規定され

ており，C2 〜 C5の順にすきまも大きくなる。CNは普通すきま
とも呼ばれ、表記を省略しても良いので6312は6312CNを表
している。振動や軸の変位を小さくするためにはすきまを小さ
くする必要があるので、対処としてはCNをC2に変更する必要
がある。

【7】 ×　漏れがなくなるまで締め付けてはいけないので誤り。グラ
ンドパッキンは、冷却と潤滑のために若干の漏れが必要である。
締めすぎず、大気側に1分間に数滴漏れるぐらいが適正である。

【8】 ×　相互判定法ではなく、絶対判定法であるので誤り。相互判定
法とは、同一機種が複数台ある場合、それらを同一条件で測定
して相互に比較判定するものである。

【9】 ○　題意のとおり。頻出問題である。しめしろを「小さくする」
ということは軸と軸受のはめ合いを「ゆるく」することであり、
「大きくする」ことははめ合いを「きつく」することである。

【10】 ×　2倍ではなく1/2であるので誤り。オイルホワールとは、す
べり軸受けにおいて、油圧、油温、油の粘度・軸受荷重等の影
響を受けて生じる軸受の油膜の不安定な自励振動を言い、その
振動数は、回転周波数の1／2に近い。

【11】 ○　題意のとおり。第6章「6・1（6）　ねじのゆるみ止め」を
参照。下のナットはロック用で薄い六角低ナット（JIS B 1181：
2004）、上のナットは締付け用で六角ナット（JIS B 1181：
2004）を使用する。

【12】 ○　題意のとおり。アブレシブ摩耗とは、金属粉などの硬い粒
子が歯面間にはさまった状態で引っ掛かれることで表面が摩耗
する現象であるので、対策として粒子が入らないようにするか、

粒子が入ってこすっても歯面にきずがつかないように硬度をあげる必要がある。

【13】　×　交換すべきであるので誤り。Vベルトの上面がVプーリ外周表面から0.5 ～ 2.5mmはみ出している必要がある。はみ出していない場合は、ベルトが摩耗して細くなって、プーリみぞの側面ではなく、底面にあたっている状態となり、摩擦伝動力が低下している。

第4章

材料一般

第**4**章 材料一般

出題の傾向 ➡ 学習のPOINT

　材料一般においては、金属材料の種類・性質・用途と金属材料の熱処理（表面硬化を含める）についての知識が問われる。炭素鋼の性質・用途および機械的性質の常識的な知識や、焼なまし・高周波焼入れなどの熱処理、表面処理法について日常的に利用・処理しているものを確かなものにしておきたい。

・金属材料の種類、性質および用途について

（1）JIS金属材料記号を覚える。おのおのの記号の意味ばかりでなく数字の意味も理解していることが大切である

（2）引張り強さ、伸び、弾性限度、降伏点、疲れ限度、絞り、硬さ、クリープ強度などの機械的性質を表す言葉の意味を知っておく

（3）代表的なステンレス鋼であるSUS304、SUS430などの成分の違いと特徴を理解する

（4）銅合金としての青銅・黄銅の区別と用途を覚えておく

・金属材料の熱処理について

（1）焼ならし、焼なまし、焼戻しの方法と、それらの熱処理によって鋼の組織と機械的性質がどうなるかをまとめておく

（2）高周波焼入れ、浸炭焼入れなどの表面硬化法の方法と特徴を整理しておく

（3）熱処理により材料に生じる欠陥の種類と原因をまとめておく

1 鉄鋼材料

1・1 鉄鋼の分類

鉄鋼を炭素量によって分類すると次のようになる（JIS G 0203）。

① （純）鉄：C（炭素）量0.02％未満の鉄
② 炭素鋼：C量0.02～約2％を含む鉄と炭素の合金
③ 鋳　鉄：C量2～(4.0)％を含む鉄と炭素の合金
④ 合金鋼：炭素鋼に1種以上の金属または非金属を合金させ、その性質を実用的に改善したもの

1・2 炭素鋼

（1）物理的性質

標準組織の炭素鋼の物理的性質は、C量が増加するにつれて比重、線膨張係数は減少し、比熱、電気比抵抗および抗磁力は増加する。

（2）機械的性質

亜共析鋼（0.8％C）では、その機械的性質はC量に比例してほぼ直線的に変化する。C量の増加とともに引張り強さ、降伏点および硬度は増加し、伸び、絞りおよび衝撃値は減少する。

一般に炭素鋼は473K（200℃）～573K（300℃）において、その引張り強さおよび硬度がもっとも大きく、伸びおよび絞りはもっとも小さい。そこで、室温のときよりも硬くかつもろくなる性質があるので、この温度付近での加工は避けなければならない。なお、この温度では酸化により青色を呈する。これを青熱ぜい性（blue shortness）という。また、衝撃値は673K（400℃）～773K（500℃）で最小値を示す。

S（硫黄）を多量に含む炭素鋼は赤熱温度範囲ではもろくなり、高温加工中に加工方向に直角にき裂を生じやすい。この現象を赤熱ぜい性（red shortness）または高温ぜい性（hot shortness）という。また、温度が常

温よりも低くなると温度の低下とともに引張り強さ、降伏点、硬度および疲労限度は増加するが、伸び、絞りおよび衝撃値は減少する。とくに、衝撃値が急に下がり始める温度はC量が少ないほど低い。この零下の温度でもろくなる現象を低温ぜい性という。

（3）　炭素鋼の分類

炭素鋼でC量が比較的低いものが構造用材料として使われ、高いものは工具用材料として使用される。

①　一般構造用圧延鋼材(SS材)

ボルト・ナット、リベット類から自動車、鉄道車両、船、橋、建築その他の一般構造用としてとくに大きな強度を必要としない個所に多く使用されている。

・SS 400(SS41)引張り強さ　400 ～ 510〔N/mm^2〕

②　溶接構造用圧延鋼材(SM材)

SM材(Steel Marine)として知られ、おもに船舶用鋼材や溶接用鋼材に使用される。

③　機械構造用炭素鋼鋼材(S－C)

機械構造用炭素鋼の大部分(S 10 C～ S 25 C)は圧延または鍛造したままの状態で使用するのが普通であるが、C量0.3 ～ 0.6%の炭素鋼を構造用に使用する場合、さらに強じん性を与えるために焼入れ、焼戻しを行って機械的性質を向上させて使用する(S 30 C～ S 55 C)。

1・3　合金鋼

（1）クロム鋼

クロム鋼は、Crを2%以下、Cを0.1 ～ 0.5%含有するパーライト鋼である。炭素鋼と比べて、焼入れ・焼戻し性、耐摩耗性に優れている。歯車、軸類などの小物で強度が必要な部品などで、S45Cをはじめとする機械構造用炭素鋼が使えない場合に用いられている。

（2）ステンレス鋼

①ステンレス鋼の種類と特徴

鉄鋼の欠点は水中や湿気のある空気中で容易に錆を生じ、また化学薬

品、有機物、塩類に侵されたり錆びたりすることである。この欠点を改良するために、CrやNiを加えて耐酸化性や不働態被膜を与えて腐食に耐えるようにしたものがステンレス鋼である。

ステンレス鋼の代表的なものとしては、

- マルテンサイト系：Fe-Cr合金（磁性）
- フェライト系：Fe-Cr合金（磁性）
- オーステナイト系：Fe-Cr-Ni合金（非磁性）

の3つがあり、以下のような特徴がある。

a)マルテンサイト系：Cr 12 〜 18%を含有し、高温から焼き入れる。フェライト系に比べ耐食性はやや劣るが、強度が大きく安価であるため、刃物、家庭用品、医療用、一般機械用に広く用いられる（代表種：SUS403、SUS410）

b)フェライト系：Cr 16 〜 18%を含有するが、C量が低いため、熱処理による材質の改善はできない。マルテンサイト系に比べて耐食性が良く、軟質で溶接性、加工性にすぐれているため、線、管、板などに用途は広い（代表種：SUS430、SUS436）

C)オーステナイト系：常温でもオーステナイト組織となり、軟らかくて加工性がよく、非磁性である。耐食性・耐酸性にすぐれ、加工性、溶接性、機械的性質がよい。用途は、食品設備、一般化学設備、ボルト・ナット、建築外装材などに対して、防錆や美観目的で使用される。もっとも代表的な鋼種はSUS304で、Cr18%、Ni8%を含み、18-8ステンレス鋼と呼ばれる。

②ステンレス鋼の欠点

オーステナイト系ステンレス鋼には次の欠点がある。

- 応力腐食割れ：環境による腐食作用と残留応力や荷重による応力が同時に作用するときに割れが発生する現象
- 加工硬化：加工時の応力により塑性変形するとともに、生じた歪みによって組織が硬いマルテンサイトに変化して硬さが一層増す現象
- 結晶粒界腐食：873K（600℃）〜 973K（700℃）に熱した場合に炭化物を結晶粒界に析出しやすくなり、その粒界付近の耐食性が低下する現象

1・4　工具鋼

　工具鋼とは、金属・非金属材料の切削、塑性などを行う工具や治具に用いられる鋼である。JIS(日本産業規格)においては、炭素工具鋼(SK)、合金工具鋼(SKS、SKD、SKT)ならびに高速度工具鋼(SKH)が規定されており、強度と耐衝撃性・耐摩耗性に優れる。

1・5　鋳　鉄

(1)　普通鋳鉄(ねずみ鋳鉄)
　鋳鉄はC 1.7％以上〜6.67％までを含む鉄合金と定義されているが、一般に鋳鉄といわれるものはC 2.0〜4.0％の範囲に限定される。
(2)　普通鋳鉄の特性
・圧縮強さが引張り強さの3〜4倍もある
・弾性係数が鋼よりも低い
・熱伝導率が鋼よりも高く、とくに低級品種になるほど増加する
・比抵抗が大きく、低級品種になるほど増加する
(3)　耐摩耗性
　普通鋳鉄の耐摩耗性は一般に良好で、軸受、歯車、シリンダー、ピストンリング、工作機械ベッド、ブレーキシューなど耐摩耗の用途が広い。
(4)　減衰能
　普通鋳鉄には振動を受けるとそのエネルギーをすみやかに吸収するという特性があり、この特性を減衰能という。鋼の比減衰率は2〜3％であって、これに比べて鋳鉄の比減衰率は5〜10倍も大きい。
(5)　耐食性
　普通鋳鉄の耐食性は概して悪く、とくに酸に対してはまったく無力といっても過言ではない。ただし例外として濃度65％以上の濃硫酸には硫化鉄の皮膜が生成されてよく耐える。また、アルカリに対しては耐食性がすぐれ、苛性ソーダ濃縮用あるいは溶解用の鍋によく使用される。
　水に対する耐食性・耐電食性もよく、鋼よりもすぐれている。水道管や水道弁に利用されているのはそのためである。

1・6 鋳 鋼

(1) 炭素鋼鋳鋼品

鋳鋼品の多くは炭素鋼でつくられる。強じん性があるので機械部品としての用途が広い。炭素鋼鋳鋼品はC量の%によって次のように分類される。

・ 低炭素鋼鋳鋼品：C＜0.2%
・ 中炭素鋼鋳鋼品：C 0.2 〜 0.5%
・ 高炭素鋼鋳鋼品：C＞0.5%

なお、ほとんどの鋳鋼品は鋳放し状態のものではなく、機械的性質を改善するために、焼なまし、あるいは焼ならしを行って使用する。

(2) 合金鋼鋳鋼品

① ステンレス鋳鋼品

ステンレス鋼鋳鋼は一般に773K（500℃）以下の温度で腐食物質にさらされているため、これに耐える性質をもった鋳鋼である。高Cr－Ni系のものは18－8ステンレス鋼の鋼種に属し、耐食性は13クロム系のものより広範囲の腐食剤に対してすぐれている。

② 高マンガン鋼鋳鋼品

高Mn鋼鋳鋼は耐摩耗用としての用途が広く、レールクロッシング、各種粉砕機の部品などに用いる（Mn11 〜 14%、C 0.9 〜 1.3%を含む鋼種）。

2 非鉄金属材料

　非鉄金属材料のうち、元素のまま工業材料として用いるものは銅、アルミニウム、すず、鉛、亜鉛などである。

　銅を主成分とする合金には青銅、黄銅などがあり、アルミニウムを主成分とする合金にはジュラルミンなどがある。また、鉛・すずを主成分とする合金にははんだ、活字合金などがある。

2・1　銅および銅合金

（1）　銅

銅(Cu)の性質として、以下のようなものがあげられる。

・ 電気や熱の伝導率が高く、反磁性（近づけた磁石の磁極に無関係に反発する）である
・ 展延性があるが加工硬化する
・ 鉄より耐食性はあるが、湿気や炭酸ガスがあると表面に有害な緑青（ろくしょう）を生じる
・ 収縮率が大きく、鋳造しにくく、切削性が悪い

（2）　黄銅

　黄銅は真鍮ともいい、銅(Cu)＋亜鉛(Zn)の合金である。Cu 70%、Zn 30%のものを七三黄銅といい、冷間加工性に富み、圧延加工材として用いられる。またCu 60%、Zn 40%のものを六四黄銅といい鍛造や熱間加工に用いる。

（3）　青銅

　青銅は銅とすず(Sn)の合金で、Sn 30%くらいまでの範囲が実用に供されている。青銅は強く、鋳造しやすく、耐食性・耐摩耗性にすぐれた材料で、貨幣、銅像、鐘、美術工芸品などの鋳造に用いられる。Sn 8 ～ 13%の青銅は「砲金」で知られ機械部品に用いられる。

2・2 アルミニウムとその合金

　アルミニウム(Al)の最大の特質は、比重が約2.7でMg(1.74)、Be(1.85)を除けば実用金属中でもっとも軽い部類に属することである。また、空気中では耐食性が大で(表面に不浸透性の薄い強固な酸化膜ができ、外気との接触を断つ)清水にも侵されないが、海水中でやや腐食しやすく、塩酸、硫酸、アルカリなどに容易に侵される。なお、熱や電気の伝導性は銅に次いで良好である。ジュラルミンは、アルミニウムに銅3.5 〜 4.5％、マグネシウム0.4 〜 0.8％を含む合金で、強度が高く、航空機などに使われる。

3　熱処理・表面硬化

3・1　熱処理

　金属材料に加熱・冷却の諸操作を施して材質を調質する作業を熱処理という。熱処理には焼準(焼ならし)、焼鈍(焼なまし)、焼入れ、焼戻しがある。

(1)　焼準(焼ならし)

　焼準とは、鋼などを適当な温度に加熱した後、空中で放冷する操作である。鍛造の際の加熱によって生じた粗大結晶組織あるいは鋳造組織を微細化したり、また低温加工や高温からの急冷などによる内部ひずみを除去して、金属材料の材質を標準状態のものにする。

(2)　焼鈍(焼なまし)

　焼鈍とは、鋼などを適当な温度に加熱してある時間保持した後、炉中で徐々に冷却する操作である。

　焼きなましには、主に次の種類がある。
・完全焼なまし：組織の均一化と軟化
・球状化焼なまし：機械的性質や加工性の向上

・応力除去焼なまし：内部応力の低減
・低温焼なまし：残留応力の低減または軟化

（3）　焼入れ

鋼の焼入れは加熱オーステナイトを急冷してパーライト変態を阻止し、これをマルテンサイトに変える熱処理である。通常、焼入れとは金属を急冷して硬化させる熱処理を指している。

鋼材は、その質量が大きくなるほど焼入れの効果が減少する。このように焼入れ効果に及ぼす質量の影響を鋼の質量効果という。

焼入れのとき鋼材に発生する残留応力は、焼割れ、変形の原因になるほか、鋼の強度とくに疲れ強さに大きな影響を及ぼす。焼戻しによる軟化とともに低下する。

（4）　焼戻し

焼入れした鋼は硬くて強いがもろい。また、焼割れを起こしていなくても焼割れの原因になるような内部応力を発生していて不安定で、安定状態に復帰しようとする傾向をもっている。この一度焼入れしたものを再加熱する熱処理を焼戻しという。焼入れした鋼の内部応力を除いたり、ねばり強さを与えるためにA1変態点以下に加熱し、冷却するものである。

一般に、焼入れ硬化した鋼は焼戻し〔673K（400℃）〜873K（600℃）で焼戻すことを調質という〕によって硬度が低下し、もろさは軽減され、じん性は高くなる（図4・1）。

3・2　熱処理による表面硬化

（1）　目　的

表面硬化の目的は、鉄鋼製の機械構造部材表面を硬くして、摩耗や局部圧力または繰返し負荷に耐えるようにすることである。

さらに表面硬化の利点として、機械部品を全断面にわたって焼入れ硬化すると焼入れによって表面に引張り応力が生じ、これと表面に存在する材料欠陥によって焼割れを生じる危険性が大きいが、浸炭焼入れでは表面に圧縮圧力を生じるので焼割れは比較的生じにくい。また窒化などでは、鋼表面の耐食性あるいは耐熱性を高めるという目的をもっている

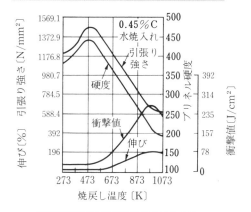

図4・1　焼戻しした鋼の機械的性質

表4・1　表面硬化の分類

(1)	拡散浸透処理	浸炭、窒化、浸硫窒化、金属セメンテーション
(2)	表 面 焼 入 れ	火炎焼入れ、高周波焼入れ、無浸炭焼入れ
(3)	被 覆 処 理	硬質クロムめっき、粉末溶射、放電硬化、溶接肉盛
(4)	加工硬化処理	ショットピーニング、表面圧延

ことも忘れてはならない。

（2）　分　類

　表4・1に示すように表面硬化を広義の意味に解して、塑性加工によるもの、溶接や溶射による肉盛、めっきも含めている。

（3）　表面硬化法

　本章Zoom Upを参照。

表面硬化法

（1）　高周波焼入れ

鋼の表面付近に設置した
コイルに高周波電流を流
して鋼材の表面を加熱
し、表面を冷却すると表
面だけが焼入れされる。
この焼入れは研磨割れの
防止と耐摩耗性の向上に
役立つ。適材はC量が0.35
〜 0.5％程度の炭素鋼お
よび合金鋼であり、該当
する鋼種には、S35C〜
S48C、SNC836などがあ
る。

（2）　浸炭

低炭素鋼（C 0.12 〜 0.23
％程度の合金鋼、肌焼
き鋼）を浸炭剤中で加熱
し、鋼表面から炭素を
浸透させて表面付近のC
濃度を高め、さらに熱
処理（焼入れ、焼戻し）
を行うことによって鋼
の表面を硬化させる方
法である。

しかし、その心部は低炭
素鋼なので硬化せず、粘
り強さを保持している。
浸炭深さは0.8 〜 1.5mm

4　熱処理により生じる材料の欠陥

4・1　変形・変寸

変形は、曲がり、反り、ねじれなどの形状
の変化をいう。変寸とは、縮む、太り、細り
などの寸法の変化を総称する。

焼入れをすると、大なり小なり、曲がった
り、伸びたり、縮んだりする。これらの変形、
変寸の原因は、変態によって組織が変わる際
に、それ自体が膨張、収縮するばかりでなく、
内外部の組織の違いや、熱膨張（収縮）の温度
差によって内部に応力が残るからである。

変形は、おもに冷却のムラによって起こる。
一般的には早く冷えた側が凸、遅く冷えた側
が凹になる傾向がある。

4・2　割　れ

焼入れにおいて加熱され、オーステナイト
化された鋼は、水に入れた瞬間はまだオース
テナイトの状態で、軟らかく粘いので割れは
生じない。割れが発生するのは、もっと低温
に冷えてきて、マルテンサイトに変態すると
き、つまり、縮まってきた鋼が膨張に逆転
するときの体積の変化（膨張）が原因で発生す
る。

焼割れは、油焼入れよりも水焼入れの方が
多く発生する。これは水焼入れの方が油焼入

れよりも早く冷える(約3倍)からである。

したがって、ゆっくり冷却するようにする。また、焼入れする品物の形が悪いときにも焼割れが起きる。

角(3面角)や稜(2面角)は平面よりもそれぞれ7倍、3倍早く冷えるので、一番先にMs点(マルテンサイト変態が開始される温度)に到達し、危険区域を速く冷やすことになるので、ここが焼割れを起こすことになる。

したがって、角や稜には丸み(R3 ～ 5mm)をつけることが必要である。

4・3 低温焼戻しぜい性

刃物や工具などのように、硬さが相当高いことを必要とするものの焼戻し温度は488K(215℃)～ 588K(315℃)程度で、一般にカミソリや軟金属切削用工具などのように、衝撃を受けるおそれの少ないものは低い温度で焼き戻す。

炭素鋼は、473 ～ 673K(200 ～ 400℃)付近の温度で焼戻しを行い、徐々に冷却すると衝撃値がいちじるしく低下することがある。これを低温焼戻しぜい性といい、この温度での焼戻しは避けなければならない。

4・4 高温焼戻しぜい性

機械構造用鋼などのように、ある程度強さと粘り強さを必要とする場合や、工具、タガ

Zoom Up

で、硬度はHV750以下。適材はSNC 415、SNCM 220、SCr 415、SCM 415などである。

(3) 窒化
調質後の鋼の表面に窒素を浸透させることによって表面を硬化させる方法で、焼入れ・焼戻しが不要なので焼割れやひずみの発生がない。硬化深さは窒化処理温度、処理時間、材質、調質によってかなり異なるが、0.1 ～ 0.6mmくらいである。また硬度はHV1000以下である。

(4) 火炎焼入れ
あらかじめ調質した構造用鋼の必要な個所を、酸素ーアセチレン炎で急熱し、表面層がオーステナイト組織になったときに、水をかけて急冷し、その部分だけを焼入れ・硬化させるものである。使用材料は0.4%程度の構造用鋼ならば、炭素鋼でも特殊鋼でもこの目的に使うことができる。

ネの刃のように衝撃力を受けるものは、673K（400℃）〜 923K（650℃）の高い温度で焼戻す。

　炭素鋼は、723K（450℃）〜 823K（550℃）付近の温度で焼戻したとき、衝撃値が低下してもろくなる現象がある。これを高温焼戻しぜい性という。

5　材料の物理的性質

　主な金属材料の物理的性質を**表4・2**に整理する。

表4・2　主な材料の物理的性質

| | 銅 | アルミニウム | （純）鉄 | 炭素鋼 | | | 鉛 | ステンレス鋼（SUS034） |
				低炭素鋼	中炭素鋼	高炭素鋼		
熱伝導率〔W/mK〕0℃	394	238	80*	57〜60	44	37〜43	35	15
融点〔℃〕	1083	660	1537	1497	1387〜1417	1327〜1447	328	1398〜1427

（（純）鉄の熱伝導率80*は参考値、それ以外は機械工学便覧「材料学・工業材料」：2008版による）

＊この章の頻出問題＊

問　題	ステンレス鋼は、軟鋼よりも熱伝導率が低い。 （2022年度　1級）
解　答	○
解　説	題意のとおり。熱伝導率〔w/mK〕は、ステンレス鋼（SUS304）が15〔w/mK〕、軟鋼（炭素量0.12～0.20%の低炭素鋼）が57～60〔w/mK〕で、ステンレス鋼は軟鋼よりも熱伝導率が低い。

■ 解法のポイントレッスン

　ステンレス鋼は1、2級ともに頻出のトップであるが、本問題は熱伝導率との組合わせである。材料の物理的性質（熱伝導率、熱膨張係数、電気伝導率、縦弾性係数など）と機械的性質（伸び、耐力（降伏点や引張強さ）など）は軸受や歯車、構造物を扱う上で知っておくべき事項である。熱伝導率とは、材料内での熱の移動のしやすさを表すものである。主な材料の熱伝導率〔w/mK〕は、銅（394）、アルミニウム（238）、鉛（35）、低炭素鋼（57～60）、中炭素鋼（44）、高炭素鋼（37～43）、ステンレス鋼（SUS304）（15）〔日本機械学会編　機械工学便覧　「材料学・工業材料」〕である。なお、本問題は「低い」と「高い」を交互に変えながら2020~2022年度まで毎年出題されているので、来年度も出題される可能性がある。

■ 過去18年間の傾向分析

　過去出題のパターンとしては18-8ステンレスの成分比を問う問題（平成28年度1、2級、2018年度1、2級、2019年度2級）、JISのステンレス鋼の規定（2017年度2級）、ステンレスを含めた熱伝導率の大小比較（2017年度1級、2020年度1級、2021年度1級）などバラエティに富んではいるが、本章の1.3（2）ステンレス鋼で知識を整理しておけば、いずれの問題にも対応が可能である。次に多いのが「焼きならし」と「焼きなまし」に関する問題である．両者ともに名称が紛らわしいということもあり頻出である。また、窒化の問題はとくに1級に多く、焼

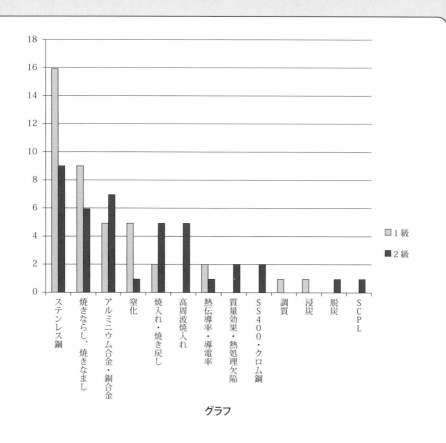

グラフ

き戻しの問題は2級に限って頻出している。2級については、一般的に基本的な熱処理である焼入れ、焼き戻しの問題が良く出題されているようである。熱処理は苦手な受検者が多いので本章のZoom Upの内容も含めてよく理解しておくこと。

実力確認テスト

【1】 工業材料の融点は、アルミニウム > 鉄 > 銅の順に低くなる。

【2】 低温焼なましとは、鉄鋼製品の硬さを所定の水準まで低下させる目的で、A_{c1}変態点近傍の温度に加熱する熱処理である。

【3】 構造用鋼としてのクロム鋼は、クロム(Cr)を2%以下、炭素(C)を0.1～0.5%含有する合金である。

【4】 ジュラルミンは、チタン(Ti)を主成分としたCuとMgを含む合金である。

【5】 18-8ステンレス鋼は、Crを約8%、Niを約18%の割合で含有する合金鋼であり、常温でもオーステナイト組織となり、耐食性に優れている。

【6】 炭素鋼は鉄と炭素の合金であり、炭素の含有量が多いほど引張り強さが増加する。

【7】 主な工業材料の0℃における熱伝導率の大きさは、下記のとおりである。
アルミニウム > 鉛 > 炭素鋼 > 銅 > ステンレス鋼(SUS304)

【8】 窒化処理は硬化深さは1mm以下であるが、熱処理による焼割れやひずみの発生がない。

【9】 変形が品質不良の原因となるような製缶品などは、内部ひずみや残留応力を除去するために焼戻しを行う。

【10】 一般的に、ステンレス鋼は炭素鋼よりも加工硬化しにくい。

解答と解説

【1】　×　鉄＞銅＞アルミニウムの順に低くなるので誤り。主な工業用材料の融点は本章の表4・2のとおりである。

【2】　×　問題文は軟化焼なましについての説明であるので誤り。JIS G 0201：2000（鉄鋼用語（熱処理））によると、低温焼なましとは「残留応力の低減又は軟化を目的として、変態点以下で行う焼なまし。再結晶温度以下で行う場合もある。」と規定されている。

【3】　○　題意のとおり。クロム鋼は、焼入れ性や耐摩耗性を改善した合金である。通常、S45Cをはじめとする機械構造用炭素鋼が使えない場合の歯車、軸類などに使用される。本章「1・3合金鋼」を参照。

【4】　×　チタン(Ti)ではなく、アルミニウム(Al)であるので誤り。ジュラルミンはアルミニウムに銅が3.5〜4.5%、マグネシウムが0.4〜0.8%を含めたアルミニウム合金である。銅とマグネシウムを含むことにより、強度を高めている。アルミニウム合金の中でA2017、A2024、A7075はそれぞれジュラルミン、超ジュラルミン、超々ジュラルミンと呼ばれる。

【5】　×　Crを約18%、Niを約8%の割合で含有する合金鋼であるので誤り。JISの材料記号ではSUS304と表され、Crを含有することで硝酸などの「酸化性酸」に強く、さらにNiを含有することで硫酸などのような「還元性酸」にも耐えられるようにしたステンレスである。生活用品にも使用される馴染みの深い耐食鋼である。

【6】　○　題意のとおり。炭素鋼は炭素を0.02 〜約2％含む鉄と炭素の合金であり、炭素の含有量が多いほど引張り強さ、硬度などが増加し、伸び、衝撃値などは低下する。

【7】　×　銅 ＞ アルミニウム ＞ 炭素鋼 ＞ 鉛 ＞ ステンレス鋼（SUS304）であるので誤り。主な材料の0℃における熱伝導率〔w/m・K〕は、銅394、アルミニウム238、炭素鋼37 〜 60、鉛35、ステンレス鋼15である。

【8】　○　題意のとおり。本章「4　熱処理により生じる材料の欠陥」のZoomUpを参照。

【9】　×　焼戻しではなく焼なましであるので誤り。焼戻しとは、焼入れによってマルテンサイト化して硬くなった鋼の組織ははもろく、割れなどが生じやすいため、さらに再加熱して硬さを調整しながら、粘りや強靭性を高める熱処理である。

【10】　×　加工硬化しやすいので誤り。加工時の応力（歪み）によって組織が硬いマルテンサイトに変化するために、加工硬化現象が生じる。本章「1・3(2)ステンレス鋼」を参照。

第 **5** 章

安全衛生

出題の傾向 ⬇ 学習のPOINT

　機械保全作業に伴う安全衛生に関して詳細な知識が問われるが、非常に範囲が広く、ポイントを絞って限定することには無理がある。したがって、日常の保全作業の中で「安全と衛生」を確保するすべての遵守条件がピックアップできなければならない。

・日常的な実作業の体験から積み重ねた経験知識を、労働安全衛生関係法令および規則で整理・勉強して正しく身につけておきたい

・過去の出題は研削盤での砥石の取扱い、危険個所への覆い設置、高所作業場所での手すりや囲い、玉掛け作業やプレス作業の資格、ボール盤作業での手袋着用の禁止、ワイヤーロープやアセチレンガス作業、酸素欠乏など保全作業に関係の深いものが幅広く出題されている

1 安全衛生管理体制

1・1 安全管理者・衛生管理者

　林業、鉱業、建設業や、製造業、電気業、ガス業などの常時50人以上の労働者を使用する事業場においては、「安全管理者」および「衛生管理者」を選任する（労働安全衛生法第11条、12条）。安全管理者は、設備・器具の点検と整備、安全指導、災害の原因調査・対策などを行う。衛生管理者は保護具・救急用具の点検と整備、衛生指導、作業環境の改善などを行う。

1・2 安全衛生保護具

（1） 要求性能墜落制止用器具

　要求性能墜落制止用器具とは、「危険のおそれに応じた性能を有する墜落制止用器具」である。要求性能墜落制止用器具には、フルハーネス型と胴ベルト型（1本吊り）があり、作業内容及び作業個所の高さ等に応じた性能を有する型式の器具を使用することである。具体的にはフルハーネス型が原則であるが、墜落時にフルハーネス型が地面に到達するおそれがあるときは胴ベルト型（1本吊り）にするなど危険に応じて使い分ける。また胴ベルト型（U字吊り）は使用が禁止されている。

（2） 保護眼鏡（遮光保護具も含める）

　作業に適した保護めがねを着用すること（安衛則312、313、315、316、325、593条など）。
・はつり作業、グラインダーかけ、高速カッター作業など
・電気溶接、ガス溶断作業など
・アーク溶接用保護めがねの遮光度
　JIS T 8141：2016（遮光保護具）によると、アーク溶接用遮光めがねには遮光度番号5〜14が規定され、遮光度番号5〜6は30以下、7〜8は35を超え75まで、9〜11は75を超え200まで、12〜13は

Zoom Up

研削作業の安全対策

- 卓上用研削盤、床上研削盤では、砥石の露出部が90°以内となるような丈夫な覆いをつけなければならない（研削盤等構造規格21条）
- 受台と砥石の周面との間隔は3mm以下に調整して作業する（下の図）
- その日の作業を開始する前に1分間以上、また砥石を取り替えたときは3分間以上、試運転を行ってから作業をすること（安衛則118）
- 研削砥石の最高使用周速度を超えて使用してはならない（安衛則119）

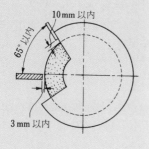

200を超え400まで、14は400を超えた場合に適用される。

（3） 防じんマスク（厚生労働省通達）

防じんマスクは、粉じんなどの吸入により生じる疾病を予防するために使用され、着用にあたっては、顔面への密着性の確認が大切である。タオルなどを当てた上から防じんマスクを使用することなどは、粉じんなどがマスクの接顔部から顔へ漏れ込むおそれがあるため、行ってはならない。

1・3　労働者の健康管理

労働安全衛生法第7章に「健康の保持増進のための処置」という項があり、健康診断、心理的な負担の程度を把握するための検査等（66条）、健康管理手帳（67条）、病者の就業禁止（68条）、健康教育（69条）、体育活動等についての便宜供与等（70条）という就業労働者に対する健康管理について細かく規定している。とくに健康診断は事業者の義務とて規定すると同時に、労働者に対しても受診の義務を課している。

2　安全対策

2・1　ボール盤作業の安全対策

- 歯車、回転部、ベルトなどに防護装置を取

り付けること(安衛則101)
・ ベルトに損傷はないか、また継ぎ目部分に
　危険はないか(安衛則101)
・ 手袋使用禁止の標識などは完備し、また守
　られているか(安衛則111)
・ 保護眼鏡を使用すること(安衛則115、116)
・ ドリルが回転中に切り屑を手で取り払わず、
　刷毛などを用いること(安衛則101)

2・2 覆いや囲い・手すりによる安全対策

　労働安全衛生関係法令には、次の設備の設
置について定めがある。
・ 回転軸、歯車、ベルト等の危険な部分への
　覆い、囲い、スリーブ
・ 木材加工用の帯のこ盤およびのこ車、直径
　50mm以上の研削砥石への覆い
・ 頭上にあるプーリ間が3m以上、幅15cm
　以上、速度が10m/s以上のベルトの下方
　の囲い
・ 破損した加工物を飛散させる恐れのある機
　械への覆い
・ 高さが2m以上の作業床上での墜落危険個
　所には囲い、手すり、覆い
　また、屋内作業においては、機械間の通路:
80cm以上、頭上障害禁止:床上1.8m以内
足場幅:40cm以上、:はしご設置:1.5m以
上、などが規定されている。

・ 側面を使用すること
　を目的とする研削砥
　石以外の研削砥石の
　側面を使用して作業
　をしてはならない
・ 砥石車とフランジの
　間には必ずパッキン
　を入れて締め付ける
　(下の図)
・ 砥石の取替えと取替
　え時の試運転作業は
　特別教育終了者が行
　う

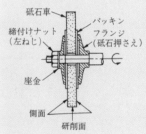

2・3　クレーンに関する安全知識

（1）　玉掛けの方法

・ワイヤロープはフックの中心（もっとも強い）に掛けること（図5・1）
・1本吊りは絶対にしないこと（4本吊りを原則とする）
・吊り角度は60°以内とする（図5・2）
・作業時は必ず手袋をはめ、吊り荷の上には絶対に乗ってはならない

（2）　ワイヤロープの使用禁止

・ワイヤロープの1撚りの間において、素線数の10%以上を切断したもの
・ワイヤロープの直径の減少が公称径の7%を超えるもの
・キンク（図5・3）、いちじるしい形くずれ、または腐食したもの
　その他、法にはないが、熱作業で焼けたり、硫酸に侵されたものは注意する。

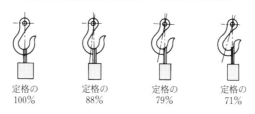

図5・1　ワイヤーロープのかけ方

定格の　　定格の　　定格の　　定格の
100%　　 88%　　　79%　　　71%

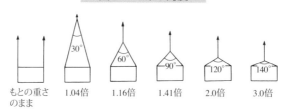

図5・2　吊り角度

もとの重さ　1.04倍　　1.16倍　　1.41倍　　2.0倍　　3.0倍
のまま

図5・3　キンクおよび芯鋼の局部的なはみ出し

2・4　消火器

　火災は燃焼する物質により次の3つに分けられる。

① A火災(普通火災)：木材、紙、繊維などが燃える火災

② B火災(油火災)：石油類その他の可燃性液体、油脂類などが燃える火災

③ 電気火災(俗称C火災)：電気設備・電気器具などの火災

　消火器は薬剤の種類により対応できる火災が異なるので、円形標識の色により識別する。A火災(普通火災)は白色、B火災(油火災)は黄色、電気火災は青色が対応している。

2・5　プレス作業の安全対策

　労働安全衛生規則133条および施行令第6条7項によれば、事業者は動力により駆動されるプレス機械を5台以上有する事業場において行う作業については、プレス機械作業主任者技能講習を終了した者のうちからプレス機械作業主任者を選任しなければならない、と規定している。また同規則129条および施行令第6条6項において木材加工用機械の場合も5台以上有する場合には作業主任の選任を義務付けている。

2・6　酸素欠乏症の予防

　酸素欠乏症等防止規則第2条によると、酸素欠乏とは空気中の酸素濃度が18％未満である状態をいい、酸素欠乏症とは酸素欠乏の空気を吸入することにより生じる症状が認められる状態をいう。

2・7　安全管理・安全活動

(1)　度数率、強度率、千人率

度数率は、100万延べ実労働時間当たりの労働災害による死傷者数を

もって、労働災害の頻度を表す。

　強度率は、1000延べ実労働時間当たりの延べ労働損失日数をもって、災害の重さの程度を表す。年千人率は、1年間の労働者1000人当たりに発生した死傷者数の割合を示す。

$$度数率　=　\frac{労働災害による死傷者数}{延べ実労働時間数}　\times　1,000,000$$

$$強度率　=　\frac{延べ労働損失日数}{延べ実労働時間数}　\times　1,000$$

$$年千人率=　\frac{1年間の死傷者数}{1年間の平均労働者数}　\times　1,000$$

（2）　SDS（Safety Data Sheet：安全データシート）（労働安全衛生法）

　化学物質および化学物質を含む混合物を譲渡または提供する際に、その化学物質の物理化学的性質や危険性・有害性および取扱いに関する情報を、化学物質などを譲渡または提供する相手方に提供するための文書である。

（3）　安全活動

危険予知訓練（KYT）

　危険予知訓練は、職場や作業の状況のなかにひそむ危険や災害について事前に小集団で話し合い、考え合い、わかり合って、危険のポイントや重点実施項目を指差唱和・指差呼称で確認して、行動する前に解決する訓練である。

　危険予知訓練の進め方は、次の4ラウンド法による（厚生労働省：職場の安全サイト）。

　1R：どんな危険がひそんでいるかチームで共有する

　2R：「危険のポイント」を、指差し唱和で確認する

　3R：危険のポイントについての対策案を出し合う

　4R：「チーム行動目標」を設定し、指差し唱和する

（4）　安全設計

①フェールセーフ設計

　システムや設備に異常が生じても安全側に動作したり、全体の故障、事故、災害につながらず、安全性が保持されるように配慮してある設計

である。

②フールプルーフ設計

　システムや設備などを稼動させる段階において誤操作を避けるように、また人為的に誤操作があっても設備に誤動作や故障がないようにする設計である。

③トレードオフ

　新しい設備の設計時に信頼性、保全性、機能、費用、納期などの競合する要因間の折合いをとり、最適になるようにバランスをとることをいう。

＊この章の頻出問題＊

問 題	B火災を消火する方法の1つとして、強化液消火器で霧状放射することがあげられる。 （2023年　1級）
解 答	○
解 説	題意のとおり。「B火災」とは油脂類を含めた引火性物質の火災であり、「強化液消火器」とは、油火災にも対応する水性の消火器のことである。

■ 解法のポイントレッスン

　最近出題の増えてきた火災に関する出題である。火災に関する過去の出題パターンとしては、① 火災の種類（A火災、B火災など）に関するもの、② 消火器の種類に関するものがある。これらは日頃から防災のために知っておくべき事項であるが、改めて解答となると迷うことも多いのでこの機会に復習しておこう。火災の種類には表のような種類がある。

火災の種類	火災の内容	消火器の円形標識の色
A火災	木材、紙、布など普通の可燃物の火災。水で消火が可能な火災	白
B火災	石油類や動植物油など半固体油脂を含めた引火性物質の火災で、水では消火不能（困難）な火災	黄
電気火災	変圧器、配電盤、その他電気設備の火災	青

　「強化液消火器」とは、油火災にも対応する水性の消火器のことで薬剤として高濃度の炭酸カリウムを使っている。消火器は一般的に噴射ノズル付き蓄圧式で、炭酸ガスで加圧してある。

■ 過去18年間の傾向分析

　18年間の統計上は1、2級ともに酸素欠乏症に関する出題、砥石交換に関する出題が多いが、砥石交換に関しては2018年以降1、2級ともに出題がない。ブームが去ったのかもしれないが、その代わりに、プレス機械作業主任者（1級）、火災の種類（1、2級）に関してほぼ毎年出題されている。また、「解法のワンポイントレッスン」にもあるように、労働災害の発生状況を示す指標やKYTの出題が最近の傾向として見られる。安全衛生は、出題範囲が広くて学習の的が絞り切れないような印象を受けるが、ここに述べた最近の出題傾向をしっかりと把握して、過去問で練習しておけば効率的な学習が可能である。

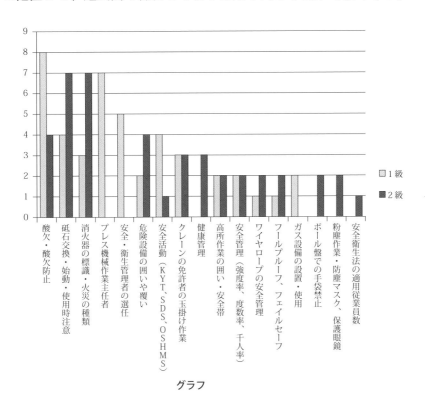

グラフ

実力確認テスト

【1】 KYT（危険予知訓練）の4ラウンド法において、3ラウンド目に行うのは、「チーム行動目標」の設定や指差し唱和である。

【2】 労働災害とは、労働者の就業にかかわる危険な機械や故障した機械等により、または作業行動その他の業務に起因して、労働者が負傷し、疾病にかかり、または死亡することをいう。

【3】 労働安全衛生マネジメントシステム（OSHMS）とは、特にPDCAサイクルの過程を定めることなしで、継続的な安全衛生管理を自主的に進めることにより、事業場の安全衛生水準の向上を図る仕組みである。

【4】 フェールセーフ設計とは、設備が故障したとき、あらかじめ定められた危険な状態をとるような設計のことである。

【5】 常時100人以上労働者が働く製造業の事業場では、労働安全衛生法において、安全管理者を選任しなければならないと定められている。

【6】 ホイストで吊り上げるために使用するワイヤロープを点検していたら、ロープの直径の減少が公称径の8％であったので、新品のワイヤロープと交換した。

【7】 回転する刃物に作業者の手が巻き込まれる恐れがある場合には、保護具の一環として安全手袋の着用が義務付けられている。

【8】 酸素欠乏症等防止規則では、「酸素欠乏」を「空気中の酸素濃度が20％未満の状態」として定義している。

【9】 労働安全衛生関連法令によれば、研削といしを取り替えたときには、3分間以上試運転をしなければならない。

【10】 労働災害に関する指標の中で、年千人率は、下記の式で求められる。
年千人率＝(1年間の死傷者数÷死傷者が千人に達するまでの年数)×100

【11】 ある統計期間(1年)における1人当たりの年間総労働時間が1,800時間で、労働者が800人の事業場がある。この事業場において、統計期間中に死傷者数を3人出したとき、度数率は約1.5である。

【12】 消火器に取り付けられている青色、黄色および白色の円形標識は、消化剤の噴出圧力を示している。

【13】 酸素欠乏症等防止規則において、作業開始前に作業場の空気中の酸素の濃度を測定した際は、とくに記録または保存するには及ばないと定められている。

【14】 ワイヤロープの1撚りの間において、素線数の10%以上を切断したので新品と交換した。

【15】 事業場において、動力により駆動されるプレス機械を3台から6台に増設したが10台未満であるので、プレス機械作業主任者の選任は行わなかった。

解答と解説

【1】 × 「具体的な対策案を出し合う」であるので誤り。厚生労働省の「職場の安全サイト」(https://anzeninfo.mhlw.go.jp/yougo/yougo40_1.html)によると、危険予知訓練(KYT)の4つのラウンドの進め方は表(要約)のとおりである。

ラウンド	危険予知訓練の進め方
1R	危険を発見し、危険要因と現象をチームのみんなで共有する
2R	「危険のポイント」を指差し唱和で確認する
3R	具体的な対策案を出し合う
4R	「チーム行動目標」を設定し、指差し唱和で確認する

【2】 × 「危険な機械や故障した機械等」ではなく、「建設物、設備、原材料、ガス、蒸気、粉じん等」であるので誤り。労働安全衛生法第2条第1項第1号に、労働災害とは「労働者の就業に係る建設物、設備、原材料、ガス、蒸気、粉じん等により、又は作業行動その他業務に起因して、労働者が負傷し、疾病にかかり、又は死亡することをいう。」と定めてある。

【3】 × PDCAサイクルの過程を定めるので誤り。OSHMSは、事業者が労働者の協力の下に「計画(Plan)−実施(Do)−評価(Check)−改善(Act)」(「PDCAサイクル」)という一連の過程を定めて、継続的な安全衛生管理を自主的に進めることにより、労働災害の防止と労働者の健康増進、さらに進んで快適な職場環境を形成し、事業場の安全衛生水準の向上を図ることを目的とした安全衛生管理の仕組みである。(厚生労働省「職場の安全サイト」:https://anzeninfo.mhlw.go.jp/yougo/yougo02_1.html)

【4】　×　危険な状態ではなく、安全な状態であるので誤り。フェールセーフ設計とは、機械が停電で止まったり故障をしても、安全な状態になるように工夫した設計である。原子炉での例として、停電により制御棒が作動しなくなっても、制御棒を捉えている電磁石の電気が切れ、制御棒の自重により原子炉内に落下して、核分裂を止める設計などがある。

【5】　×　50人以上であるので誤り。労働安全衛生法第11条において，林業、鉱業、建設業や製造業、電気業、ガス業などの常時50人以上の労働者を使用する事業場においては、「安全管理者」を選任することが定められてる。

【6】　○　題意のとおり。労働安全衛生規則第471条に「事業者は、次の各号のいずれかに該当するワイヤロープを揚貨装置の玉掛けに使用してはならない。① ワイヤロープ一よりの間において素線(フイラ(フィラー))線を除く。以下本号において同じ)の数の10パーセント以上の素線が切断しているもの、② 直径の減少が公称径の7パーセントをこえるもの、③ キンクしたもの、④ 著しい形くずれ又は腐食があるもの」と定めてある。

【7】　×　手袋を着用してはいけないので誤り。労働安全衛生規則第111条に「事業者は、ボール盤、面取り盤等の回転する刃物に作業中の労働者の手が巻き込まれるおそれのあるときは、当該労働者に手袋を使用させてはならない」と定められている。

【8】　×　18％未満であるので誤り。酸素欠乏症等防止規則第2条1項に「酸素欠乏とは空気中の酸素濃度が18％未満である状態をいう」と定めている。

【9】　○　題意のとおり。労働安全衛生規則第118条に「事業者は、研削といしについては、その日の作業を開始する前には1分間以上、研削砥石を取り替えたときには3分間以上試運転をしなければならない」と定めている。

【10】　×　年千人率は以下の式となるので誤り。年千人率とは、1年間の労働者1,000人当たりに発生した死傷者数の割合を示すものである。

$$年千人率 = \frac{1年間の死傷者数}{1年間の平均労働者数} \times 1,000$$

【11】　×　1.5ではなく2.1であるので誤り。度数率は、100万延べ実労働時間当たりの労働災害による死傷者数をもって、労働災害の頻度を表すものである。統計をとった期間中に発生した労働災害による死傷者数を同じ期間中の延べ実労働時間数で割り、それに100万を掛けた数値であり，次の式で表す。

度数率＝（労働災害による死傷者数÷延べ実労働時間数）×1,000,000

題意より、労働災害による死傷者数＝3人

延べ実労働時間＝800人×1,800時間＝1,440,000時間

よって、

度数率＝（3÷1,440,000）×1,000,000＝2.083≒2.1となる。

参考：厚生労働省統計によると、令和4年の度数率は2.06であった。

【12】　×　消化剤の噴出圧力ではなく、消火器の対象とする火災の種類を表しているので誤り。本章「2・4　消火器」を参照。

【13】　×　7つの事項について記録し、3年間保存することが定められ
　　　ているので誤り。酸素欠乏症等防止規則第三条に次の規定が
　　　ある(参考のために第三条の全文を載せる)。「事業者は、令第
　　　二十一条第九号に掲げる作業場について、その日の作業を開始
　　　する前に、当該作業場における空気中の酸素(第二種酸素欠乏危
　　　険作業に係る作業場にあつては、酸素及び硫化水素)の濃度を測
　　　定しなければならない。
　　　2　事業者は、前項の規定による測定を行つたときは、そのつど、
　　　次の事項を記録して、これを三年間保存しなければならない。
　　　一　測定日時，二　測定方法，三　測定箇所，四　測定条件，五
　　　　測定結果，六　測定を実施した者の氏名，七　測定結果に基
　　　づいて酸素欠乏症等の防止措置を講じたときは、当該措置の概要」

【14】　○　題意のとおり。労働安全衛生規則501条にワイヤロープ1
　　　よりの間において、素線の数の10分の1以上の素線が切断した
　　　ものは使用してはならないとの規定がある。

【15】　×　プレス作業主任者を選任しなければならないので誤り。労
　　　働安全衛生規則第133条に「事業者は、動力により駆動されるプ
　　　レス機械を五台以上有する事業場において行う当該機械による
　　　作業については、プレス機械作業主任者技能講習を修了した者
　　　のうちから、プレス機械作業主任者を選任しなければならない」
　　　と定められている。

第 **6** 章

機械系保全法

(1) 機械の主要構成要素の種類、形状および用途
(2) 機械の主要構成要素の点検
(3) 機械の主要構成要素に生じる欠陥の種類、原因および発見方法
(4) 機械の主要構成要素の異常時における対応措置の決定
(5) 潤滑および給油
(6) 機械工作法の種類および特徴
(7) 非破壊検査
(8) 油圧および空気圧
(9) 非金属材料の種類、性質および用途、金属材料の表面処理
(10) 力学および材料力学の基礎知識
(11) 日本産業規格に定める図示法、材料記号、油圧・空気圧用図記号、電気用図記号およびはめ合い方式

第6-1章

機械系保全法

機械の主要構成要素の種類、形状および用途

出題の傾向 ⟱ 学習のPOINT

　機械の主要構成要素すなわち機械要素は、機械性能の維持・向上を図る保全活動と密着したものが多いだけに、日常的に関係している要素の種類と用途や特徴（具体的な数値など）は正確に理解しておきたい。なかでもねじ、ころがり軸受、歯車に関する出題比率が圧倒的に高く、ベルト、チェーン、キー、軸継手、シール、カム、軸などが出題されている。

・ねじ、ボルト・ナットの用語と形状および用途に関するもの
　ねじの基本的な用語（ピッチ、リード、有効径など）の意味を正確に理解するとともに、ねじの種類と特徴を整理し、ダブルナットをはじめ、ナットのゆるみ止めの方法について整理しておきたい。

・歯車の用語と形状および用途に関するもの
　歯の大きさに関する基準円直径とモジュールの関係式、歯車各部の名称やバックラッシ、クラウニングなどの用語について整理しておきたい。

・軸受の出題は歯車に次いで多い。軸受の損傷名称、原因、対策に関係する軸受の特徴や軸受のはめ合い、寿命については正確に理解しておきたい。

・軸ならびに軸継手については出題頻度は低いものの、実軸と中空軸、ユニバーサル継手、スプライン軸などの種類や特徴が過去に出題されている。

・巻掛け伝動装置については歯付ベルト、Vベルト、チェーンに関する問題が多い。

・配管に関する出題はほとんどがシールに関するものである。ばねや減速機については最近出題がない。

1　締付け用機械要素

1・1　ね　じ

（1）　ねじの基本
①　リードとピッチの関係

互いに隣り合ったねじ山の中心線間の距離をピッチといい、ねじが軸方向に進む距離をリードという（**図6・1・1**）。リードをL、ピッチをP、条数をnとすると、

$$L = n \times P$$

の関係がある。

以上のことから、多条ねじにすれば回転を少なくして早く締め付けることができる。

②　有効径

JISB0101：2013(ねじ用語)によれば、ねじ溝の幅がねじ山の幅に等しくなるような仮想的な円筒(または円すい)の直径で、ねじの締付け力や強度計算または精密な測定を行う場合の基本となる寸法である。

ねじの外径が同じなら、ピッチの大きいほうが有効径は小さくなる。有効径の測定は三針法による。

（2）　種類、形状および用途
①　三角ねじ

ねじ山が60°のもっとも一般的なねじで、摩擦が大きいので締結用ねじとして適する。ボルトのねじ山が代表例。

②　角ねじ

三角ねじと比べて摩擦が小さいので移動用や伝動用に適するが工作が

図6・1・1　リードとピッチ（2条ねじの例）

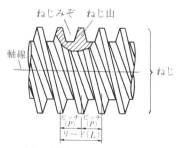

ねじの各部名称（・2条，右，平行
おねじの場合で示す）

困難。マシンバイスのねじ山が代表例。

③　台形ねじ

角ねじよりも工作も容易であるので、汎用的に移動用に用いられる。締め付けには適さない。工作機械の親ねじが代表例（**図6・1・2**）。

④　ボールねじ

おねじとめねじの間にボールが挟まれており、摩擦が非常に小さいので、高速かつ精密移動用に適する。NC工作機械のテーブル移動ねじが代表例。

⑤　管用ねじ

配管用にパイプの外側に付けられるねじで、大別して管用テーパねじ（テーパおねじ（R）、テーパめねじ（Rc）、平行めねじ（Rp））と管用平行ねじ（G）がある。

（3）　表し方　《実技試験出題項目！》

ねじの表し方は**図6・1・3**のように構成されている。

詳細は JIS B 0123：1999（ねじの表し方）を参照していただきたい。

（4）　締結用ねじ部品の種類

JISに規定されている代表的なね

図6・1・2　台形ねじ

めねじ	めねじ
おねじ	おねじ
29度台形ねじ	30度台形ねじ
（ウイットねじ系）	（メートルねじ系）

図6・1・3　ねじの表し方（JIS B0123:1999）

① 一般のミリメートルの場合

| ねじの種類を表す記号 | ねじの呼びを表す数字 | × | ピッチ |

ただし、メートル並目ねじのように同一呼び径に対し、ピッチがただ1つ規定されているねじでは、一般にはピッチを省略する。

例　　　　M8　　　　メートル並目ねじ　　呼び径8mm
　　　　　M8×1　　　メートル細目ねじ　　呼び径8mm　ピッチ1mm

② 多条メートルねじの場合

| ねじの種類を表す記号 | ねじの呼びを表す数字 | × | L | リード | P | ピッチ |

例　　　　M8×L2P1　メートル並目ねじ　　呼び径8mm　リード2mm　ピッチ1mm（2条ねじ）
その他ピッチで山数を表すねじ（管用ねじ）やメートル台形ねじについてはJIS B0123を参照のこと

① 六角ボルト

もっとも一般的なものである
JIS B 1180：2014（六角ボルト）
通しボルトとして使用される
（通しボルトとは、締め付ける2つの部品と六角
ボルトを通し、六角ナットを入れて締結する使い方である）

② 植込みボルト

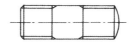

両端にねじを切ってある

③ 基礎ボルト

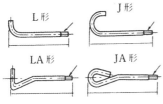

コンクリートなどの基礎に埋め
込んで用いられる

④ アイボルト

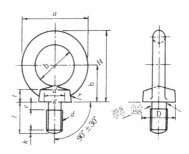

ボルト頭が輪状になっている。ロー
プをかけて吊り上げるのに用いる

⑤ Tみぞボルト

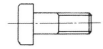

Tみぞに頭をはめて移動し、任意の位置で締
付けを行う

⑥ リーマボルト

ボルトにせん断力が働く場合や、センターズレを起こしやすい場合に
リーマ穴をあけてこれにしっくりはまるリーマボルトを用いる

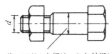

リーマボルト径は、ねじ外径(d)
よりも1～2mm太い

図6・1・5　二重ナット

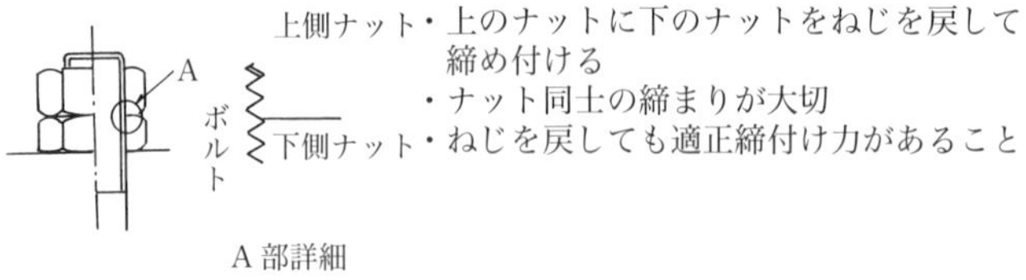

上側ナット・上のナットに下のナットをねじを戻して
　　　　　　締め付ける
　　　　　・ナット同士の締まりが大切
下側ナット・ねじを戻しても適正締付け力があること

A部詳細

じ部品の種類をまとめて**図6・1・4**に示す。

（5）　ねじのゆるみ止め

　ねじのゆるみ止めの代表的な方法が二重ナットである。これは薄い
ナットを下にしてその上に厚いナットで締め付け、最後に薄いナットを
緩み側に回して厚いナットと薄いナットを密着させることでナットのゆ
るみ防止を図る方法である（**図6・1・5**）。

1・2　キー、ピン　《実技試験出題項目！》

（1）　キー

　キーは回転軸に歯車、カップリング、スプロケット、プーリーなどを
固定するために用いる。荷重条件や構造・機能に応じて多くの形状が
選ばれる。

①　サドルキー

１）　くらキー（**図6・1・6(1)**）

　くらキーは軸にはキーみぞを加工せずにボス側だけにキーみぞを加工
する。また、キーとキーみぞ（ボス側）はそれぞれ1/100のこう配をつ
ける。小径、軽荷重に用いる。

２）　平キー

　くらキーとの違いは、軸にキーが接触する面をキーの幅だけ平面に切
削加工する点で、ボス側にこう配1/100のキーみぞを加工する。小径、
軽荷重に用いる（**図6・1・6(2)**）。

②　沈みキー

　軸とボスの両方にキーみぞを切り、トルクの伝達をキーの側面で行う

図6・1・6(1)　くらキー

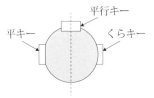

図6・1・6(2)
くらキー、平キー、平行キーの違い(断面)

平行キー
平キー
くらキー

図6・1・7　平行キー

図6・1・8　こう配キー

もので、高速回転・重荷重などに適し、一番多く用いられている。

1）　平行キー（埋込みキー）（**図6・1・7**）

軸とボスのキーみぞは、ともに軸に平行に加工してこう配のない平行キーを用い、キーの両側に締めしろをつける。大きな荷重や正転・逆転では使えない。

2）　こう配キー（打込みキー）（**図6・1・8**）

軸のキーみぞは軸に平行で、ボスのキーみぞはキーと同じ1/100のこう配をつける。キーの固定はキーの上下両面にもっとも多く締めしろをつけて固定する。高速回転・重荷重などに用いる。

3）　接線キー（**図6・1・9**）

軸心に対して120°の位置にそれぞれ一対のこう配キーを打ち込んで締結するもので、キーの接線方向の荷重面にぴったりと予圧が与えられるので、重荷重あるいは回転方向が

**平行キーとこう配キー
接線キー**

沈みキーのうち、平行キー、こう配キー、接線キーは紛らわしいので図と用途（特徴）をしっかり比較して理解しておこう。

・平行キー
　もっとも汎用的なもので軸中にエンドミル加工でみぞをつくり、歯車などを取り付ける

・こう配キー
　軸端にキーを打ち込むので、メンテナンス時の分解が容易になる

・接線キー
　平行キーでは小荷重での正逆転が可能であるが、大荷重になると接線キーを必要とする

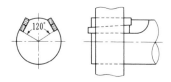

図6・1・9　接線キー

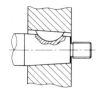

図6・1・10　半月キー

正逆に変化する場合に適する。

4)　半月キー（**図6・1・10**）

あまり大きな力のかからない小径軸に用いる。

5)　すべりキー（フェザーキー）

ボスが軸方向にスライドする場合に用いる。

6)　コーンキー

キーみぞをつくりにくい軸やときどき位置替えの必要な軸に用いる。

7)　丸キー

ボスを軸端にセットするときなどに用いる。

③　**キーの寸法形状と材質**

キーの交換には、形状の互換性と材質選定がポイントとなる。形状・寸法についてはJISB1301：2009（キー及びキー溝）を参照すること。また使用する材料はSGD 290-DまたはSGD 400-D（一般にみがき棒鋼といわれるもの）、SF 540-A（炭素鋼鍛鋼品）、S35 C、S45 C（機械構造用炭素鋼鋼材）などが使用されている。

（2）　**ピ　ン**

ピンは小径の丸棒で、一般に機械部品の取付け位置を一定にする場合や、ハンドルと軸との位置を固定するためなどに用いる。

表6・1・1にピンの種類と構造を示す。

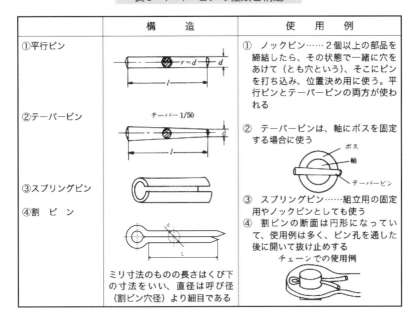

表6・1・1　ピンの種類と構造

	構　　　造	使　用　例
①平行ピン	$r=d$　d　l	①　ノックピン……2個以上の部品を締結したら、その状態で一緒に穴をあけて（とも穴という）、そこにピンを打ち込み、位置決め用に使う。平行ピンとテーパーピンの両方が使われる
②テーパーピン	テーパー 1/50　l	②　テーパーピンは、軸にボスを固定する場合に使う　ボス　軸　テーパーピン
③スプリングピン ④割　ピ　ン	d　L ミリ寸法のものの長さはくび下の寸法をいい、直径は呼び径（割ピン穴径）より細目である	③　スプリングピン……組立用の固定用やノックピンとしても使う ④　割ピンの断面は円形になっていて、使用例は多く、ピン孔を通した後に開いて抜け止めする　チェーンでの使用例

2　伝動用機械要素

2・1　歯　車

（1）　各部の名称

　動力や運動を伝える場合、相手に運動を与えるものを原節、これによって運動が伝えられるものを従節という。歯車の場合、かみ合う一対の歯車のうち歯数の多いほうを大歯車（ギヤ）、少ないほうを小歯車（ピニオン）という。図6・1・11に歯車各部の名称を示す。

（2）　歯　形

①　歯の大きさ

　歯の大きさは基準円の直径dと歯数Zによって決まる。歯の大きさを

Zoom Up

インボリュート歯形

円筒に巻きつけた糸をほどいていく場合に糸の先端の描く軌跡がインボリュート曲線と呼ばれるものである。

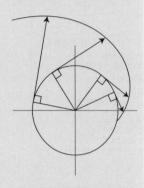

この曲線の特徴としては、

① インボリュート曲線上の任意の法線が基礎円の接線となることから、動力の伝達が効率良く行われる

② 基礎円に接する直線によって描ける曲線であることからラック工具で歯形が加工できる

図6・1・11　歯車の各部の名称（平歯車）

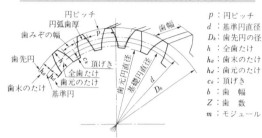

p	：円ピッチ
d	：基準円直径
D_k	：歯先円の径
h	：全歯たけ
h_a	：歯末のたけ
h_d	：歯元のたけ
c_k	：頂げき
b	：歯　幅
Z	：歯　数
m	：モジュール

表すものにモジュール(m)がある。

　モジュールは歯末のたけに等しい。したがって、モジュールの値が大きいほど歯は大きくなる。

　JISでは、歯の大きさを表すのにモジュールによることが原則とされている。

$$m = \frac{\text{基準円直径}[\mathrm{mm}]}{\text{歯数}} = \frac{d}{Z}$$

②　インボリュート歯形

　この歯形曲線の特徴は、歯面が同一曲線のため中心距離が多少違っても正しくかみ合う利点をもつことである。また、製作がしやすく互換性もよいので、動力伝達用の歯車をはじめほとんどの歯車に用いられている。

③　サイクロイド歯形

　この歯形は外転サイクロイド（エピサイクロイド）を歯先とし、内転サイクロイド（ハイポサイクロイド）を歯元とする形の歯である。その特徴は、歯先と歯元で曲線が違うのでかみ合いに精度を要し、製作も面倒なのが欠点であるが、かみ合い時にすべりがないため回転が円滑で歯面が摩耗しにくい利点がある。

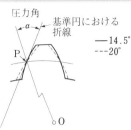

図6・1・12　圧力角

圧力角
α
基準円における
折線
—14.5°
----20°
P
O

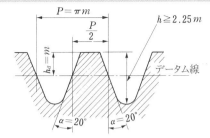

図6・1・13　基準ラック歯形（圧力角20°、並歯）

$P = \pi m$
$\dfrac{P}{2}$
$h \geqq 2.25\,m$
$h_a = m$
データム線
$\alpha = 20°$　$\alpha = 20°$

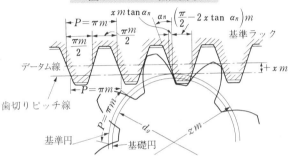

図6・1・14　転位歯車

$P = \pi m$　$x\,m\tan\alpha_n$　α_n　$\left(\dfrac{\pi}{2} - 2\,x\tan\alpha_n\right)m$
基準ラック
$\dfrac{\pi m}{2}$　$\dfrac{\pi m}{2}$
データム線
$+x\,m$
歯切りピッチ線
$P = \pi m$
$P = \pi m$
d_g
$z\,m$
基準円
基礎円

摩耗による誤差の発生が少ないことから、精密機械や計測器用の小型歯車に用いられる。

④　圧力角

圧力角は歯がかみ合うときの力の方向を決めるもので、圧力角を大きくすると歯元が厚くなって歯の強さが増加する（**図6・1・12**）ので、圧力角14.5°よりも20°のほうが強度は強くなる。JISでは基準圧力角20°だけを規定している。

⑤　円ピッチ

円ピッチ p は、基準円周上での歯と歯の間隔であり、基準円直径を D、歯数を Z、モジュールを m とすると、次の式で表される。

$$p = \frac{\pi D}{Z} = \pi m$$

（3）　基準ラックと標準歯車

① **基準ラック**

歯車のピッチ円の直径を無限大にすると、ピッチ円は直線となり直線

歯形のラックとなる。この歯形をピッチに応じて規定すれば、すべての歯数の歯形を決めることができる。これを基準ラックという（**図6・1・13**）。

② **標準歯車**

基準ラックを歯切工具として、そのピッチ線を歯車の基準円に接するようにして切った歯車が標準平歯車である。

標準平歯車の各部の寸法は以下のようにすべてモジュール*m*で表される。

- ・円周ピッチ *t*　　　　πm
- ・歯末のたけ　　　　　m
- ・歯元のたけ　　　　　$m + km$
- ・頂　げ　き *km*　　　$\geqq 0.25\,m$
- ・全歯たけ *h*　　　　$\geqq 2m + km$
- ・歯　厚　　　　　　　$\dfrac{1}{2}t = \dfrac{1}{2}\pi m$

③ **転位歯車**

図6・1・14に示すように、基準ラックの基準ピッチ線を歯車の基準ピッチ円から*xm*（*x*：転位係数、*m*：モジュール）だけずらして歯切りしたものを転位歯車という。歯数が少ない歯車で、アンダーカットが起こらないようにする目的で行う。

（4）　かみ合い率と歯の干渉

① **かみ合い率**

歯車がスムーズに回転するためには、常に一対の歯が接触していなければならない。このかみ合い長さに相当する円弧の長さと円ピッチの比をかみ合い率といい、かみ合い率が大きい歯車ほど回転が円滑に行われる。

② **干渉とアンダーカット**（**図6・1・15**）

歯車の歯数がある限度より少ない場合や、歯数比がある限度以上大きい場合などでは、一方の歯先が相手側の歯元に当たって正常な回転ができないことがある。このような現象を「歯の干渉」という。

ラック形工具で歯切りをするとき、歯数が少ないと干渉を起こし、歯切り工具の刃先で歯元のほうが大きくえぐり取られるようになる。これを「歯のアンダーカット（歯の切下げ）」という。

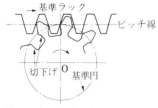

図6・1・15　アンダーカット

基準ラック

ピッチ線

切下げ　O　基準円

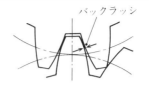

図6・1・16　バックラッシ

バックラッシ

③　バックラッシ

バックラッシは歯と歯の間にすき間（遊び）を設けて、回転を円滑にするものである（**図6・1・16**）。その大きさはJIS B 0102-1：2013（歯車用語—第1部：幾何形状に関する定義）に規定され、平歯車などの精度等級に応じてバックラッシ算出数値表によって計算して求める。

バックラッシが必要な理由は以下を防ぐためである。

- 製作上の誤差
- 中心間距離の誤差
- 運転中の負荷による歯車ケーシングの変形、軸のたわみ
- 温度上昇による熱膨張の影響

④　クラウニング

歯車のかみ合いで歯の当たりをよくするため、歯すじの方向に適当なふくらみをつけることをいう。

（5）　形状と用途

2軸が平行な歯車を**表6・1・2**に、2軸が交わる歯車を**表6・1・3**に、2軸がくい違っている歯車を**表6・1・4**に示す。

また、その他の特殊歯車として非円形歯車やだ円歯車などがある。

（6）　歯車列

複数の歯車を組み合わせて、動力の伝達や所要の回転数を得る目的でつくられた歯車伝動装置をいう。

2つの歯車が互いにかみ合っているとき、速度比 i は、

$$i = \frac{N_2}{N_1} = \frac{d_1}{d_2} = \frac{mz_1}{mz_2} = \frac{z_1}{z_2}$$

となり、歯車における速度比（i）は原動側の歯数（z_1）を従動側の歯数（z_2）で割ったもので、歯数（z）と回転数（N）とは逆比例の関係となる。また、

歯　　　　　形		特徴・用途
平歯車 （スパーギヤ） 	歯すじが直線で、軸と平行に歯がついている。回転方向と直角に歯がついているので、軸方向に力がかからない。2本の平行な軸間に回転運動を伝える歯車で、もっとも一般的に使われている	① 簡単でつくりやすく、コストも安い ② 軸に斜めの力がかからない ③ 高速回転の場合、騒音が発生しやすい ④ 回転方向は正・逆とも可能 <用途> 一般的な動力伝達用
はすば歯車 （ヘリカルギヤ） 	歯すじを軸に対して斜めにしたもので、荷重がだんだん円滑に移っていき、かみ合いをなめらかにする	① 平歯車より強度は大きい ② 高速回転でも運動が円滑で衝撃が少ない ③ 歯すじが斜めのため、かみ合い率が大きく、騒音が少ない ④ 軸方向にスラスト力が生じる ⑤ 製作がややむずかしい <用途> 一般の伝動装置（自動車、減速機など）
やまば歯車 （ダブルヘリカルギヤ） 	歯の向きが反対のはすば歯車を組み合わせたもので、歯の種類は山の頂上部の製作方法でいろいろな種類がある （歯の種類） 角突合わせ 丸突合わせ 千鳥 中みぞ突合わせ	① 高速回転でも、円滑な回転ができる ② 強度は大きい ③ 軸方向のスラストが生じない ④ 伝動が静かで効率が良い ⑤ 製作がむずかしい <用途> 一般に動力伝動用のほかに、大動力伝動に用いる（製鉄用圧延機、大型減速機など）
内歯車 	円周の内側に歯のある歯車。小さい歯車を内接させて回す。	① 1段で大減速比の実現が可。 ② 内歯車と小歯車の回転方向は同一 ③ 遊星歯車機構を構成する。 ④ 減速機やクラッチに使用される。
ラック＆ピニオン 	ピニオンとよばれる小口径の円筒車と、平板状の棒に歯切りをした（歯がつけられた）ラックを組み合わせたもの。	① 回転⇔直線運動の変換に使用される ② 自動車のステアリング・ギア機構に使われている。 ③ ラックはピッチ円直径を無限大にしたものと考えられる。

歯　　　　形		特徴・用途
すぐばかさ歯車	歯すじが円すいの頂点に向かってまっすぐになっているかさ歯車	① 軸方向にかかる力は少ない ② 伝動力の大きいときはあまり用いない ③ 製作は比較的容易 ＜用途＞ 工作機械などの諸機械装置・印刷機械および差動装置
はすばかさ歯車	歯すじはまっすぐだが、頂点に向かっていないもの。つまり、すぐばかさ歯車の歯を、はすに傾けたもので斜めになっているかさ歯車	① 歯当たり面積が大きくなるので強度はすぐばかさ歯車より大きい ② 比較的静かな伝動が得られる ③ すぐばかさ歯車より大きい伝動力を伝えることができる ＜用途＞ 大型減速機などで、まがりばかさ歯車を用いない場合に使う
まがりばかさ歯車	歯すじが曲線になっている歯車ですぐばかさ歯車より製作はむずかしいが、強くて静かな歯車として広く使われている	① 歯当たり面積、強度、耐久力ともにすぐば、はすばかさ歯車より大きい ② 減速比が大きくとれ、音も静かで、伝動効率も良い ③ 軸方向の力が大きくなる ④ 製作がややむずかしい ＜用途＞ 高負荷・高速回転の伝動に適し、自動車の減速機、工作機械などに用いる

歯　　　　形		特徴・用途
ねじ歯車	はすば歯車の軸をくい違えてかみ合わせた歯車で、1組の歯車の軸が平行でもなく、また、交わらない場合に用いる	① 減速のほかに増速も可能 ② 効率がよく静かな回転が得られる ③ 減速比が小さく、大動力の伝動には適さない ＜用途＞ 自動車の補機駆動用、自転機械などの複雑な回転運動をするもの
ハイポイドギヤ	円すい形の歯車で、一種のまがりばかさ歯車であるが、軸がくい違っているので、まがりばかさ歯車とはいわない	① 歯当たり面積が大きい ② 静かな回転が得られる ③ 小歯車の中心線を、大歯車の中心線から離すことができる ④ 製作がむずかしい ＜用途＞ 小歯車の中心線を大歯車の中心線より下げられるので、自動車の最終減速機などに用いて車の床面を低くし、乗り心地と安定性を増している。そのほか、ウォーム歯車の代わりなど

歯　　　　　　形		特徴・用途
円筒ウォームギヤ 鼓形ウォームギヤ （ヒンドレウォームギヤ） 	歯数の少ない方は、ねじ状になっていて、これをウォームと呼び、これにかみ合う歯数の大きい方をウォームホイールと呼んでいる。これらを通常、総称してウォームギヤという。同一平面内にない2軸が、互いに直角な場合の伝動に用いる。種類は一般的な円筒ウォームギヤと鼓形（つづみかた）ウォームギヤがある	① 小型で大きな減速比が得られる（1：6～1：100） ② かみ合いが静かで円滑 ③ 摩擦が大きく効率はあまりよくない ④ 円筒ウォームギヤより鼓形ウォームギヤの方が高負荷の動力伝達には有利 ⑤ 回転は、一般にウォームからウォームホイールを回転させる。ウォームホイールからウォームは回転できない ⑥ 鼓形ウォームギヤは、製作がやゝむずかしい <用途> 減速装置、ウインチ、チェーンブロック、工作機械、割出し機械など、その用途は非常に多い

速度比が大きすぎるとかみ合いが不具合となるので、普通の伝動歯車では$i = \frac{1}{5}$以下、運搬機やクレーンなどでも$i = \frac{1}{6}$以下である。

また、ウォームとウォームホイールの回転比は、ウォームのねじ条数をZ_1、その回転数をN_1、ウォームホイールの歯数をZ_2、その回転数をN_2とすると、$Z_1 \times N_1 = Z_2 \times N_2$で表される。

2・2　カ　ム

動力や運動を伝える場合、相手に運動を与えるものを原節、これによって運動が伝えられるものを従節という。また、所要の運動を伝える特殊な形をした原節をカムといい、一般にカムの回転または直進運動によって、これに接触するフォロワ（従節）にその所要の運動を伝える機構をカム装置という。

カムを形状によって分類すると平面カムや立体カムなどがある。図6・1・17に平面カムに属する板カムを示す。

2・3　減・変速機

変速機と減速機の区別は一般的には次のようになる。

軸の配置	入出力の方向軸	歯車の種類	減速比（1段）	効率（%）	周速 (m/s)	備　　考
平行軸	平行	平　歯　車	1/1〜1/8（最大 1/10 まで）	98〜99.5	〜　5	精度がよければ効率は非常によい。もっとも広く使用される
		はすば歯車			〜120	
		やまば歯車			〜 60	
直交軸	直交	まがりばかさ歯車	1/1〜1/6（最大 1/8 まで）	〜98	〜 20	平行軸形式より精度が落ちる。小歯車が片もちとなり、たわみが起こりやすく、そのため歯当たりが悪く効率が落ちる
	くい違い直交	ハイポイドギヤ	1/1〜1/10	〜97		表面のすべりを伴うため効率が落ちる
		ウォームギヤ	1/2.5〜1/100	60〜95進み角5°〜40°		進み角によって効率に非常に差がある。本来すべり接触であるから材料、仕上げ、潤滑にとくに注意を要する

図6・1・17　板カム（ハートカム）

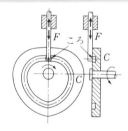

・変速機：ある一定の速度比の範囲内で変速が無段階に行われる装置
・減速機：速度比を歯車などで一定の割合で変速するような装置

（1）　歯車減速機

①　分　類

歯車減速機は歯車の種類、軸の配置、歯車の配列などによって多くの形式がある。**表6・1・5**に歯車減速機の種類を示す。

（2）　遊星歯車装置

遊星歯車装置とは、1組の互いにかみ合う歯車において、両歯車がそ

Zoom Up

遊星歯車装置の例：サイクロ減速機®

（1）　サイクロ減速機®の構造

サイクロイド系歯形曲線を利用した歯数差1枚の内接式遊星歯車減速機である。

遊星歯車減速機の一般的特徴である小型、軽量、入出力軸の同心、高い動力、伝達効率などの利点を活かしたものである。

（2）　サイクロ減速機®の特徴

・大減速比が得られる
・高効率である（1段で平均90％以上）
・入力軸と出力軸と同心である
・衝撃や過負荷に強い

サイクロ、サイクロ減速機は住友重機械工業株式会社の登録商標である。

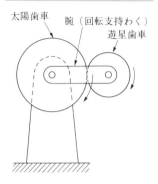

図6・1・18　遊星歯車

太陽歯車　腕（回転支持わく）　遊星歯車

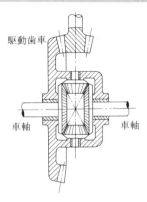

図6・1・19　かさ歯車を用いた差動歯車装置

駆動歯車

車軸　　　　車軸

れぞれ回転すると同時に一方の歯車が他方の歯車の軸を中心にして公転する装置をいう。中心軸に取り付けられた外歯車を太陽歯車、中心軸の周りを公転する歯車を遊星歯車という（**図6・1・18**）。

（3）　差動歯車装置

　2つの軸に駆動を与えたとき、第3の軸がそれらの作用を同時に受けて回転するような歯車装置を差動歯車装置という（**図6・1・19**）。差動歯車装置には遊星歯車装置が用いられる。

図6・1・20　単列形ローラーチェーン

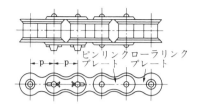

ピンリンク　ローラリンク
プレート　　プレート

遊星歯車装置において、どの歯車も腕も固定しない場合、2つの運動を決めると、残りの歯車または腕の運動は決まって差動歯車装置となる。

2・4　巻掛け伝動装置

（1）　チェーン伝動

チェーン伝動は、チェーンを確実にスプロケットに掛けて動力を伝動する方法である。ベルトやロープ伝動のように摩擦を利用しないので、歯車伝動と同じようにすべりがなく、速度比が一定で強力な動力の伝達が可能である。

①　種　類

1）　ローラーチェーン

単列形ローラーチェーンと複列形ローラーチェーンがあり、いずれも中・高荷重用である（図6・1・20）。

2）　サイレントチェーン

特殊な形状のリンクプレートをころがり摩擦式のピンで連結し、リンクの両端の斜面がスプロケットの歯に密着しているため、ピッチが伸びても歯面に密着する作用が変わら

(a) オープンベルト

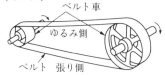

(b) クロスベルト

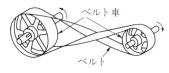

ず、ローラーチェーンのピッチが伸びて騒音を発する欠点をなくしてある。騒音が少ないのでこの名がついている。

②　スプロケットの歯数

スプロケットの歯数は10 〜 70枚だが、あまり少ないと伝動が円滑にできないので17枚以上とし、なるべく奇数歯にする。また、120枚以上の歯数のスプロケットは、ローラーチェーンの摩耗や伸びの点から使用を避けたほうがよい。

③　2軸の中心距離

チェーンのピッチの30 〜 40倍程度にするか、{(大スプロケットのピッチ円直径)＋(小スプロケットのピッチ円直径)}/2程度にする。軸間距離が長いとチェーンが振動しやすい。この振動防止には張り車かテンショナー(タイトナー)を取り付けるとよい。

(2)　平ベルト伝動

ベルトの掛け方には以下の2とおりがある。

①　2軸が平行でベルト車が同一平面にある場合

・オープンベルト：平行掛けといい、同方向に回転する（**図6・1・21(a)**）。
・クロスベルト：十字掛けといい、反対方向に回転する。ベルト巻掛け角は大きくなるが、ベルト同士がこすれ合って損傷を早める（**図6・1・21(b)**）。

②　2軸が平行でない場合

運転中ベルトが外れないようにするために、**図6・1・22**に示すよう

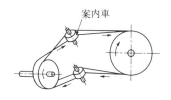

図6・1・22　案内車を用いたベルト伝動

案内車

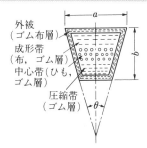

図6・1・23　Vベルトの断面

外被
（ゴム布層）
成形帯
（布，ゴム層）
中心帯（ひも，
ゴム層）
圧縮帯
（ゴム層）

a

b

θ

な案内車（アイドラ）を用いたベルト伝動とする。また、案内車（アイドラ）はプーリ径やスパン長さを変えられないときの平ベルトのばたつきを減少させるためにも使用される。

(3)　Vベルト伝動

主として平行2軸間に平行掛けで伝動するときにだけ用いる。

また、台形断面のベルトの側面がベルト車のみぞの両側面に密着して大きな摩擦力を生じるので、軸間距離の比較的短い場合（5m以下）に利用され、すべりが少ないので速度比を大きく（1：7くらいまでで、とくに大きい場合には1：10くらいにすることができる）取ることができる。

①　形状と寸法

Vベルトは**図6・1・23**に示すように台形断面で、ゴムを主体として綿糸や綿布などを包んで環状にしたものである。**表6・1・6**にJISで規定されている6種類のVベルトの寸法を示す。

②　Vプーリ

材質は鋳鉄製のものが多く、高速のものでは鋳鉄製のものと鋼板製のものがある。Vベルトは曲げられると内側の幅は広がり、外側の幅は狭くなるので Vベルトの角度は40°より小さくなる。このため、Vプーリの径が小さいものほど、みぞの角度 α を小さくしてある。みぞ角度は34°、36°、38°の3種類である。

③　保全ポイント

・2本以上掛けたベルトは均等に張られること
・Vプーリのみぞの摩耗に注意をすること。そのポイントはVプーリのみぞの上端よりVベルトの上面が0.5 〜 2.5mmはみ出していること

表6・1・6　Vベルトの寸法

形別	a(mm)	b(mm)	断面積 (mm^2)	θ (°)
M	10.0	5.5	44.0	40
A	12.5	9.0	83.0	40
B	16.5	11.0	137.5	40
C	22.0	14.0	236.7	40
D	31.5	19.0	467.1	40
E	38.0	25.5	732.3	40

図6・1・24　テンショナーの与え方

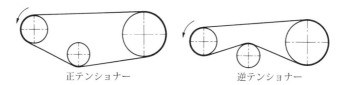

正テンショナー　　　　　　　　　逆テンショナー

である(機械組立の部屋 https://kikaikumitate.com/post-2727/)。

・Vベルトを張る機構が備えられていること。原動部では電動機のスライドベース、移動できない軸間ではテンショナープーリを使う(**図6・1・24**)

（4）　**歯付きベルト**（JIS B1859：2009　歯付きベルト伝動─用語）

　歯付きベルトは**図6・1・25**のようにベルトの内側に一定のピッチで歯形状の突起がついており、専用の歯付きプーリと噛み合ってすべることなく伝動する。タイミングベルトは歯付きベルトの一種である。

図6・1・25　歯付きベルト

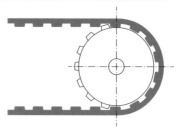

3　軸に関する機械要素

3・1　軸　受

（1）　分　類

①　軸受に作用する荷重の方向による分類
- ラジアル軸受：荷重が軸の垂直方向に作用する場合に用いる軸受
- スラスト軸受：荷重が軸方向に作用する場合に用いる軸受

②　軸と軸受との相対運動による分類
- すべり軸受：軸受静止、軸が回転
- ころがり軸受：内輪回転（軸とともに）で外輪静止、または内輪静止で外輪回転

（2）　すべり軸受

①　種類と形式

　すべり軸受は荷重方向によってラジアル軸受（ジャーナル軸受と呼ぶことが多い）とスラスト軸受に大別するのが一般的である。**図6・1・26**に代表的なジャーナル軸受の各部の名称を示す。

②　潤　滑

１）　目　的

　すべり軸受の潤滑の目的は、軸と軸受との間に油膜を生成し、この油膜が荷重を支え（**図6・1・27**）、金属同士の直接接触による焼付きを防止して摩擦と摩耗を減らすこと、および2面間の相対運動により発生する摩擦熱を放散し、温度上昇を抑えて軸受寿命を延ばすことである。

２）　潤滑状態

　潤滑状態を大別すると基本的には流体潤滑、境界潤滑、固体摩擦の3態がある。

３）　流体潤滑と境界潤滑

　すべり軸受の摩擦係数 v は、$\eta N/P$ に対して**図6・1・28**のようになる。つまり点線の右側では v は小さいが、左側では急激に大きくなる。

Zoom Up

PV値

すべり軸受に負荷される条件で、もっとも基本的な値に荷重P〔MPa(kgf/cm²)〕と速度V〔m/min〕の積であるPV値〔MPa・m/min(kgf/cm²・m/min)〕がある。すべり軸受は摩擦熱によって発熱するが、その発熱量はPV値に比例し、軸受の設計上あるいは材質選定のうえで重要な値である。

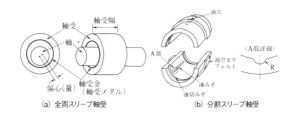

図6・1・26　ジャーナル軸受の構造と名称

(a) 全周スリーブ軸受　　(b) 分割スリーブ軸受

右側の状態を「流体潤滑」、その左側の状態を「境界潤滑」という。流体潤滑では軸と軸受は直接相互に接触しないので、摩擦面には摩耗・焼付きがまったく起こらず、すべり軸受ではもっとも望ましい状態である。境界潤滑では油膜が薄くて破断するなどで軸と軸受が局部的に接触し、また流体潤滑も形成されて共存している状態をいう。PV値も制限され、摩耗・焼付きに注意が必要である。

　4）　油穴、油みぞ

　油穴は給油孔とも呼び、滴下される潤滑油やグリースが通る道である。油穴の位置は原則として無負荷側の最大すき間の位置に設ける。

　油みぞは油穴と一体となるようにして原則として回転方向に直角に加工し、潤滑油が一様に分布するようにする。また、油みぞの角は図6・1・26のようにRをつけてスムーズな給油が行えるようにしたり、軸受の端まで切らないことや、両端部に油だまりを設けて油を外部に漏らさないことも必要である。

　③　特　徴

　すべり軸受は、ころがり軸受と異なり、面

図6・1・27　ジャーナル軸受の油膜圧力分布

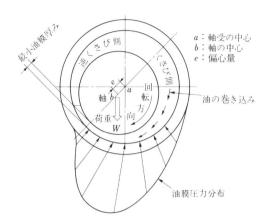

図6・1・27　ジャーナル軸受の油膜圧力分布

a：軸受の中心
b：軸の中心
e：偏心量

　　上図のように軸は油膜圧力によって、軸受の中心より回転方向にずれた位置で回転している。油膜圧力は軸受水平部より回転方向に徐々に増え、軸心より垂直直下付近で最大になる。油の流れは、軸と軸受でつくられるくさび状のすきまを入り、逆くさび側に抜けて軸とともに回転していく。

図6・1・28　潤滑状態の区分

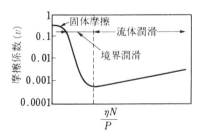

η：粘度, N：軸の回転数, P：軸受圧力

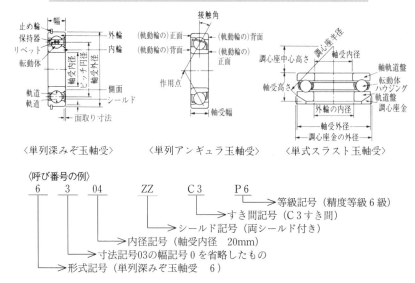

図6・1・29　ころがり軸受各部の名称（JIS B 0104：1991）

〈単列深みぞ玉軸受〉　　〈単列アンギュラ玉軸受〉　　〈単式スラスト玉軸受〉

〈呼び番号の例〉

6　3　04　　ZZ　　C3　　P6

→等級記号（精度等級6級）

→すき間記号（C3すき間）

→シールド記号（両シールド付き）

→内径記号（軸受内径　20mm）

→寸法記号03の幅記号0を省略したもの

→形式記号（単列深みぞ玉軸受　6）

接触となるので大きな荷重を負担でき、潤滑油による良好な流体潤滑を維持することで、摩耗が少なく、また、振動や衝撃に強く、高速回転に適する。一方、温度による潤滑油の粘度変化や油膜の状態に敏感に依存する。

④　**組付け**

すべり軸受に軸を組み付ける際には、軸受の合わせ面にシムを挟み込んでおき、軸受が摩耗した際には、このシムを加減することで調整・補修する。

⑤　**軸受材料**

すべり軸受の軸受金（**図6・1・26**）に使用される主な材料は、ホワイトメタル（錫と鉛の合金）やケルメット（銅と鉛の合金）、りん青銅などである。

（3）　ころがり軸受

①　**種類と形式**

1）　ころがり軸受の分類

負荷する荷重の方向でラジアル軸受とスラスト軸受、転動体の種類で

図6・1・30　単列深みぞ玉軸受

非接触金属　　非接触　　　接触
シールド　　　ゴムシール　ゴムシール
　　　　　　　密封玉軸受

玉軸受ところ軸受とに分ける。代表的な軸受
の各部の名称を**図6・1・29**上に示す。
　2）　呼び番号
　呼び番号はJIS B 0104：1991（転がり軸
受用語）で定められており、大きく分けると
基本番号と補助記号とで構成されている。基
本番号は軸受系列記号と内径番号からなり、
軸受系列番号をさらに分けると形式記号、幅
記号、直径記号の順になる。
　図6・1・29下に呼び番号の例を示す。
　3）　単列深みぞ玉軸受（**図6・1・30**）
　軌道が玉の半径よりわずかに大きい半径の
円弧になっており、ラジアル荷重のほかに両
方向のスラスト荷重も負荷できる。高速回転
する個所や低騒音・低振動が要求される用
途にもっとも適し、使用量も一番多いもので
ある。
　開放形のほかに鋼板でシールドした軸受
（金属シールド軸受）やゴムシールで密封した
軸受（接触、非接触ゴムシール軸受）がある。
　4）　単列アンギュラ玉軸受
　玉と軌道の接触点を結ぶ直線が軸受の中心
線に対してある角度（接触角）をなしているも

**単列アンギュラ玉軸受
の接触角**

接触角は15°、30°、40°
を標準として、接触角が
大きくなるほどスラスト
負荷能力は大きくなり、
逆に接触角が小さいほど
高速回転には有利にな
る。
接触角がついている構造
上、ラジアル荷重だけを
負荷することはできず、
ラジアル荷重に見合った
大きさのスラストの荷重
も同時に負荷しなければ
ならない。このため単体
で用いられることはな
く、図6・1・31のよう
に2個を対向させて使用
するかまたは2個以上の
組合わせを軸受として用
いる。

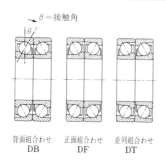

図6・1・31　組合わせアンギュラ玉軸受の形式

θ＝接触角

背面組合わせ
DB
正面組合わせ
DF
並列組合わせ
DT

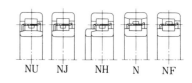

図6・1・32　円筒ころ軸受

NU　NJ　NH　N　NF

のであり、はすば歯車などにより軸にスラスト荷重が作用する場合など
に使用する。**図6・1・31**のように組み合わせて使うことが多い。

　5）　円筒ころ軸受(**図6・1・32**)

　ころと軌道面とは線接触であり、点接触の玉軸受に比べて負荷能力が
大きい。転動体と軌道輪のつばとの摩擦が小さいので高速回転に適して
いる。軌道輪のつばの有無によってNU形、NJ形、NH形、N形、NF形
などがある。つばのない外輪または内輪は、保持器と分離することが可
能である。

　② 　はめ合い

　1）　目　的

　はめ合いの目的は、軸受の内輪または外輪を軸あるいはハウジングに
しっかりと固定し、相互に有害なすべり(クリープ)が起こらないように
することである。**図6・1・33**のように荷重の大きさに対して締めしろ
が足りないと軸と内輪の間にすき間(Δ)が生じるので、内輪の回転は軸
の回転よりごくわずかであるが遅れる。この現象をクリープという。ク
リープが起こると、はめ合い面のすき間が小さいために潤滑剤が十分に
入らず、乾燥摩擦を起こして発熱して摩耗が急速に進む。

　クリープをくり返すとはめ合い面に赤茶色の錆を生じる現象、すなわ
ちフレッチングコロージョン(微動腐食)を起こす。

　2）　選　定

　荷重の方向とはめ合いでは、一般に内輪回転・外輪静止荷重の場合
には内輪は「締まりばめ」、外輪は「すき間ばめ」とし、外輪回転・内輪

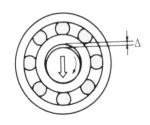

図6・1・33 クリープ

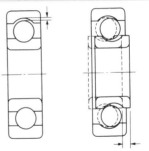

図6・1・34 軸受すき間

〈ラジアルすき間〉　〈アキシャルすき間〉

静止荷重の場合には内輪は「すき間ばめ」、外輪は「締まりばめ」とする。

　また、振動やたわみの大きいところでは内・外輪とも「締まりばめ」にすることもあるが、軸と違ってハウジングの加工は不正確になりがちなので、外輪とのはめ合いは多少ゆるくしたほうがよい。

　③　軸受すき間

　1）　すき間

　軸受すき間とは、内輪・外輪の一方を固定し他方を動かした場合の移動量をいう。半径方向(ラジアル方向)および軸方向(アキシャル方向)の動き量をそれぞれラジアルすき間、アキシャルすき間という(図6・1・34)。

　2）　すき間の選定

　ころがり軸受・玉軸受とも、運転すき間がゼロよりわずかに負になったところでころがり疲れ寿命が最大になる。普通、運転すき間がゼロより少しプラス側にくるように選定する。

　すき間にはラジアルすき間とアキシャルすき間が重要であるが、ラジアルすき間については、C2、CN、C3、C4、C5の規格(JIS B1520-1：2015)があり、この順にすき間が大きくなっている(CNは標準である普通すき間を表し、通常は呼び番号から省略される)。

　また電動機の騒音対策上、ラジアルすき間のバラツキの範囲を小さくし、かつ、すき間の値も小さくとったCMすき間(メーカー規格)もある。

　④　予　圧

　1）　目　的

軸受は普通すき間をもって運転されるが、用途によってはすき間が振動を起こしたり、歯車のかみ合いを悪くしたり、剛性不足を招いたりして機械の性能上好ましくない場合がある。このためアンギュラ玉軸受や円すいころ軸受などでは、取付けの際に一定量のスラスト荷重をかけて負のすき間とする方法がとられる。これを"予圧"と呼ぶ。

　2）　方法と特徴

　予圧の方法には定位置予圧と定圧予圧とがある。

　・定位置予圧

　寸法調整した間座やシムを使用する方法と組合わせ軸受を使用する方法があり、剛性を高める目的に適している。

　・定圧予圧

　コイルばねや皿ばねなどを利用して一定の予圧を与える方法で、高速回転や軸方向の振動防止が必要な場合などに使用する。

　⑤　**寿　命**

　日本機械学会（機械工便覧 β 4編2008機械要素・トライボロジー）では、軸受の寿命と負荷容量について、それぞれ定格寿命と基本動定格荷重という用語で以下のように定めている（要約）。

　1）　定格寿命

　一群の同一呼び番号の軸受を同一運転条件で個々に回転させたとき、そのうちの90％の軸受がころがり疲れによるフレーキングを起こすことなく回転できる総回転数。

　2）　基本動定格荷重

　内輪を回転・外輪を静止させた条件で、定格疲れ寿命が100万回転（10^6rev）になるような方向と大きさが変動しない荷重。

3・2　軸

（1）　種　類

　1）　伝動軸

　伝動軸は動力（トルク）を伝達する目的で使用される軸で、主としてねじり作用を受ける。その他、軸の自重やベルトの張力によるプーリーか

図6・1・35　車　軸

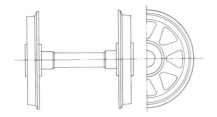

らの荷重などにより曲げモーメントも同時に
受ける場合が多い。したがって、プーリーな
どはできるかぎり軸受の近くに置き、曲げ
モーメントがあまりかからないようにするこ
とが大切である。

　2）　車　軸（**図6・1・35**）

　鉄道車両や自動車などの車輪を支える軸
で、車軸が回転しないものと車輪と一体で回
転するものがある。主として垂直荷重による
曲げモーメントを受けるが、車輪を駆動する
場合は伝動軸と同様にねじり作用も受ける。

　3）　スピンドル

　伝動軸の一種で、旋盤やボール盤などの主
軸が代表的なものである。スピンドルは高い
精度・剛性（荷重に対して変形の少ないこと）
が要求される。主としてねじり作用を受ける。

　(2)　強　さ

　軸はその機能である動力を伝達し、荷重を
支えるために十分な強度および剛性をもって
いなければならない。しかし、径を増やせば
重量も大きくなるので、伝達動力に見合った
大きさにする必要がある。

　中空軸は実軸と比較して、同じトルクを伝

軸に関する危険性

軸に関しては次の事項に
ついても整理しておこう
（よく出題される）。

①応力集中

　歯車が軸受取付け用の
　段差部の角や隅が鋭い
　と、普通より大きな応
　力が作用する。これが
　応力集中である

②危険速度

　軸の回転数がある大き
　さになると振れ回りを
　生じる。これが軸の固
　有振動数と一致すると
　共振現象を生じ振動や
　騒音、破壊の原因とな
　る

③水素ぜい化

　軸には硬質クロムめっ
　きをする場合も多い
　が、水素が軸の鋼内に
　進入してぜい化するこ
　とがある

達する場合に軽くすることができるのでよく使用される。

（3） 材　料

軸の材料には次のような性質が要求される。

・ ねじり、曲げに対して十分な強さがあること
・ じん性が高いこと
・ はめ合い面において十分な耐摩耗性があること
・ 振動、衝撃荷重などに対して疲労限度が高いこと

　一般に用いられる軸の材料は延性・ じん性の大きな低炭素鋼(C 0.1
〜 0.4％)である。小寸法の軸にはS－C材(S 45 C)、大径軸にはSF材
や構造用合金鋼(SCr 445、SCM 435、445、SMn 443)が使われる。

3・3　軸継手

　軸継手は一般的に以下のように分類される。また、代表的な軸継手で
ある固定軸継手とたわみ軸継手の形状、構造を図6・1・36に示す。

（1）　固定軸継手

　軸継手部がたわんではならない場合、正逆回転でバックラッシがあっ
てはならない場合などに使用し、構造は簡単で安価である。精度のよい
心出しが不可欠である。

（2）　たわみ軸継手

　2軸の心を完全に合わせることは非常に困難である。また、心出しは
一般に停止中に行うため、運転中は機械の発熱などによって心がズレる
可能性がある。このようなときに、ある程度の軸心のズレを吸収できる
たわみ軸継手が使われる。

（3）　自在軸継手

　他の軸継手では接続できない角度で2軸が交差しているか、平行な2
軸の軸心が大きく違っているときに使用する。自在軸継手には、駆動軸
に対して従動軸が不等速になるものと等速のものの2種類がある。

　1）　不等速自在継手

　この軸継手はフックまたはカルダン形軸継手と呼ばれるもので、一般
にはユニバーサルジョイントとして通っている。軸の交差角は45°まで

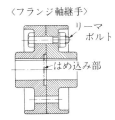

図6・1・36　固定軸継手とたわみ軸継手

〈フランジ軸継手〉

リーマ
ボルト

はめ込み部

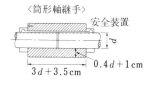

〈筒形軸継手〉

安全装置

p

$0.4d+1\,\mathrm{cm}$

$3d+3.5\,\mathrm{cm}$

〈フランジ形たわみ軸継手〉

ゴム（皮革）スリーブ

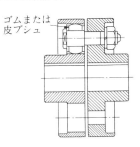

ゴムまたは
皮ブシュ

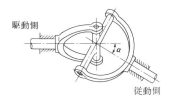

図6・1・37　不等速自在継手（基本構造）

駆動側

α

従動側

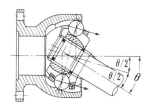

図6・1・38　等速自在継手

$\theta/2$
$\theta/2$
θ

　可能であるが、一般には20 ～ 30°以内の使用が好ましい。この角度が大きいほど許容回転数や伝達トルクが小さくなる。**図6・1・37**に基本構造を示す。

　2）　等速自在継手

　等速自在継手にはベンディスク形とバーフィールド形がある。**図6・1・38**にバーフィールド形の構造を示す。接合点に球を使用し、あらゆる交差角において常に球が両軸のなす交差角の2等分面上に正しく配列されるようになっており、完全に等速でトルク変化もないため、2軸を中間軸で結合する場合は不等速自在継手と異なり、同一平面で等角に軸

を配置する必要がなく自由な配置が可能である。

4 緩衝・制動用機械要素

4・1 ブレーキ

　ブレーキは、機械の運動(回転)に逆らう力を運動部(回転部)に与えて、その運動を減速・停止させる装置である。いわばその運動のエネルギーを他のエネルギーに変換する装置ともいえる。

　一般に用いられるのは、機械的な摩擦を利用した摩擦ブレーキである。

(1) 種類

① ブロックブレーキ

1) 単式ブロックブレーキ

　もっとも簡単な構造のブレーキで、回転するブレーキ胴にブレーキ片を押し付けるもの(**図6・1・39**)。回転力の大きな機械のブレーキには用いられない。

2) 複式ブロックブレーキ

　図6・1・39中の"ブレーキてこ"が軸対象位置にもう1つ備わったもので、2個のブロックブレーキを用いると両方から中心に向かって押しつけるので、軸に曲げモーメントがかからず大きなブレーキ力を作用させることができる。大きなブレーキ力を必要とするものに適し、軸にブレーキホイールをつけて制動するばかりではなく、大型・高速回転体を直接制動する場合に使われる。

図6・1・39　単式ブロックブレーキ

② 帯ブレーキ(バンドブレーキ)

帯ブレーキは、ブレーキホイールに巻き付けた鋼鉄の帯(帯の内側には皮、木片、織物などを裏張りする)に張力を与えて、帯とブレーキ輪との摩擦によって生じる摩擦力を利用して制動を行うものである。

4・2　ば　ね

(1)　用　途

ばねのおもな用途は下記のとおりである。

・振動・衝撃を緩和するもの：自動車のばね
・エネルギーを蓄積し、徐々に利用するもの：時計のうず巻きばね
・荷重と伸びの関係を利用するもの：安全弁のばね、ばねばかりのばね
・力を与えるもの：スプリング座金

(2)　材　料

JIS G 4801：2011にばね鋼鋼材が規定されているが、ばね鋼のほかに炭素工具鋼、硬鋼線材、ピアノ線材などが規定されている。また、腐食のおそれのある場所にはステンレス鋼などを用い、高温の場所ではステンレス鋼、高速度鋼などを使用する。

(3)　種　類

①　コイルばね

コイルばねはつる巻きばねとも呼ばれ、荷重によって分けると**図6・1・40**のように圧縮コイルばね(a) と引張りコイルばね(b) に分けられる。

また、形状によって円筒形コイルばね、円すい形コイルばね、竹の子ばねに分けられる。

②　板ばね

長方形断面をもったはりの一種で、薄板の重ね方によって次のように分けられる。

1)　平板ばね

簡単な1枚の板でつくったもので、比較的小さい力のかかるところに用いる。これには片もち平板ばねと両端支持平板ばねとがある。

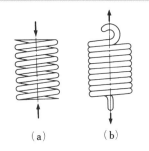

図6・1・40　コイルばね

(a)　　(b)

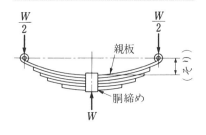

図6・1・41　重ね板ばねの例

$\frac{W}{2}$　　$\frac{W}{2}$

親板

(そり)

胴締め

W

2）　重ね板ばね

薄板を何枚か重ね合わせてつくるが、同じ板厚のものを使わないで親板から順次厚さを減少させたものが多い。これは車両などの緩衝用のように大きな力のかかるところに用いる（**図6・1・41**）。

5　管に関する機械要素

5・1　管の種類と用途

配管系の材料・仕様は、一般に使用流体、圧力、流量、温度、環境、運転条件、施工条件などによって選択される（**表6・1・7**、**図6・1・42**）。

5・2　管継手の種類

管を継ぐためには以下の種々の方法がある。
・ねじ込みによるもの（本章「1・1(2)⑤　管用ねじ」を使用）
・フランジによるもの
・溶接によるもの
・ソケットによるもの
また、温度変化を受ける配管では伸縮継手を使用する。

表6・1・7　配管用鋼管の種類と特徴

名　　　称	JIS規格	お　も　な　用　途
配管用炭素鋼鋼管	JIS G 3452：2019	使用圧力の比較的低い蒸気、水、油、ガスおよび空気などの配管
圧力配管用炭素鋼鋼管	JIS G 3454：2017	623K（350 ℃）以下で使用する圧力配管用
高圧配管用炭素鋼鋼管	JIS G 3455：2016	623K（350 ℃）以下で使用圧力の高い高圧配管
高温配管用炭素鋼鋼管	JIS G 3456：2019	623K（350 ℃）を超える温度で使用する配管用
配管用アーク溶接炭素鋼鋼管	JIS G 3457：2016	使用圧力の比較的低い蒸気、水、油、ガスおよび空気などの配管用
配管用合金鋼鋼管	JIS G 3458：2018（STPA）	主として高温度の配管用
配管用ステンレス鋼鋼管	JIS G 3459：2016（SUSTP）	耐食用、耐熱用および高温用に使用する配管用
低温配管用鋼管	JIS G 3460：2018	氷点下のとくに低い温度で使用する配管用

図6・1・42　JIS規格による配管用鋼管の使用範囲

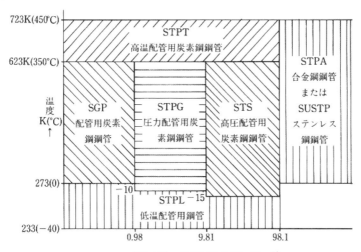

5・3　配管のスケジュール番号

　管で大切なことは、管は外径を基準とした呼び径で統一されていることである。

　どんな肉厚の管でも同一呼び径であれば、外径は同一の外径に合わせてつくられている。その管の肉厚は、スケジュール番号（Schedule Number、略称Sch.No.）で表示されている。アメリカで1950年代から用いられている肉厚体系で、Sch.No.の決定は次式による。

　　Sch.No. = 10 p/Sa（SI単位）

　　p：管の内圧〔MPa(N/mm^2)〕

　　Sa：材料の許容応力〔MPa(N/mm^2)〕

　Sch.No.の番号の大きいものは、外径は同じでも、肉厚は大きくなっている。

5・4　弁の種類と構造　《実技試験出題項目！》

　弁の種類には仕切り弁（ゲートバルブ）、玉形弁（グローブバルブ）、アングル弁、ボール弁、コックなどがある。表6・1・8に仕切り弁と玉形弁の使用目的、構造などを示す。

　また、以下に特殊弁として逆止弁、安全弁、減圧弁について記す。

（1）　逆止弁（チェックバルブ）

　流体を一定方向にだけ流し、逆流すると自動的に閉止する構造で、リフト式とスイング式がある。

　リフト式は水平配管に取り付けられ、スイング式は水平または垂直配管のいずれにも取り付けられる。

（2）　安全弁

　安全弁にはてこ式、おもり式、ばね式がある。ほとんどはばね式である。ボイラー、圧力容器、その他機器装置で使用中に設定圧力に異常圧力を生じた場合に、該当機器装置を保護するため自動的に放圧する役目をもった弁である。

種　類	使　用　目　的	構　　　　　造	
仕切り弁 (スルース弁 ゲート弁)	・閉止用に多く用いられる ・流量調節用としては不適	(a)呼び径50以下（弁棒上昇形）パッキン押さえナット／パッキン押さえ輪／弁体	(b)呼び径65以上（弁棒上昇形）パッキン押さえ／パッキン箱
	流れの方向に直角に昇降するディスクの上下動により、流れを全開・全閉させる。水や泥水がたまらない利点がある		
玉形弁 （グローブ弁）	・流量調節が容易	100A以下はねじ込み式／鉄鋼20kg/cm²形→／ヨーク付きフタ／逆座	
	一般にはグローブ弁と呼ばれ、その構造は、流体の流れ方向にディスクが移動し、ディスクシートの間に生じた円筒形のすきまより流体が通る。また構造上、流れの方向はシートの下より上方向に決められている		

（3）　減圧弁

　減圧機構は圧力が一定に保たれるように、ばねやダイヤフラムの絞り機構で制御される。減圧弁は、高圧側の圧力が最高使用圧力の90～150％の範囲で保持されるとき、最大流量の20～100％の任意の流量に対して自動的に弁の開度が変化して、低圧側に流体の調整圧力がその平均の±10％の範囲で確実に保持される構造と性能でなければならない。機械式のものとダイヤフラム弁式のものがある。材質は青銅、鋳鉄、鋳鋼が用いられる。

6　シール《実技試験出題項目!》

6・1　シールの分類

　JISの用語規定ではシールとは「流体の漏れ、または外部からの侵入を防止する機能又は部品」とし、対応英語はsealと示されている。

　シールは固定用シール(静止用シールまたはガスケット)と運動用シール(パッキン)とに大別される。

6・2　ガスケット

　固定用シールは静止用シールあるいはガスケットと呼ばれ、「配管用フランジなどのように静止部分の密封に用いられるシールの総称」である。代表的なガスケットの種類は以下のとおりである。

・非金属ガスケット(Oリング)
・セミメタルガスケット
・メタルガスケット
・液状シール
・シールテープ

　シールテープのJISK6885による名称は、「シール用四ふっ化エチレン樹脂未焼成テープ(生テープ)」である。

　ねじ部に巻いた後、末端を10mmくらい重ねてちぎり、ねじ込むだけで完全なシール

図6・1・43　リング形とフルフェース形

<リング形>

<フルフェース形>

ができる。自己潤滑性があるので焼付きや錆つきがなく、すべてのねじ材質に使える。また、耐薬品性、耐圧・耐震性、耐寒・耐熱性にすぐれ、ねじ部のシール材として広く使用されている。

　また、フランジなどのガスケットはリング形とフルフェース形とがある。リング形のほうがフルフェース形よりシール効果が高いので、なるべくリング形を使用したほうがよい（図6・1・43）。

6・3　パッキン

(1)　種　類

　運動用シールはパッキンと同義語で、「回転や往復運動などのような運動部分の密封に用いられるシールの総称」である。代表的なパッキンの種類は次のとおりである。

　① 　往復動シール

　リップパッキン(Vパッキンなど)、スクイーズパッキン(Oリングなど)。

　② 　回転軸シール

　接触形シール(メカニカルシールなど)、非接触形シール(ラビリンスシールなど)。

Zoom Up

スクイーズパッキン

スクイーズパッキンはセルフシールパッキンの1つで、つぶししろを与えてパッキンを入れ、流体の圧力でシール面に密着して密封を果たすパッキンである。Oリング、角リング、Xリングなどいろいろな形状のものがある。

密封装置

試験の細目にある「密封装置」とは、JIS B 0116によると、「流体の漏れ、または外部からの異物の侵入を防止するために用いられる装置の総称」とし、対応英語はsealing deviceと示されている。つまり、密封装置とシールは意味が異なる。

図6・1・44　Uパッキンの断面形状((つぶし代考慮図)㈱バルカー http://www.seal.valqua.co.jp/seal/gasket_detail_tech/060/)

〈対称形ロッド・ピストン兼パッキン〉

（2）　リップパッキンの種類と使用方法

リップパッキンはシール部分がリップ(唇)状になったパッキンの総称であり、セルフシールパッキンの1つである。

セルフシールパッキンとは、流体の圧力によりシール面の圧力が増し、有効な漏れ止め作用を果たすパッキンをいう。

リップパッキンは、リップに働く流体圧力が緊迫力を発生してシール作用を行うものである。

①　Uパッキン

油圧・空圧用のピストンやロッドなどにもっとも多く使われている。シール性がよく、摺動抵抗も少ない（**図6・1・44**）。

②　Vパッキン

Vパッキンは数枚重ねて使われるため摺動抵抗が大きく、常に潤滑が行われている機構にする必要がある。高圧、高速、長ストロークのパッキンとして使われる（**図6・1・45**）。

（3）　Oリングの特徴と使用方法

①　特徴および欠点

・取付け部分の構造が簡単で設計容易、小型化ができる

・パッキンに方向性がなく1個で密封ができる

・材質選定により223K（－50℃）〜 473K（200℃）、運動用では34.32MPa（350kgf/cm^2）（バックアップリング使用）、固定用では196.13MPa（2000kgf/cm^2）まで使える

一方、欠点として次のようなものがあり、注意が必要である。

・高圧下で使用する場合、すき間へのはみ出しによるき裂が生じやすい

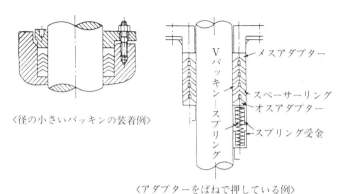

図6・1・45　Ｖパッキンの装着剤

〈径の小さいパッキンの装着例〉

Ｖパッキン

スプリング

メスアダプター

スペーサーリング

オスアダプター

スプリング受金

〈アダプターをばねで押している例〉

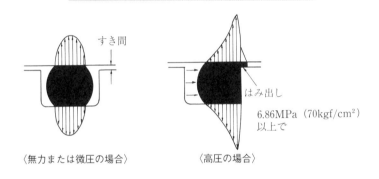

図6・1・46　Ｏリングの接触面応力分布図

すき間

はみ出し

6.86MPa（70kgf/cm²）
以上で

〈無力または微圧の場合〉　　〈高圧の場合〉

・潤滑が不良のとき相手すべり面に粘りつく傾向があり、ねじれや摩耗
による損傷を起こしやすい

・Ｏリングの接する面やみぞは精度の高い仕上げを要する

② 接触面応力分布（図6・1・46）

低圧時には自封力（セルアップ力）が発生しないため初期つぶししろが
重要な要素となる。作用圧が 6.86MPa（70kgf/cm²）程度からはみ出し
が発生する。このような状態で使用するときにはバックアップリングを
使用する。

表6・1・9　作動油とパッキン材料との適合性

パッキン材料 作動油の種類	ニトリルゴム	ウレタンゴム	ふっ素ゴム	四ふっ化 エチレン樹脂
鉱物性作動油	○	○	○	○
水・グリコール系作動油	○	×	△	○
W/O エマルジョン作動油	○	△	△	○
O/W エマルジョン作動油	○	△	△	○
リン酸エステル系作動油	×	×	○	○
脂肪酸エステル系作動油	○	△	○	○
HWBF	○	×	△	○

○は使用可、×は使用不可、△はシールメーカーと相談することが望ましい

表6・1・10　オイルシールの分類

種　類	記号	備　　　考	参考図例
ばね入り外周ゴム	S	ばねを使用した単一のリップと金属環とからなり、外周面がゴムで覆われている形式のもの	
ばね入り外周金属	SM	ばねを使用した単一のリップと金属環とからなり、外周面が金属環から構成されている形式のもの	
	SA	ばねを使用した単一のリップと金属環とからなり、外周面が金属環から構成されている組立形式のもの	

③　材　質

作動油との実使用状況をまとめると**表6・1・9**のようになる。

（4）　オイルシールの種類と特色

オイルシールは油のシールだけでなく、水、薬液、ダストシールのシールもできるので、回転軸用シールとしてはもっとも多く使用されている。また、摩擦損失が少なく長期の密封が可能、構造が簡単で取り扱いやすく安価、軸振れや高速回転など広い使用範囲に耐えるなどの長所がある。**表6・1・10**に各種オイルシールの分類を示す。

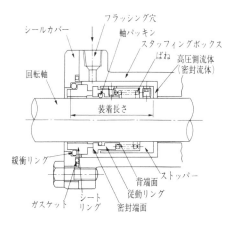

図6・1・47　メカニカルシールの基本構造

フラッシング穴
シールカバー
軸パッキン
スタッフィングボックス
ばね
高圧側流体
（密封流体）
回転軸
装着長さ
緩衝リング
ストッパー
背端面
従動リング
ガスケット
シートリング
密封端面

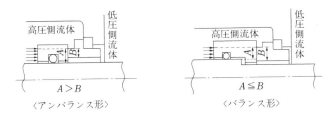

図6・1・48　アンバランス形とバランス形

高圧側流体　　低圧側流体　　　　$A > B$
〈アンバランス形〉

高圧側流体　　低圧側流体　　　　$A \leqq B$
〈バランス形〉

（5）　メカニカルシール

①　基本構造とシールの原理

　図6・1・47に基本構造を示すが、その働きは密封端面の摩耗に従って軸方向に動くことのできる従動リングと動かないシートリングがあり、スプリング作用による面の接触圧力によって回転部分の密封を行う。スプリングは密封端面の摩耗やシールリングの回転に対する追随性を維持する役割を果たしている。また、軸に沿って漏れようとする流体は軸パッキンによって阻止される。

②　バランス形とアンバランス形

　この分類は、メカニカルシールが密封流体の圧力によって受ける影響を構造的に配慮したもので、一般的にアンバランス形シールが低圧用、バランス形シールが高圧用といわれている（図6・1・48）。

＊この章の頻出問題＊

問　題	1組の平歯車において、モジュール5mm、中心距離160mm、速度伝達比3の場合、それぞれの歯車の歯数の組合せとして、適切なものはどれか。 （2023年度　1級） ア　12と32 イ　12と36 ウ　16と32 エ　16と48
解　答	エ
解　説	1対の歯車をかみ合わせた歯車機構において被動歯車の歯数をz_1、従動歯車の歯数をz_2とすると速度伝達比iは次のようになる。 $i = z_2 / z_1$　(1) また、一対の歯車のモジュールをmとすると、中心間距離Lは、 $L = m(z_1 + z_2) / 2$　(2) 式(1)と式(2)において、題意より$m = 5$mm、$i = 3$、$L = 160$mmであるから、 $i = z_2 / z_1 = 3$　(3) $160 = 5 \times (z_1 + z_2) / 2$　(4) (3)と(4)の連立方程式を解くと、 $z_1 = 16$mm、$z_2 = 48$mmとなる。 よってエが正解となる。

■ 解法のポイントレッスン

　出題頻度が一位の歯車に関する問題である。歯車は生産設備の重要な機械要素であり、動力伝達の要であるので、保全の機会も多いところから出題も多い。歯車に関する出題としては、① 種類と特徴、② 歯たけや円ピッチ、③ バックラッシ、④ 歯車装置の歯数などが典型的である。いずれも本章において理解しておけば十分対応できる問題がほとんどであるが、歯車装置の歯数の問題解法には次の要点を押さえておく必要がある。

　第一は、一対の歯車のかみ合いにおいては、速度伝達比は$i = z_2 / z_1$で表さ、$i > 1$ならば減速、$i < 1$ならば増速となる。第二はかみ合う一対の歯車においてはモジュールが等しいことである。上の問題において、中心間距離Lは駆動歯車のモジュールと基準円直径をm_1、D_1、

被動歯車のモジュールと基準円直径をm_2、D_2とすると、
$$L = (D_1 + D_2) / 2 = (m_1 z_1 + m_2 z_2) / 2$$
である。噛み合う一対の歯車においてはモジュールが等しいので$m_1 = m_2 = m$とすると、上の式は式(2)の形となる。

■ 過去18年間の傾向分析

　以下のグラフは、毎年の問題のキーワードについて集計したもので、4択問題がすべて共通のキーワードに関する選択肢の場合には「出題数1」として、4問すべてが異なる場合には、それぞれの選択肢ごとに「出題数1」(つまり計「出題数4」)としてカウントしてある。出題された問題のキーワードをグラフより分析してみると、1、2級ともに歯車に関する出題が多い。次に多いのは1級ではころがり軸受とねじ部品・ボールねじであり、2級ではねじ・ねじ部品・ボールねじに関する出題である。また、一般的な学習方針としては、グラフをにらみながら判断することになるが、歯車、ねじ、軸受、ベルト・プーリーについては学習漏れがないように準備しておくことが大切である。

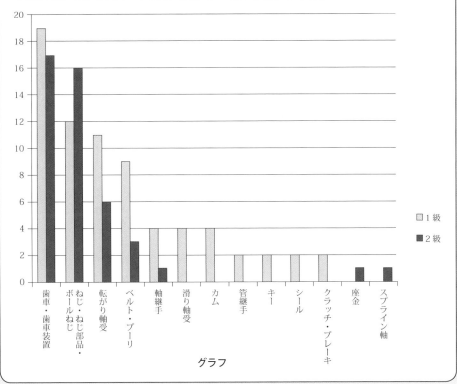

グラフ

実力確認テスト

【1】 ボルトに関する記述のうち、適切なものはどれか。

- ア 同じ呼び寸法の並目ねじと細目ねじでは、有効径は並目ねじの方が大きい
- イ ボルトに引張り荷重が加わる場合の強度計算を行う場合には、外径が使われる
- ウ ボルトの有効径の測定にオーバピン法を用いる
- エ ボルトのねじ部の呼び径とは、外径のことである

【2】 モジュール4mm、歯数50の標準平歯車の円ピッチ(円周ピッチ)として、もっとも近い数値はどれか。

- ア 6.3mm
- イ 12.6mm
- ウ 25.1mm
- エ 62.8mm

【3】 機械要素に関する記述のうち、適切でないものはどれか。

- ア 動力や運動を伝える機械要素にあって、相手に運動を与えるものを原節、これによって運動が伝えられるものを従節という
- イ ラジアル軸受とは、荷重が軸方向に作用する場合に用いる軸受である
- ウ ラック&ピニオンは、平板状の棒に歯切りをした直線歯に小径の円筒歯車を組み合わせたものである
- エ すべり軸受はころがり軸受と異なり、大きな荷重に耐え、高速回転が可能で振動や衝撃にも強い

【4】 ボールねじに関する記述のうち、適切でないものはどれか。

ア　静摩擦係数と動摩擦係数の差が小さく、スティックスリップが生じにくい

イ　予圧を与えることによりバックラッシを低減し、剛性を高めることができる

ウ　機械効率は、70%以下である

エ　走行寿命が計算できるので、使用可能期間を予測することができる

【5】 ねじに関する記述のうち、誤っているものはどれか。

ア　「おねじ」は、ねじ山が円筒又は円すいの内面にある

イ　「ねじのピッチ」とは、ねじの軸線を含む断面において、互いに隣り合うねじ山の相対応する2点を軸線に平行に測った距離のことである

ウ　「ねじの呼び径」とは、ねじの寸法を代表する直径で、おねじの外径及びめねじの谷の径の基準寸法のことである

エ　「二条ねじ」とは、リードがピッチの2倍に等しいねじのことである

【6】 ころがり軸受に関する文中の（　　）内の数字に当てはまる語句の組合わせとして、適切なものはどれか。
　　点検対象のころがり軸受けの表面に「6202ZZ」との刻印があった。この刻印は軸受が（ ① ）で且つ（ ② ）であることを表している。

ア　①：円筒ころ軸受　　　②：両シールド形
イ　①：スラスト玉軸受　　②：シールド無し
ウ　①：円すいころ軸受　　②：両シール形
エ　①：深溝玉軸受　　　　②：両シールド形

【7】 機械要素に関する記述のうち、適切なものはどれか。

ア コイルばねは圧縮荷重のみを受けるための専用のばねである
イ すべり軸受の発熱量は、荷重 P と速度 V の積に反比例する
ウ 不等速自在軸継手の軸の許容公差角が大きいほど、許容回転数や
　　伝達トルクが大きくなる
エ カムは原節として、回転または直進運動によって従節に所要の運
　　動を伝えるものである

【8】 ころがり軸受の保全に関する記述のうち、適切なものはどれか。

ア 軸受交換の際に形式記号が6であれば、その軸受は深溝玉軸受で
　　あることを示している
イ 内輪回転、外輪静止荷重の場合には、内輪は「すきまばめ」、外
　　輪は「しまりばめ」とする
ウ コイルばねや皿ばねを利用して一定の与圧を与える方法を定位
　　置与圧という
エ 外輪をハウジングに静止させ、内輪を回転させる条件で定格疲れ
　　寿命が100万回転になるような方向と大きさが変動しない荷重
　　を基本静定格荷重という

【9】 密封装置の名称とそれに関する記述の組合わせのうち、誤ってい
　　るものはどれか。。

〈名　称〉　　　　　　　　〈特　徴〉
ア メカニカルシール　　低圧用のアンバランス形、高圧用のバラ
　　　　　　　　　　　　ンス形がある
イ オイルシール　　　　配管用フランジなどの静止部分の密封に
　　　　　　　　　　　　使われる
ウ Uパッキン　　　　　摺動抵抗が少ないので、油圧・空気圧用
　　　　　　　　　　　　のピストンやシリンダに使われている
エ Oリング　　　　　　高圧下で使用すると、はみ出し現象が生じる

【10】 大小の基準円直径を持つ1組の平歯車がある。駆動側は小歯車
でそのモジュールが4mmである。また、中心距離240mm、速
度伝達比2の場合、それぞれの歯車の歯数の組合せとして、適切
なものはどれか。

　　ア　20と40
　　イ　40と80
　　ウ　45と90
　　エ　50と100

【11】 次のベルト伝導に関する記述のうち、適切なものはどれか。

　　ア　歯付きベルトは、ベルトの外側に一定のピッチで歯形の突起がつ
　　　いている
　　イ　Vベルト駆動装置にテンションプーリを設置する場合は、ベルト
　　　の内側への設置がベルト寿命に対して有利である
　　ウ　皮ベルトは柔軟性に富み、プーリへの馴染みは良いが、摩擦係数
　　　が小さい
　　エ　複数本数使用しているベルトで1本の劣化が認められたら、すぐ
　　　にその1本だけを交換する

【12】 機械要素に関する記述のうち誤っているものはどれか。

　　ア　やまば歯車は、軸方向のスラスト力が発生しない
　　イ　アンギュラ玉軸受は，接触角が大きいほどスラスト荷重の負担能
　　　力が大きくなる
　　ウ　テーパピンには1/100のテーパがつけられている
　　エ　2つの軸に駆動を与えたとき，第3の軸がそれらの作用を受けて
　　　回転するような歯車装置を差動歯車装置という

解答と解説

【1】　エ

ア　有効径は細目ねじの方が大きいので誤り。細目ねじは並目ねじに比べてねじ山の高さが小さいので同じ呼びの並目ねじと比べて谷の径が大きい分有効径も大きい

イ　外形ではなく、谷径が使われるので誤り。ボルトに引張り荷重が加わる場合、最も弱い断面は谷径であるので安全を考えて谷径を計算に用いる

ウ　オーバピン法ではなく、三針法であるので誤り。三針法とは図のように3本のピンを用いて$M = E + dm \{1 \div \sin(\alpha/2) + 1\} - P \div 2\tan(\alpha/2)$の式から有効径$E$を計算する方法である。ここで、$M$：外側距離(mm)、$E$：有効径(mm)、$dm$：平均表示針径(mm)。JIS B 0271(ねじ測定用三針)参照、α：ねじ山の角度、P：ピッチ(mm)

エ　題意のとおり

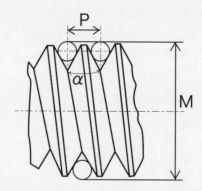

【2】　イ

円ピッチとは、基準円直径から成る円周の長さ(基準円周)を歯数で除した値であり、基準円周上での歯と歯の間隔を表す。そこで、
円ピッチ$p = \pi D \div Z$　（1）

式(1)において、D÷Z＝m(モジュール)であるから(1)は、
p＝π mと表される。
題意より、m＝4mmであるから、
p＝4×π＝12.566≒12.6mmとなり、イが正解である。

【3】　イ
　　ア　題意のとおり。本章「2・2　カム」を参照
　　イ　軸方向ではなく垂直方向であるので誤り。本章「3・1(1)　分類」
　　　　を参照
　　ウ　題意のとおり。本章　表6・1・2を参照
　　エ　題意のとおり。本章「3・1　(2)③特徴」を参照

【4】　ウ
　　ウ　機械効率は90％以上であるので誤り。ねじとナットの間の接触
　　　　面における摩擦係数μは、滑りねじで$\mu = 0.1 \sim 0.2$程度である
　　　　のに対して、ボールねじでは$\mu = 0.002 \sim 0.004$程度になる。
　　　　したがって、ねじまたはナットの一方にトルクを加え、それに
　　　　よって他方のナットまたはねじに発生した軸力が仕事をすると
　　　　きの効率は高く、90％を超える(http://www.jalos.jp/jalos/qa/
　　　　articles/012-S61-2.htm)
　　ア、イ、エ　題意のとおり

【5】　ア
　　ア　ねじ山が円筒又は円すいの内面にあるのは「めねじ」であるので
　　　　誤り。「おねじ」はねじ山が円筒または円すいの外面にあるねじ
　　　　のことである。
　　イ～エは題意のとおりで、JIS B 0101：2013(ねじ用語)に問題文と
　　　　おりの規定がある。いかめしい言い回しではあるが、ねじは機
　　　　械要素の基本であり、曖昧さを避けるためにも理解しておこう。

【6】 エ

刻印の数字6202は、呼び番号を表しており、JIS B 1513：1995（ころがり軸受の呼び番号）によれば、先頭の6は型式記号で深溝玉軸受けを表す。

また、同JISによればシールド・シールの記号について以下のように規定されている。

　両シール付き UU
　片シール付き U
　両シールド付き ZZ
　片シールド付き Z

よってエが正解である。

【7】 エ

ア　コイルばねには、圧縮荷重用の圧縮コイルばね以外にも、引張り荷重用の引張りコイルばねがあるので誤り

イ　すべり軸受の発熱量は荷重Pと速度Vの積に比例するので誤り。この値をPV値といい、軸受の設計上あるいは材料選定上重要な値である

ウ　小さくなるので誤り。許容公差角が大きいほど継手部が遠心力の影響を受け、振れ回りや伝達トルクに損失が生じる。軸の公差角は、一般的には20°〜30°以内の使用が望ましい

エ　題意のとおり。カムには板カムや立体カムがある。自動車のエンジンの吸気・排気弁の操作に使われる

【8】 ア

ア　題意のとおり

イ　内輪は「しまりばめ」、外輪は「すきまばめ」とするので誤り

ウ　定位置与圧ではなく、定圧与圧であるので誤り。定位置与圧とは、寸法調整した間座やシムを使用したり、組合わせ軸受を使用したりすることで剛性を高める方法である

エ　基本静定格荷重ではなく、基本動定格荷重であるので誤り

【9】 イ

　イ　配管用フランジなどの静止部分の密封に使われるのはガスケッ
　　トであるので誤り。オイルシールは、回転軸用シールとしてもっ
　　とも多く使用されており、油、水、薬液、ダストなどさまざま
　　な流体のシールができる
　ア、ウ、エ　題意のとおり

【10】 イ

　1対の歯車をかみ合わせた歯車機構において駆動歯車の歯数をz_1、被
動歯車の歯数をz_2とすると速度伝達比iは次のようになる。

　$i = z_2 / z_1$　（1）

　$i > 1$ならば減速、$i < 1$ならば増速となる。また、中心間距離Lは
駆動歯車のモジュールと基準円直径をm_1、D_1、被動歯車のモジュー
ルと基準円直径をm_2、D_2とすると、

　$L = (D_1 + D_2) / 2 = (m_1 z_1 + m_2 z_2) / 2$　（2）

　噛み合う一対の歯車においてはモジュールは等しい（これがポイン
ト）。そこで$m_1 = m_2 = m$とすると式(2)は

　$L = m(z_1 + z_2) / 2$　（3）となる。

　式(1)と式(3)において、題意より$m = 4$mm、$i = 2$、$L = 240$mmで
あるから、

　$2 = z_2 / z_1$　（4）

　$240 = 4 \times (z_1 + z_2) / 2$　（5）

　(4)と(5)の連立方程式を解くと、

　$z_1 = 40$、$z_2 = 80$となる。

　よってイが正解となる。

【11】 イ

　ア　ベルトの内側であるので誤り。下図のようにベルトの内側に突
　　起があり、この突起とかみ合う歯をもったプーリ（歯付きプーリ）
　　で伝動する

イ　題意のとおり。テンションプーリ（アイドラ）は、ベルトの屈曲疲労を少なくするために、内側でゆるみ側に取付けるのが最良である。外側での使用はベルト寿命への影響が大きい。
（バンドー化学㈱）：https://www.bandogrp.com/catalog/pdf/10_masatsu.pdf）

ウ　摩擦係数が大きいので誤り

エ　1本だけでなく、すべて交換する必要があるので誤り。1本劣化が見つかれば統計的にも他のベルトも劣化が近いまたは劣化している可能性があるのですべて交換する

【12】　ウ

ア　題意のとおり。やまば歯車は歯すじが斜めで向かい合っているので、図1のように、歯に作用する力のスラスト方向のぶん、力が互いに打ち消される方向に働くので、結果としてスラスト力は生じない

イ　題意のとおり。図2のように、接触角度でスラスト荷重の付加能力が決まる。接触角には、15°、30°、40°がある

ウ　1/100ではなく、1/50のテーパであるので誤り。本章「表6・1・1」を参照

エ　題意のとおり

図1

接触角

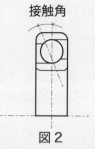

図2

第 **6**-**2** 章 **機械の主要構成要素の点検**

　機械の点検に使用する計測器具の種類、構造および使用方法を問うものである。

　通常当たり前に使っているものでも、その計測器具のもっている意味を見すごしている場合もある。日常点検で使用しているテストハンマーから傾向管理に必要なダイヤルゲージ、温度計など幅広い分野の知識が問われる。

　これも複合技術保有ニーズからのもので、温度、流量、圧力、騒音に関する計測器の用途や特徴は今後も出題されると思われる。

一般的に長さの測定器には、実長測定器と比較測定器がある。実長測定器とは長さを直接計るもので、ノギスが代表的である。

一方比較測定器とは、長さに相当する測定物理量（圧力や電圧など）を検出して、基準となる物理量との差から間接的に長さを知るもので、代表的なものに空気マイクロメータがある。

〈マイクロメータ保管上の注意〉
保管時はアンビルとスピンドルの両測定面は必ず離しておく（アンビルとスピンドルの両測定面を常時接触させておくと、熱応力などで変形する原因となる）。

1 機械の点検器具

1・1 長さの測定器具

（1） ノギス

ノギスの種類と機能について以下に記す。

① M 形

スライダー（副尺＝バーニヤ）はみぞ形で、副尺の目盛りは19mmを20等分してあり、測定単位は0.05mm（1/20mm）である。外側の測定はジョウ、内側の測定はクチバシで行い、スライダーをすべらせて測定する。また最大測定長（呼び寸法）300mm以下のものにはディプスバー（深さ測定用）がついており、段の高さ、穴の深さが測定できる。これがM形ノギスの大きな特徴となっている（図6・2・1）。

② CM形

測定単位は0.02mmである。ただし、本尺目盛りは1mm単位できざまれており、副尺目盛りは49mmを50等分してあるので、副尺が大きいため目盛りが読みやすくなっている。

（2） マイクロメータ 《実技試験出題項目！》

① 構造と原理

マイクロメータは、おねじとめねじのはめ合いを利用したものである（図6・2・2）。マイクロメータに使われるねじのピッチは0.5mmまたは1.0mmで、おねじに直結した

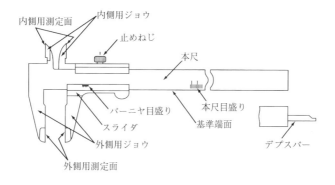

図6・2・1　M形ノギスの各部名称（JIS B 7507-2016）

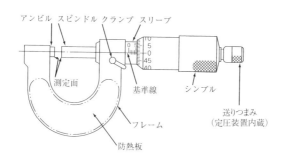

図6・2・2　外測マイクロメータの各部名称（JIS B 7502-2016）

目盛り（シンブル）は外周をねじピッチが0.5mmの場合は50、1.0mm
の場合は100等分した目盛りがついているので、おねじを1回転させれ
ばシンブルが1回転して0.5mmピッチでは0.5mm、1.0mmピッチで
は1.0mm動く。

② 種 類

マイクロメータの用途を大別すると外測用、内測用、深測用の3種類
があり、それぞれにいくつかのタイプがある。**表6・2・1**にこれらをま
とめておく。

マイクロメータの測定範囲は誤差や使用上の点から、JISでは25mm
単位で0〜25mmから475〜500mmまでのものが規格化されている。

また、表6・2・1に示した実長測定器としてのマイクロメータの他

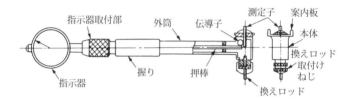

用　　　途	種　　　類
外　測　用 （外側マイクロメータ）	標準形、替アンビル形、リミットマイクロメータ、歯厚式歯車マイクロメータ、ねじマイクロメータ、直進式ブレードマイクロメータ、その他
内　測　用 （内側マイクロメータ）	キャリパー形、単体形、つぎたしロット形、3点測定式マイクロメータ（イミクロ）
深　測　用	デプスマイクロメータ（JIS B 7544）

にも、電気マイクロメータや空気マイクロメータなどの比較測定器がある。電気マイクロメータは、測定子の直線変位を電気量に変換し、指示計の指針で変位量を測定するものである。また空気マイクロメータは、圧縮空気を噴出するノズル端と被測定面とのすき間に対して、空気の流量や圧力が変化することを利用したものである。

③　0点調整

0～25mmのマイクロメータでは、0点の確認はアンビルとスピンドルの測定面を合わせ、ラチェット部が2～3回転空回りするまで締め込んで主目盛と副目盛の0点が一致しているかを確認する(引用：株式会社ワールドツール「APマイクロメータ25・50mm使用説明書」)。

（3）　シリンダゲージ

シリンダゲージは内径測定用の測定器で、測定器の一端にある測定子と換ロッドを被測定物の穴の内側に当て、その当たり量を他端にあるダイヤルゲージの指針で読み取るものである(図6・2・3)。内径測定時にダイヤルゲージの長針が0点より右(時計回り)なら測定値は基準径より

小さく、左(反時計回り)なら基準径より大きい。

(4) ダイヤルゲージ

　測定子のごくわずかな動きを「てこ」または歯車装置に拡大して、ブロックゲージまたは基準となる模範と比較測定し、上部の円形目盛り板上の0.01mmまたは0.001mm目盛りから寸法差を読み取るものである。

　ダイヤルゲージには標準型とてこ式があり、実長を求めることもできるが、おもにその偏差を知るのに用い、量産における合否の決定、平行度、直角度、軸の曲がり、スラスト量、カッ

図6・2・4　ダイヤルゲージの種類

標準型ダイヤルゲージ

てこ式ダイヤルゲージ

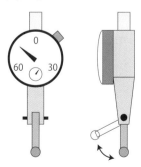

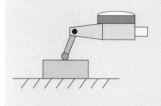

てこ式ダイヤルゲージ

てこ式ダイヤルゲージは測定子が前後や左右に動くような機構を持ったダイヤルゲージであり、測定子の角度を傾けすぎると誤差が出てしまう(図)。そこで、測定子をできるだけ測定物に対して平行になるようにする。

また、てこ式ダイヤルゲージは、測定子が前後や左右に動くような機構を持っているため測定圧を受ける方向を容易に切り替えることができる。そのため、狭い場所での測定も可能である。

プリングの心出しなど用途は広い。

① 種　類

図6・2・4にダイヤルゲージの種類を示す。

使用の際には、①指示計の長針は右、短針は左に回転、②スピンドル
の摺動部には良質のナタネ油以外は塗布しない、③測定子は交換可能、
などの注意点がある。

（5）　すき間ゲージ

すき間ゲージは、2平面の間隔を簡単に、正確に測定するための測定
具で、JIS B 7524：2008（すき間ゲージ）においてリーフの形状、長さ、
厚みが規定されている。リーフは先端の形状により2種類ある。先端が
丸いものをA形、とがっているものをB形という。また、リーフの厚さ
は0.01mm～3mm。リーフの長さは最大で300mmと規定されている。

すき間ゲージは厚みの異なるリーフを組み合わされたものであり、各
種機械の調整や検査、測定に使用する。

（市販品の例として、110×13×25mmの寸法で、厚みが0.1、0.2、
0.3、0.4、0.5、0.6、0.7、0.8、0.9、1.0、1.1、1.2、1.3、1.4、1.5、
1.6、1.7、1.8、1.9、2.0mmのセットがある。）

1・2　角度の測定器具

角度の測定器具として水準器が用いられる。水準器の原理は、液体内
につくられた気泡の位置がいつも高いところにあることを利用したもの
である。図6・2・5に水準器の原理図を示す。

水準器の感度は、気泡を気泡管に刻まれた1目盛りだけ移動させるの
に必要な傾斜である。この傾斜は底辺1mに対する高さ〔mm〕、あるい
は角度〔秒〕で表される（表6・2・2）。

1・3　硬さ試験

硬さ試験にはブリネル、ロックウェル、ビッカース、ショアの4つが
代表的である。硬さ試験の使い分けとしては、被試験材の硬さ（おおま

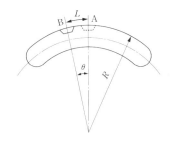

図6・2・5　水準器の原理

表6・2・2　水準器の種類、感度

種類	感　　度
1種	$\dfrac{0.02\text{mm}}{1\text{m}}$ （≒ 4 秒）
2種	$\dfrac{0.05\text{mm}}{1\text{m}}$ （≒ 10 秒）
3種	$\dfrac{0.1\text{mm}}{1\text{m}}$ （≒ 20 秒）

かには、ゴムのような軟らかい材料にはショア、比較的軟らかい鋼には
ブリネル、焼入れ鋼程度はロックウェル、さらに硬い鋼の浸炭層などに
はビッカース)により使い分ける。

(1)　ブリネル硬さ試験(HB)

　ブリネル硬さ試験法は鋼球圧子を用い、一定の試験荷重で試料の試験
面に球状のくぼみをつけ、荷重を除いたあとに残った永久くぼみの表面
積で荷重を除した商をもって表されたものを、硬さの値としている(試
験面は平面であることを原則とする)ものである。

(2)　ロックウェル硬さ試験(HR)

　ロックウェル硬さ試験法は、円すい圧子を用いてまず基準荷重を加え
て押圧し、次に試験荷重をかけふたたび基準荷重に戻したとき、前後2
回の基準荷重におけるくぼみの深さの差 h から求められる数値を、ロッ
クウェル硬さとする。

　また、使用する圧子や荷重などにより異なる尺度(スケール)で表され
る硬さが測定できるので、測定値にスケールの記号をつける必要があ

る。スケール記号にはCスケールやBスケールがあり、たとえば、HRB 60、HRC 60というようにHRの次にスケール記号をつける。Bスケールは0〜100までの範囲で比較的軟らかい材料の測定に適用し、Cスケールは大略HRB100以上の硬い材料の測定に適用される。

（3） ビッカース硬さ試験（HV）

ビッカース硬さとは、対面角136°のダイヤモンドの正四角すい圧子を用い、試験面にピラミッド形のくぼみをつけたときの荷重を、永久くぼみの対角線の長さから求めた表面積で除した商をいうものである。非常に硬い鋼や精密加工部品に適し、圧力痕が小さいので、薄板や浸炭層の硬さを測ることができる。

（4） ショア硬さ試験（HS）

ショア硬さ試験法は、一定の形状と重さのダイヤモンドハンマーを一定の高さから試験面に垂直に落下させたときの跳上がりの高さを、硬さの尺度としたものである。この試験機はフレームから主要部分を取り外すことができるので、試料のある場所で使用できる。また、残留くぼみが浅く目立たないので、重量のあるもの、圧延ロールなどの仕上げ面の硬さ測定に用いられる。

1・4　温度の測定器具

（1） 各種温度計の概要

温度の測定方法には多くの種類がある。各種温度計の使用範囲を**表6・2・3**に、利点および欠点を**表6・2・4**に示す。

（2） 熱電温度計（熱電対温度計）

① 原　理

2種の異なった金属線の両端を接続して閉回路をつくり、その2つの接合点に温度差があるとき、閉回路中にその温度に比例した熱起電力が生じ熱電流が流れる。この現象をゼーベック（zeebeck）効果という。熱電対は、この熱起電から逆に2つの接合点の温度差を測定しようとするものである（**図6・2・6**）。

② 熱電対の種類

表6・2・3　各種温度計の使用範囲（旧JIS B 8710。現在はJIS Z 8710：1993としてグラフ表示になっている）

温度計の種類		使用可能温度 [(1)] K（℃）		常用温度 [(2)] K（℃）	
		下限	上限 [(3)]	下限	上限 [(3)]
接触方式	液体封入ガラス温度計				
	水銀温度計 [(4)]	218（− 55）	923（650）	238（− 35）	633（350）
	有機液体温度計	173（−100）	473（200）	173（− 100）	373（100）
	バイメタル温度計	223（− 50）	773（500）	253（− 20）	573（300）
	圧力温度計				
	液体膨脹式圧力温度計	233（− 40）	773（500）	233（− 40）	673（400）
	蒸気圧式圧力温度計	253（− 20）	473（200）	313（40）	453（180）
	抵抗温度計				
	白金抵抗温度計	73（−200）	773（500）	93（−180）	773（500）
	ニッケル抵抗温度計	223（− 50）	423（150）	223（− 50）	393（120）
	銅抵抗温度計	273（0）	393（120）	273（0）	393（120）
	サーミスタ温度計	223（− 50）	623（350）	223（− 50）	473（200）
	熱電温度計				
	R 熱電温度計	273（0）	1873（1600） [(5)]	473（200）	1673（1400）
	K 熱電温度計	73（−200）	1473（1200）	273（0）	1273（1000）
	J 熱電温度計	73（−200）	1023（750）	273（0）	873（600）
	T 熱電温度計	73（−200）	623（350）	93（−180）	573（300）
非接触方式	光高温計	923（700）	2273（2000）	1173（900）	2273（2000）
	放射温度計	323（50）	2273（2000）	373（100）	2273（2000）

注　(1)　使用可能温度とは、温度計に通常目盛られている温度をいう
　　(2)　常用温度とは、通常使われている温度をいう。この温度範囲で長時間にわたり使用できる
　　(3)　検出部を損傷するような雰囲気、液体などの温度を測る場合はこの限りではない
　　(4)　感温液がアマルガムであるものを含む
　　(5)　浸せき温度計用としては1973K（1700 ℃）付近まで使う

・白金ロジウム・白金熱電対（R）
・クロメル・アルメル熱電対（K）
・鉄・コンスタンタン熱電対（J）
・銅・コンスタンタン熱電対（T）

（3）　電気抵抗温度計

　一般に物質の電気抵抗は温度によって変化し、金属（白金、ニッケル、銅など）は温度が上がると抵抗値は増加し、半導体（サーミスタなど）は抵抗値が減少する。

　この原理を利用したものが電気抵抗温度計であり、熱電式のように冷接点や補償導線の問題もなく、直接に電気抵抗を測定するので比較的容易に温度測定を行うことができる。また、雰囲気の測温にも適し、熱電

温　度　計	利　　　点	欠　　　点
液体封入ガラス温　　　度　　　計	● 一般には大きな誤差を生じない ● 取扱いが容易である	● 破損しやすい ● 読み取りにくい ● 一般には離れたところで測定できない ● 一般には記録、警報または自動制御ができない
バイメタル温　　　度　　　計	● 記録または警報ができる ● 自動制御ができる	● 離れたところで測定できない
圧　力　温　度　計	● 10m程度離れたところでも測定できる ● 記録、警報または自動制御ができる	● 温度を上げすぎると指度がずれるおそれがある ● 取扱いに注意しないと意外な誤差を生じることがある
抵　抗　温　度　計	● 正確な測定が比較的容易にできる ● トルクの強い計器がある ● 遠隔測定、記録、警報または自動制御ができる	● 機構が複雑である
熱　電　温　度　計	● 正確な測定が比較的容易にできる ● トルクの強い計器がある ● 遠隔測定、記録、警報または自動制御ができる	● 機構が複雑である
光　　高　　温　　計	● 携帯用であり、手軽に高温が測定できる ● 放射温度計に比べて光の通路における吸収による誤差も放射率の補正も小さい ● 1273K（1000 ℃）以上の高温測定が容易である	● 手動を必要とする ● 遠隔測定、記録、警報または自動制御ができない ● 個人誤差を伴うおそれがある
放　射　温　度　計	● 遠隔測定、記録、警報または自動制御ができる ● 1273K（1000 ℃）以上の高温測定が容易である	● 高温を連続測定するには水冷および空気パージを必要とする場合が多い ● 放射の通路における吸収による誤差も放射率の補正も大きい

図6・2・6　熱電回路

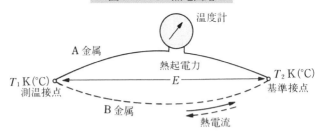

温度計に比べて比較的低温の温度測定用として広く用いられている。

1・5　回転計

　回転の速さはもともと角速度として表現される量であるが、工業的には一定時間内の回転数、たとえば毎分の回転数〔r/min（rpm）〕などで表されることが多いため、回転の速さを測定する計器が普通は回転計と呼ばれている。以下に回転計の種類について記す。

（1）　回転の速さの瞬時値を連続的に測定、指示する計器

　機械的な遠心式回転計、流体遠心式回転計、摩擦板式回転計、粘性式回転計、発電機式回転計、渦電流式回転計。

（2）　機械的接触によって対象物から回転を取り出せない場合の計器

　ストロボスコープ（所定の周波数で点滅を繰り返す発光装置）が回転速度計として用いられる。

（3）　回転の数および速さを測定できる計器

　1回転ごとに整数個のパルス信号を発生する回転（角度）エンコーダー。

1・6　回路計

　テスターと呼ばれるもので、1個の可動コイル形直流電流計を用いて、抵抗、整流器、切換えスイッチ、電池などを組み合わせ、直流電圧、交流電圧、直流電流、交流電流＊、抵抗値などを測定できるようにした測定器で、アナログ式とデジタル式がある（＊JISC1202：2000（回路計）には規定がない。実際の製品としては、アナログ式では交流電流を測れる製品は非常に少ないが、デジタル式では交流電流を測れる製品が多い）。

　測定範囲は製品にもよるが、一般的には直流電圧・交流電圧は1000V程度まで、直流電流は10A程度、抵抗は10MΩ程度までである。

　回路計の使用上の注意点としては、① 測定値が予測できない場合は、最大の測定レンジから順次下位に切り換えていく、② 機器の回路抵抗を測定するときは，必ず電源を切る、③ プラグまたはテスト棒の赤はプラス側に、黒はマイナス側に接続するなどがあげられる。

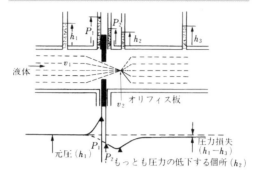
図6・2・7　オリフィスによる流線と圧力

1・7　流量計

　流量の測定はガス体・液体のすべてが対象となるが、流量を測定する方法で工業用としてもっとも多く使用されているのが差圧式であり、「ベルヌーイの定理」を応用したものである。

（1）　差圧式流量計

①　原　理

　図6・2・7のように、管内を流体が一様に流れている直管部に絞りを入れると、その前後の静圧は図の下部のように変化する。

　このとき、この絞り機構の前後の圧力差（差圧）は流量が多くなるほど大きくなり、差圧と流量の間には一定の関係がある。この差圧と流量の関係を原理として利用したものが差圧式流量計である。

　この関係をベルヌーイの定理より求めると、次のようになる。

$$Q = Aa\sqrt{\frac{2(P_1 - P_2)}{\gamma}}$$

Q：流量(m^3/S)

$(P_1 - P_2)$：差圧(N/m^2)

γ：流体の密度（水の場合は$9.8N/m^3$）

A：絞り孔の面積(m^2)

a：流量係数（絞り機構によって決まる）

②　絞り機構の取付け

絞り機構の取付け位置は前後にかなりの直管部が必要である。その

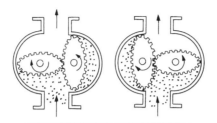

図6・2・8　容積式流量計の回転子

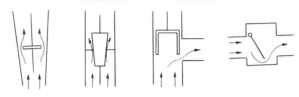

図6・2・9　面積式流量計

(a) フロート形　(b) オリフィス　(c) ピストン形　(d) ターゲット形
　　　　　　　　プラグ形

理由は管内の流れの状態を整流にするためで、この直管部の長さは弁・曲管部の存在と管径の絞り比などによって異なるが、普通はオリフィスの上流側は管内径の15 〜 30倍、下流側は5倍以上とする。

(2)　容積式流量計

　容積式流量計とは、発信器の流入口と流出口との流体圧力差によって回転する回転子が、回転子とケースとの間に囲む一定容積の空間(ます)に充満した流体を流出側に何回送り出したかということから、流体の通過量(積算量)を知る形式の流量計である。また、回転子の回転速度から流量の瞬間値を知ることもできる(**図6・2・8**)。

(3)　面積式流量計

　配管内に絞りを挿入した場合、その前後に発生する差圧(P_1-P_2)が常に一定になるように、絞り面積が流量に比例して変化する絞り機構をつくればこの絞りの面積より流量を測定することができる。これが面積式流量計の原理である(**図6・2・9**)。

(4)　電磁流量計

　電磁流量計は、電磁誘導によって磁界中に流れる流体に発生する電圧

Zoom Up

電磁流量計の測定原理

ファラデーの電磁誘導の法則は「磁界の中を導電性が動くと、その物体内に起電力が発生する」において、導電性物体として流体を考えると流量に比例した起電力（①式）が発生する。この発生した起電力を外部に取り出すことで流量を知ることができる。

d：測定管内径〔m〕
B：磁束密度〔T〕
V：平均流速〔m/s〕
E：起電力〔V〕
とすると、
$E = (4B/\pi d^2)Q$〔V〕…①
となる。

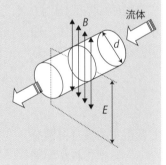

を測定するものである。管路の内径が定まって磁束密度が一定であれば流量は起電力に比例するので、この起電力を測定することにより流量を求める。

1・8　振動計

　機械から発生する振動を測定するには、振動の状況に応じて適切な検出端を使用しなければならない。

　これには接触形と非接触形に分類される。

　一般に、振動計を測定項目によって分類すると、① 変位振動計、② 速度振動計、③ 加速度振動計があり、検出および拡大方法で分類すると、① 機械式振動計、② 電気式振動計、③ 光学式振動計などに分類される。

　なお電気式振動計は、① 電磁誘導によるもの、② 圧電効果によるもの、③ 電気抵抗によるもの、④ 静電容量によるものなどに分類される。

1・9　圧力計

（1）　圧力の単位

　圧力の表示法には、絶対圧（P_{abs}）とゲージ圧（P_g）がある。

① 絶対圧

　絶対真空、すなわち水銀柱－760mmを基準として測ったものである。

② ゲージ圧

　大気圧（1atm ＝ 1013hPa ＝ 760mmHg ＝

$1.0332 kgf/cm^2 = 101.3 kPa$）を基準として測ったときの圧力である。工業上での圧力表示は、ゲージ圧で示すのが普通である。

ゲージ圧と絶対圧の関係は次式によって表示される。

$$P_g + P_a = P_{abs}$$

P_g：ゲージ圧　　　P_a：大気圧　　　P_{abs}：絶対圧

（2）　圧力計の種類と特徴

①　ブルドン管式圧力計

一般に圧力ゲージと呼ばれるもので、油圧装置の圧力計としてもっとも広く使われており、弾性圧力計の一種である。ブルドン管式圧力計のブルドン管は、断面が楕円形の管を円形に曲げ、その一端を固定し、他端を閉じた管である。

この管に内圧を加えると管の断面が円形に近づき、管の自由端は圧力にほぼ比例して、全体が一直線になるように外側に変位する。この自由端の変位は一般的にきわめて小さい。

ブルドン管式圧力計では、この微小な変位を、リンク、セクター歯車、ピニオンなどの機械的拡大機構を通じて目盛り盤上の指針を動かし、圧力の大きさを指示するようになっている。

ブルドン管式圧力計は、正の圧力測定のほかに、負の圧力測定もできる。

1・10　測定の誤差

（1）　誤差

誤差とは、測定値から真値を引いた値である（JIS Z 8103：2019（計測用語））

（2）　アッベの原理

アッベの原理とは、「被測定物の測定面と測定器の測定目盛り部分とが一直線上にないと誤差を発生する」というものである。マイクロメータはアッベの原理に従うが、ノギスはアッベの原理に則していないことから、ジョウの先で測定したときに誤差が大きくなる（JIS B7507：2016（ノギス））。

＊この章の頻出問題＊

問　題	硬さ試験に関する文中の（　　）内に当てはまる語句として、適切なものはどれか。「（　　）硬さ試験とは、ダイヤモンドハンマを一定の高さから落下させ、その跳ね上がり高さを測定することで、硬さを測定する試験方法である。」 （2023年度　1級） ア　ブリネル硬さ試験 イ　ビッカース硬さ試験 ウ　ロックウェル硬さ試験 エ　ショア硬さ試験
解　答	エ
解　説	ア　試験材に圧子を押し込んでくぼみの表面積を測定するので誤り イ　試験材に圧子を押し込んでくぼみの対角線の長さを測定するので誤り ウ　試験材に圧子を押し込んでくぼみの深さを測定するので誤り エ　題意のとおり。測定するのは被試験材のくぼみではなく、ハンマーの跳ね上がりの高さである

■ 解法のポイントレッスン

　硬さ試験は2級において頻出しているが、2021年度、2023年度は1級にも出題されたので、今後も出題があると予想できる。一般的に技能検定試験においては「適切でないものはどれか」という問が多いが、本問は「適切なものはどれか」という文章であるので注意が必要である。また、紛らわしい種類の名称を複数あげておいて正解を選択させるのは1級問題の特徴でもある。この機会に、本章「1・3　硬さ試験」の項目を整理しておこう。整理は（圧子の形、圧子の使い方、被試験材の硬さ）で整理しておくとよい。その整理の仕方に従えば、① ブリネル硬さ試験（球、1回押付け、軟らかい鋼）、② ロックウエル硬さ試験（円すい、2回押付け、硬い鋼）、③ ビッカース硬さ試験（四角すい、1回押付け、もっとも硬い鋼）、④ ショア硬さ試験（ハンマー、跳上がり、ゴムなどの弾

性体)である。つまり、ショア硬さ試験が特別であり、他はすべて圧子を押し込んでそのくぼみを測定する試験ということを覚えておこう。

■ 過去18年間の傾向分析

　1級では各種温度計、流量測定機器・点検項目・日常点検の出題比率が高い。2級では、硬さ試験・非破壊検査と測定器(マイクロメータ・ノギス、温度計、ダイヤルゲージ)が頻出項目とわかる。一方、そのほかに測定器について広い範囲で出題されており、的が絞りきれない。ただ1・2級とも過去の問題が繰り返し出題されている傾向は変わらないので、過去問題の研究が極めて大切である。また、硬さ試験は5年連続して出題されたことがあった。今後もこの傾向は続くと予想される。

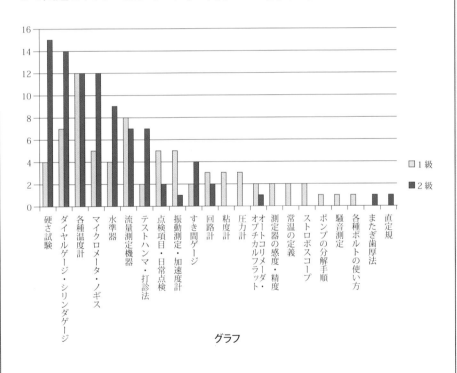

グラフ

実力確認テスト

【1】 JISに定める旋盤の主軸部の静的精度検査項目として、誤っているものはどれか。

ア　主軸センタの振れ
イ　主軸の曲げ剛性
ウ　主軸端外面の振れ
エ　主軸軸方向の動き

【2】 温度計に関する記述のうち、誤っているものはどれか。

ア　熱電対温度計は、ゼーベック効果を利用したものである
イ　放射温度計の使用可能温度は、50 ～ 2000℃である
ウ　バイメタル温度計の常用温度は、－20 ～ 300℃である
エ　サーミスタ温度計は、一般に温度が上がるとサーミスタの抵抗が大きくなる性質を利用している

【3】 機械の点検に使用する工具・測定器に関する記述のうち、誤っているものはどれか。

ア　電磁流量計はクーロンの静電気の法則を利用したもので、水の流量を高精度で測定するのに適している
イ　振動計には、変位振動計、速度振動計、加速度振動計がある
ウ　水準器の原理は、液体内につくられた気泡の位置が、常に高いところにあることを利用したものである
エ　ブルドン管式圧力計は、正の圧力測定だけでなく、負の圧力測定もできる

【4】 機械の点検に使用する器工具に関する記述のうち、適切なものは
どれか。

  ア　M形ノギスのスライダー（副尺＝バーニア）はみぞ形であり、副
尺の目盛は20mmを19等分してある
  イ　0～25mmのマイクロメータでは、0点の確認はゲージを用い
るべきで、アンビルとスピンドルの測定面を合わせて確認して
はならない
  ウ　電気マイクロメータは、測定子の直線変位を電気量に変換する比
較測定器である
  エ　水準器の感度は、底辺1mに対する気泡の向き、または気泡の大
きさで表す

【5】 機械の点検に使用する測定器具に関する記述のうち、誤っている
ものはどれか。

  ア　ニッケルを用いた抵抗温度計は、白金を用いた抵抗温度計よりも
測定温度範囲が広い
  イ　回路計（テスタ）を用いた電圧測定において、測定値が予測できな
いときは、最大の測定レンジから測定を始める
  ウ　容積式流量計は、測定する流体の粘度が高いほど測定精度が良く
なる
  エ　ダイヤルゲージの長針は、プランジャ（スピンドル）を押し込むと
きに時計回りに動く

【6】 回路計に関する記述のうち、誤っているものはどれか。

  ア　測定値が予測できないときは、最大の測定範囲から順次下位に切
り替えていく
  イ　アナログ式とデジタル式がある
  ウ　アナログ式とデジタル式のどちらも直流電流は測れないので、回

路計使用時には直流電流計との併用が望ましい

エ　機器の回路抵抗を測定するときは、必ず電源を切った状態で測定する

【7】　硬さ試験に関する記述のうち、適切なものはどれか。

ア　ブリネル硬さ試験では圧子を押し込んだ力を測定する

イ　ショア硬さ試験では鋼製ハンマーによるくぼみを測定する

ウ　ロックウェル硬さ試験では押し込んだ圧子の面積を測定する

エ　ビッカース硬さ試験では圧子を押し込んだくぼみを測定する

【8】　下図に示すノギスにおいて、穴の内径を測るときに使われる部位として適切なものはどれか。

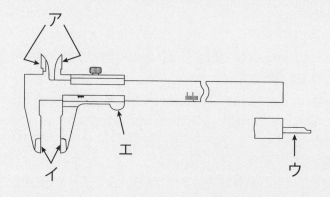

【9】　測定機器に関する記述のうち、適切なものはどれか。

ア　てこ式ダイヤルゲージでの測定において、指示部(目盛りや指針の部分)をできるだけ測定物に対し平行になるように注意した

イ　シリンダゲージによる穴径の測定において、ダイヤルゲージの指針がプラス方向に振れることは、穴径が所定の寸法より大きい場合であることに注意した

ウ　被測定物に長さ200mmの水準器（感度0.05mm/m）を置き、気
　　泡が右側に1目盛分移動したので、被測定物の右側が0.01mm
　　高いと判断した

エ　工場内の機械設備の異常発熱の検査のために設備の周囲大気温
　　度を高精度で測定する必要が生じたので、非接触式である放射
　　温度計が適すると判断した

【10】　圧電型振動加速度ピックアップの当て方・取付け方法のうち、
　　　　測定可能な最高周波数がもっとも高いものはどれか。

ア　ねじ込みによる固定
イ　マグネットホルダによる取付け
ウ　手による押付け
エ　瞬間接着剤による固定

解答と解説

【1】 イ

JIS B 6202：1998（普通旋盤―精度検査）によれば、主軸部の静的精度検査項目として以下が挙げられている。

① 主軸軸方向の動き、② 主軸フランジ端面の振れ、③ 主軸端外面の振れ、④ 主軸中心線の振れ、⑤ 主軸中心線と往復台の長手方向運動との平行度、⑥ 主軸センタの振れ ほか

よって、イの曲げ剛性が誤り。

【2】 エ

ア　題意のとおり。熱電対温度計を製作するには2つの異なる金属で閉回路をつくる必要がある

イ　題意のとおり。放射温度計は、被測定物体の放射する赤外線をとらえ、温度に変換して表示するものである。高温物体と非接触で測温するため、高温の測定が可能である

ウ　題意のとおり

エ　温度が上がるとサーミスタの抵抗は小さくなるので誤り

【3】 ア

ア　クーロンの静電気の法則ではなく、ファラディの電磁誘導の法則を利用したものであるので誤り。電磁流量計は、コイルに電流を流して計測管内に磁界をつくり、その中を流れる導電性液体の流速にしたがって発生する起電力の大きさを検出して流量を測定する

イ、ウ、エ　題意のとおり

【4】 ウ

 ア　副尺の目盛は19mmを20等分してあるので誤り

 イ　0点の確認はアンビルとスピンドルの測定面を合わせるので誤り。測定面を合わせてラチェット部が2〜3回転空振りするまで締め込んで、目盛と副目盛の0点が一致しているかを確認する

 ウ　題意のとおり

 エ　気泡の向きと気泡の大きさではなく、高さ（mm）または角度（秒）であるので誤り

【5】 ア

 ア　白金を用いた抵抗温度計は、ニッケルを用いた抵抗温度計よりも測定温度範囲が広いので誤り

 イ　題意のとおり。アナログテスターは機械的に針で表示をするため、最初から小さいレンジで測定した場合、針が振り切れて表示器が壊れる恐れがある

 ウ　題意のとおり。多くの流量計では、流体の粘度が高くなると、精度を保証できる流量範囲が狭まる。しかし、容積式流量計の場合は、粘度が高くなると回転子とケーシングのすきまからの漏れが減少して精度を保証できる流量範囲が広がる（佐鳥 利夫聡夫、容積式流量計 https://www.tokyokeiso.co.jp/techinfo/magazine/pdf/flow7.pdf）

 エ　題意のとおり。JIS B 7503：2017（ダイヤルゲージ）に「長針は、プランジャを押し込むときに時計方向に動かなければならない」と規定されている。

【6】 ウ

 ア、イ、エ　題意のとおり

 ウ　直流電流はアナログ式、デジタル式のいずれでも測定可能であるので誤り。交流電流については、アナログ式では製品によって測定できない場合がある

【7】 エ
ア ブリネル試験は材料に球状の圧子を押し込んだくぼみを測定するので誤り

イ くぼみを測定しないので誤り。ショア硬さ試験では、球状の小さなダイヤモンドを埋め込んだ鋼製ハンマーを一定の高さから試料表面に落とし、跳ね上がる高さで計るのでくぼみを測定しない

ウ ロックウエル試験は材料に円すい状の圧子を押し込んだくぼみを測定するので誤り

エ 題意のとおり。ビッカース試験は材料に正四角すい状の圧子を押し込んだくぼみを測定する

【8】 ア
ア 題意のとおり。内側用ジョー

イ 外側用ジョーの測定面であるので誤り

ウ 深さ測定用のデプスバーであるので誤り

エ 指を添える場所であり、測定には関与しない部分であるので誤り

【9】 ウ
ア できるだけ測定物に対して平行に当てるのは、指示部ではなく測定子であるので誤り。てこ式ダイヤルゲージでは、測定子をできるだけ測定物に対し平行に当てることで誤差を小さくする

イ 大きいのではなく、小さいので誤り。シリンダゲージによる穴径の測定においては、指示器（ダイヤルゲージ）の指針がプラス方向に振れている場合は、穴径が所定の寸法より小さいと判断される

ウ 題意のとおり。水準器の感度は、底辺1mに対する高さ（mm）または角度（秒）で表す。本問題の感度は，長さ1mあたりの高さが0.05mmのであるので、水準器200mmあたりの高さは0.05mmの1/5の0.01mmとなる

エ 高精度では測定できないので誤り。放射温度計は固体や液体の表

面から放射された赤外線により温度を測定する。しかし、気体は固体、液体に比べて密度が小さく放射率がかなり低く（0.05以下）、流れやすいため、放射率が安定せず精度よく測定することは困難である

【10】　エ

エ　圧電式加速度の上限振動数はピックアップの取付け方法によって測定振動数の上限が決まる。ピックアップと測定面の密着度が高く、密着性が確実（ブレなどがない）であるほど、高い周波数の振動の検出が可能となる。その密着の優れた方から、瞬間接着剤 > ねじ込み > マグネットホルダ > 手による押付けである。よってエが正解となる

第 6-3 章 機械の主要構成要素に生じる欠陥の種類、原因および発見方法

主題の傾向 ⬇ 学習のPOINT

　機械保全業務の大きな柱であるだけに、日常の保全活動の経験と知識を再確認し、整理するべきである。

- 軸受、歯車を主体とした出題は今後とも継続されるだろう。それぞれ損傷名、異常現象名、原因ならびに措置までを一覧表に整理し、要点を全項目にわたって学習する必要がある
- 同一問題が連続あるいは1、2年間隔で出題されているので、章末の「この章の頻出問題」を参照してしっかり学習されたい

1 歯 車

1・1 損傷と原因 《実技試験出題項目！》

(1) アブレシブ摩耗

すりみがき摩耗ともいい、じん埃、砂、溶接のスパッター、潤滑油中の不純物、歯面や軸受などからの金属摩耗粉などの異物が、歯のかみ合い時に歯面のすべり方向に発生する「すりきず」である（**写真6・3・1**）。

(2) スクラッチング

アブレシブ摩耗と比べて深くてはっきりしたきずで、アブレシブ摩耗の場合より大きな異物のかみ込みにより、歯面の油膜が破れて接触歯面上のすべり方向に引っかき状の線またはきずができる（**写真6・3・2**）。

(3) ピッチング

表面疲れに属するもので、歯車の使用初期に発生するものを「初期ピッチング」という。

ピッチングとは、歯面の凹凸の高い部分に荷重が集中し、接触圧力によって表面からある深さの部分に最大せん断応力が発生し、この応力によって細い亀裂が生じ、その亀裂の進展によって歯面の一部が欠落するものである（**写真6・3・3**）。

写真6・3・1 アブレシブ摩耗

写真6・3・2　スクラッチング

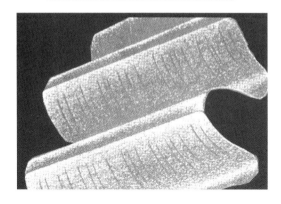

写真6・3・3　初期ピッチング

写真6・3・4　スポーリング

写真6・3・5　激しいスコーリング

　通常、ピッチングはピッチ線のやや下側（歯元側）にピンホール（微視的には貝がら状）となって現れる。

　ピッチングが発生しても、進行しないものであれば心配ない。

（4）　スポーリング

　歯面の過大荷重によって表面下組織に過大応力を発生させ、ピッチングの隣接小孔が連結して大きい孔となり、かなりの厚さで金属片がはく離・脱落することをスポーリングという（**写真6・3・4**）。

　この状態は歯元の面に起こりやすく、ずぶ焼入れとくに浸炭焼入れ鋼においてのみ発生する。

（5）　スコーリング

　金属面同士の接触の結果、融着した微細接触粒子が引き裂かれることによって生じ、歯面より金属が急速に取り除かれる現象である（**写真6・3・5**）。この現象が多く起こる部位は接触応力とすべり速度の大きい部分、すなわち歯元面と歯先面である。

　また、局部的な接触面に負荷が集中して潤滑油膜が破れて、完全な金属接触となった場合は激しいスコーリングになる。

（6）　塑性流れ

　塑性流れとは高い応力で材料が降伏して生じた表面層の塑性変形でプラスチックフローという。

　また、過負荷のもとで「すべり作用」が起こり、ソバを打つときに生地の上でメン棒を押しころがしたように、大きく表層の押し出されたよう

歯車の損傷

歯面の損傷名称はカタカナで、どれもまぎらわしく、また原因や損傷の状態も憶えにくい。下の表にポイントとなるキーワードをまとめたので参考としてほしい。

歯車の損傷の種類	直接原因	歯面の損傷状態
アブレシブ摩耗	小さな異物	浅い擦りきず
スクラッチング	大きな異物	深い擦りきず
ピッチング	疲労	小孔
スポーリング	過大荷重	大孔
スコーリング	油切れ	剥がれ
塑性流れ	表面降伏	押し出し
バーニング	発熱	変色

写真6・3・6　ローリング

な現象の起こった歯面(主として歯先)をローリングという(**写真6・3・6**)。

(7)　**腐食摩耗**

　水分、酸、潤滑油中の添加剤などの化学反応により小孔や錆として認められる歯面の劣化である。運転を停止して長時間そのままにして発錆させ、歯面以外の各部分にまで赤錆が広がっているのを見ることが多い。

(8)　**疲れ折損**

　材料の疲れ限度を超えて曲げの繰返し応力が加わった場合に起こる。長期使用の歯車で発生するのは不思議ではないが、歯の折損した破断面は比較的なめらかで貝がら状の模様が見られる。

(9)　**バーニング(焼け)**

　運転中に歯面が高熱となって変色する損傷で、過度の速度や荷重の条件または潤滑条件の不良、外部からの加熱などが原因である。

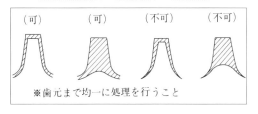
図6・3・1　表面硬化の範囲

（可）　　　（可）　　　（不可）　　　（不可）

※歯元まで均一に処理を行うこと

また、硬さの低下を伴うことが多く、歯面または歯元の疲れ強さを低下させる。

1・2　損傷対策

（1）　ピッチングの防止

ピッチングの防止対策は以下のようなものである。

① 表面層の硬化を行う

② 歯面の曲率半径を大きくする

　・圧力角を大きくする（14.5°→20°→27°）

　・転位歯形を採用する

③ なじみ性を利用する（硬度差を利用）

④ 高粘度の潤滑油を使用する

（2）　スポーリングの防止

スポーリングの防止対策としては、材質切欠きができないように歯面層の硬化処理を実施する（表面硬化の範囲は**図6・3・1**）。

（3）　スコーリングの防止

スコーリングの防止対策として、以下のようなことがあげられる。

① 歯面の曲率半径を大きくする。その方法は、圧力角を大きくして歯面の曲率半径を大きくし、接触圧力を軽減するとともに相対すべり速度を小さくする

② 歯面温度を下げる

　・歯形修正を行い、歯先部が干渉しないようにする

　・冷却効果の大きい潤滑方法を採用する

③ 高粘度の潤滑油を用いて油膜を維持する
④ 給油量を増やす
⑤ 歯面粗度を小さくする
⑥ 耐カジリ性の大きな表面処理を行う
・ 浸炭層表面に浸硫窒化処理（スルスルフ法）を行う
・ 浸炭層表面に塩浴窒化処理（タフトライド法）を行う

2　すべり軸受

　すべり軸受の異常・損傷には摩耗、焼付き、過熱、疲労、腐食などがある。これらの原因は潤滑方法・潤滑油不適、材料選定ミス、ゴミの混入、設計不良、過負荷が考えられる。
　また、すべり軸受の運転は通常は静かでなめらかに回転しているが、何らかの原因により振動や騒音を発生させることがある。おもな現象としてはオイルホワール、オイルホイップがあり、これを以下に説明する。

（1）　オイルホワール

　油圧、油温、アライメントの変動などでクサビ効果による力が荷重より大きくなり、軸の中心は上方へ移動し、**図6・3・2**の角度 α が大きくなっていく。
　こうなると油のクサビ効果がなくなり軸は再度下がってくる。結果として、軸の中心は軸受の中心の周りを軸回転数の約1/2で振れ

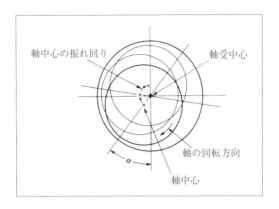

図6・3・2 オイルホワール（軸心の振れ回り）

回る。この振れ回りは一種の自励振動でオイルホワールといい、軸の回転数が1次と2次の危険速度の範囲内で発生する。

(2) オイルホイップ

オイルホワールの発生後、回転数を上げると危険速度における共振振動が現れ、さらに回転数を上げると危険速度の2倍以上のところで激しい自励振動が発生する。これをオイルホイップといい、これ以降、軸の回転数を上げても振れ回りはこの回転数に固定されて激しく振動する。このとき振れ回りの方向は軸の回転方向と同一で、すべり軸受内の油は乱流状態になっている。オイルホイップは高速回転軸においては非常に危険な現象である。

3 ころがり軸受 ≪実技試験出題項目！≫

ころがり軸受の損傷現象および原因と対策について、以下に説明していく。

(1) フレーキング

ベアリングが荷重を受けて回転すると、内外輪の軌道面および転動体の転動面は絶えず繰返し応力を受けるので、材料の疲れによって表面が

写真6・3・7 フレーキング

写真6・3・8 かじり(スミアリング)

ウロコ状にはがれる損傷を生じる。この現象を「フレーキング」と呼び、同じようにころがり疲れによって小孔を生じる現象を「ピッチング」と呼び区別している(**写真6・3・7**)。

(2) **かじり(スミアリング)**

2つの金属が大きな荷重を受けてこすれ、潤滑油膜が破れて直接接触すると接触面に肌荒れを起こす。この現象を「かじり」あるいは「スミアリング」と呼ぶ(**写真6・3・8**)。

(3) **破　損**

破損は割れや欠けなどの損傷状態をいう(**写真6・3・9**)。

(4) **圧こん**

軌道面と転動体の接触部分が塑性変形してくぼみを生じたものを「圧こん」という。また、取付け時に極度な重荷重や衝撃荷重が加わったり、または静止時に過大な荷重がかかってできる圧こんを「ブリネル圧こん」と呼ぶ。その他、金属粉や砂などの異物がころがり面にかみ込んでできるくぼみも「圧こん」と呼ぶ(**写真6・3・10、11**)。

(5) **異常摩耗**

異常摩耗にはブリネル圧こんに似た現象、つまり軸受が回転せずに振動を受けると、軌道と転動体との接触部で微小すべりが繰り返されて極

写真6・3・9 破 損

写真6・3・10 圧こん

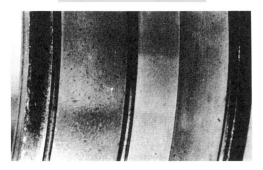

写真6・3・11 ブリネリング

写真6・3・12　疑似ブリネル圧こん

写真6・3・13　フレッティング

端に摩耗する「疑似ブリネル圧こん」と呼ばれる現象（**写真6・3・12**）と、はめ合い面に振動荷重がかかるとその接触面で微小なすべりが繰り返され、その結果生じる錆に似た酸化摩耗粉を伴う「フレッティング」と呼ばれる摩耗現象（**写真6・3・13**）、および「クリープ」と呼ばれるはめ合い面のかじり摩耗（**写真6・3・14**）などがある。

（6）　焼付き

軌道面、転動体、保持器などが急激な発熱によって焼き付く現象である（**写真6・3・15**）。

（7）　電　食

軌道輪と転動体との間の非常に薄い油膜を通して、微弱電流が断続して流れた場合のスパークによって発生する現象である（**写真6・3・16**）。

写真6・3・14 クリープ

写真6・3・15 焼付き

（8）錆・腐食

化学薬品や腐食性ガスによる侵食、海水や泥水の浸入などによって錆びたり腐食したりする現象である（**写真6・3・17**）。

以上の各種損傷現象に対して、その原因を要約して**表6・3・1**にまとめておく。

（9）変色

① 油焼け：潤滑剤の劣化・変質などにより、着色物質（淡褐色）が軸受表面に付着したもの。再使用可能

1）摩耗粉の付着：酸化摩耗粉が焼き付けられたように付着して変色する。再使用可能

2）熱影響：軸受が回転中に異常発熱し、加熱・冷却されて変色（テンパーカラー：薄紫色、濃い赤紫色）したもの。硬度の低下を伴っているので再使用は不可

写真6・3・16　電　食

写真6・3・17　錆・腐食

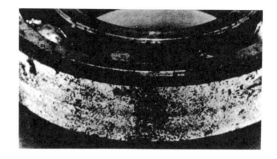

252

表6・3・1　軸受の損傷とその原因・対策（その1）

損傷状態		原　　　因	対　　　策
フ　レ　ー　キ　ン　グ	ラジアル軸受の軌道の片側にのみフレーキング　複列軸受の軌道の片側にのみフレーキング	異常スラスト荷重	自由側軸受の外輪のはめ合いをすき間ばめとし、軸の熱膨張を見込んだ軸方向のすき間を確保する
	軌道の円周方向対称位置にフレーキング	ハウジングの真円度不良	2つ割れのハウジングの場合とくに注意　ハウジング内径面の精度修正
	ラジアル玉軸受で軌道に対し斜めにフレーキング　ころ軸受で軌道面、転動面の端部近辺にフレーキング	取付け不良、軸のたわみ、心出し不良　軸・ハウジングの精度不良	取付け注意、心出し注意　大きいすき間の軸受を選ぶ　軸・ハウジングの肩の直角度修正
	軌道に転動体ピッチ間隔のフレーキング	取付け時の大きな衝撃荷重　運転休止時の錆　円筒ころ軸受の組込みきず	取付けに注意　運転休止が長期のとき、錆止め処置
	軌道面、転動体の早期フレーキング	すき間過小、過大荷重　潤滑不良、錆など	適正なはめ合い、軸受すき間を選ぶ。潤滑剤を選定し直す
	組合わせ軸受の早期フレーキング	予圧過大	予圧量の適正化
かじり（スミアリング）	軌道面、転動面のかじり	初期の潤滑不良　　グリースが固すぎる　　始動時の加速度大	軟らかいグリースを使用　急激な加速を避ける
	スラスト玉軸受の軌道面にらせん状のかじり	軌道論が平行でない　回転速度が速すぎる	取付けを修正し、予圧をかける　適正な軸受形式を選定する
	ころ端面とつば案内面とのかじり	潤滑不良、取付け不良　スラスト荷重大	適正な潤滑剤を選ぶ　取付けを正しくする
破　損	外輪または内輪の割れ	過大な衝撃荷重、締めしろ過大、軸の円筒度不良、スリーブテーパー度不良、取付け部すみの丸み大、サーマルクラックの発展、フレーキングの進展	荷重条件の見直し、はめ合いの適正化、軸やスリーブの加工精度の修正、すみの丸みを軸受の面取り寸法より小さくする
	転動体の割れ　つば欠け	フレーキングの進展　取付け時のつばへの打撃　運搬取扱いの不注意による落下	取扱い、取付け注意
	保持器破損	取付け不良による保持器への異常荷重、潤滑不良	取付け誤差を小さくする　潤滑法および潤滑剤の検討

表6・3・1　軸受の損傷とその原因・対策(その2)

損　傷　状　態		原　　　因	対　　　策
圧こん	軌道面に転動体ピッチ間隔の圧こん(ブリネル圧こん)	取付け時の衝撃荷重 静止時に過大荷重	取扱い注意
	軌道面、転動面の圧こん	金属粉、砂など異物のかみ込み	ハウジングの洗浄 密封装置の改善 きれいな潤滑剤の使用
異常摩耗	疑似ブリネル圧こん (ブリネル圧こんに似た現象)	輸送中など軸受停止中の繰り返し衝撃又は振動	軸とハウジングを固定する潤滑剤として油を使う 予圧をかけて振動を軽減する
	フレッチング 　はめ合い面に赤褐色状の 　摩耗を伴う局部摩耗	はめ合いの微小すき間で、すべり摩耗	締めしろを大きくする 油を塗る
	軌道面、転動面、つば面、保持器などの摩耗	異物侵入、潤滑不良、錆	締めしろを大きくする 油を塗る
	クリープ 　はめ合い面のカジリ摩耗	締めしろ不足 スリーブの締付け不足	はめ合いの修正 スリーブの締付けを適正にする
焼付き	軌道面、転動体 つば面の変色、軟化容着	すき間過小、潤滑不良 取付け不良	はめ合い、軸受すき間の見直し。適正潤滑剤を適量供給 取付け法および取付け関係部品の見直し
電食	軌道面にすだれ模様(フルーチング)	通電によるスパーク溶融	通電を避けるためアースをとる。軸受を絶縁する
錆	軸受内部、はめ合い面などの錆や腐食	空気中の水分の結露 フレッチング 腐食性物質の侵入	高温、多湿のところでは保管に注意。長期間運転休止時には錆止め対策

Zoom Up

ころがり軸受の損傷

ころがり軸受の場合も歯車の損傷と同様に、損傷の種類、直接原因、発生場所、損傷状態をまとめておくので参照されたい。

軸受の損傷の種類	直接原因	発生場所	損傷状態
フレーキング	疲労	軌道面 転動面	はがれ
かじり (スミアリング)	油膜切れ	軌道面 転動面	肌荒れ
圧こん	衝撃・異物	軌道面 転動面	小くぼみ
ブリネル圧こん	停止中の衝撃	軌道面 転動面	くぼみ
異常摩耗 (フレッチング)	締めしろ不足	軸と軸受のはめ合い面	摩耗粉(ココア)
異常摩耗 (疑似ブリネル圧こん)	停止中の振動	軌道面 転動面	圧こん
焼付き	発熱	軌道面 転動面	変色
電食	電流通過	軌道面 転動面	すだれ模様 (フルーチング)

4 腐　食 《実技試験出題項目！》

（1）　腐食現象
　一般的に金属の腐食現象は、酸化還元反応により表面の金属が電子を失ってイオンとなり、金属面から脱落していくことで減肉する。一方、生成されたイオンは空気中や水中の酸素により、水酸化物となり表面に錆として堆積するものである。
　工場の配管は鋼管が多く、流体の種類、速度、圧力などの流体の性質や、内径・曲がり・抵抗などの配管設備に関する多くの事柄が要因となって腐食現象が生じる。

（2）　腐食の種類と原因
① 全面腐食：金属がほぼ一様に腐食減肉するもので、均一腐食とも呼ばれる。一般的に炭素鋼などの耐食性の比較的低い材料に起こりやすい特徴があり、材料の表面に反応生成物ができて保護被膜となると、腐食の進行は止まる。

② 孔食（ピッチング）：局部腐食によって、部分的なへこみ、孔、溝などが生じる。材料が不均一の場合、あるいは局所に欠陥のある場合（偏析や不純物介在）に起こる。ステンレス鋼やアルミニウムなどに見られる。

③ すき間腐食：材料の深い傷、フランジ部、配管と配管保持金具の間、ガスケットとフランジの接続部分など、液の停滞しやすい狭い部分に発生する。

④ エロージョン：管内流速がきわめて大きい場合、エルボやベンドなどの曲がり部分が摩耗し、減肉あるいは開口する。そして管内面を覆っている黒皮（Fe_3O_4）などの保護被膜が削られて腐食が進む。必ずしも腐食作用だけで生じるとは限らない。

⑤ コロージョン：腐食性雰囲気中で化学的因子に支配されて、金属材料が腐食（溶出）する現象。一般的な腐食の意味に使われる。

⑥ 応力腐食割れ：部材に応力が加わった状態で腐食性雰囲気中に置か

れたとき、急速に亀裂が発生、成長して破断に至る現象である。腐食環境とは、海浜地区など塩分を含む雰囲気に配管がさらされることなどを指す。とくにオーステナイト系ステンレスで問題になることが多い。応力腐食割れ対策の1つとして、配管溶接部の残留応力を焼きなましによって取り除いておく方法がある。

＊この章の頻出問題＊

問　題	歯車の歯面に発生する損傷に関する記述のうち、適切なものはどれか。 ア　スクラッチングとは、境界潤滑膜が切れて直接歯面同士が接触し、温度上昇を起こして溶着が発生する現象である イ　スコーリングとは、歯面に過大荷重が繰り返し加わり、歯面表面下の組織に過大応力が生じ、かなりの厚さで金属剥離が発生する現象である ウ　ピッチングとは、歯面の凹凸の高い部分に荷重が集中し、この荷重によって細かい亀裂が生じ、その亀裂が進展してピンホールが発生する現象である エ　ポリッシングとは、潤滑油中の不純物や異物などがかみ込み、歯面のすべり方向にすりきずが発生する現象である （2022年度　2級）
解　答	ウ
解　説	ア　問題文はスクラッチングではなく、スコーリングの説明であるので誤り イ　問題文はスコーリングではなく、スポーリングの説明であるので誤り ウ　題意のとおり エ　問題文はポリッシングではなく、アブレシブ摩耗の説明であるので誤り

■ 解法のポイントレッスン

　ころがり軸受の損傷に次いで出題される、歯車の損傷に関する基礎的な問題である。ころがり軸受と同様にカタカナの損傷名称が紛らわしいが、以下のように（原因、きず模様）の組合わせで整理しておき、区別ができようにしておこう。

- スクラッチング：（異物噛みこみ、ひっかききず）
- アブレシブ摩耗：（異物噛みこみ、擦りきず）
- スコーリング：（金属接触、溶着と引き裂き）
- ピッチング：（荷重集中、ピンホール）

- スポーリング：(過大応力、はがれ)
- ポリッシング：(過大摩擦、鏡面)

■ 過去18年間の傾向分析

　1、2級ともに、ころがり軸受と歯車の損傷に関する問題が頻出しており、19、22年を除いて毎年の出題がある。オーソドックスな問題が多いので、本章を漏れなく勉強しておくこと。出題のパターンとしては、1つの問題にころがり軸受と歯車の両方が出題される場合もある。また、ころがり軸受の損傷と歯車の損傷以外では出題が多項目にわたるが、流体の異常現象(サージング、キャビテーション、ウォーターハンマ、エロージョン)、金属配管の腐食・防食、タービンポンプの吐出量不足、油圧ポンプの異常音に関する出題がたびたび出題されている。1級では破断面の解析、2級では、応力や疲労による損傷(応力腐食割れ、応力集中、疲労破壊)も繰返し出題されている。

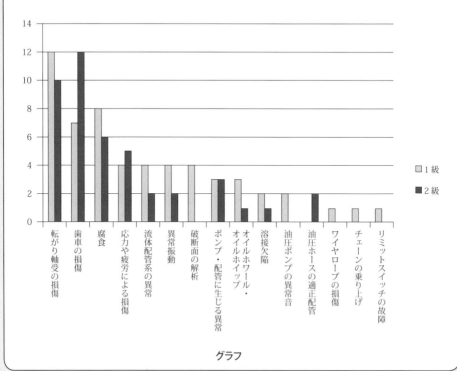

グラフ

実力確認テスト

【1】 歯車損傷のピッチングに関する記述のうち、誤っているものはどれか。

ア 表面疲れに属するもので、歯車の使用初期に発生するものを初期
ピッチングという

イ 高荷重のため表面で材料の疲労が起こり、大きな金属片が表面か
ら脱落する損傷である

ウ 油膜が切れて金属同士の接触が起こり、歯面が融着して再び引き
剥がされるために起こる現象である

エ 歯面の凹凸の高い部分に荷重が集中して起こり、接触圧力によっ
て表面からある深さの部分に最大せん断応力が発生することに
よって生じる

【2】 オイルホイップに関する記述のうち、適切なものはどれか。

ア 油膜で支持されたジャーナルなどに生じる自励振動の一種である

イ ジャーナルの旋回速度と軸の危険速度は無関係である

ウ 振回りの方向は、軸の回転方向と逆向きである

エ 軸の回転速度が、危険速度のちょうど半分となったときに発生す
る

【3】 溶接において、溶接不完全部に関する記述として適切なものはどれか。

ア　ピットとは、ガス放出で溶接金属に発生する筒状の空洞のことである

イ　ウォームホールとは、溶接部の表面まで達し、開口した気孔のことである

ウ　溶込み不良とは、溶接境界面が互いに十分に溶け合っていないことである

エ　アンダカットとは、母材または既溶接の上に溶接して生じた止端の溝のことである

【4】 軸に関する破面解析に関する記述のうち、適切なものはどれか。

ア　軸の破断面にストライエーションが観察されたので、軸は疲労破壊したと判断した

イ　軸の破断面がカップ＆コーン状となっていたので軸は脆性破壊したと判断した

ウ　軸の破断面にシェブロンパターンが観察されたので、軸は延性破壊したと判断した

エ　軸の破断面にビーチマークが観察されたので、軸は衝撃破壊したと判断した

【5】 配管などに関する記述のうち、誤っているものはどれか。

ア　ポンプ内の流れに局部的に低圧部が生じ、水が気化して気泡が発生することをキャビテーションという

イ　水圧管内水量を急に遮断したときに、水流の慣性で管内に衝撃・振動水圧が発生する現象をサージングという

ウ　管内の圧力や吐出し量が周期的に変化する流体振動現象をサージングという

エ　管内流速が極めて大きい場合、エルボなど曲がり部分が摩耗し、減肉あるいは開口する現象をエロージョンという

【6】　振動および振動計に関する記述のうち、誤っているものはどれか。

ア　圧電型振動センサは、動電型振動センサと比べ、高い周波数まで測定可能である

イ　振動センサの固定方法において、マグネットによる固定は、手によるプローブや触針を介しての固定より高域帯の周波数特性に有効である

ウ　1800rpmで回転している軸の回転周波数は30Hzである

エ　1500rpmで回転する送風機のアンバランスを振動測定で検知するには、加速度測定モードが有効である

【7】　金属配管の腐食・防食に関する記述のうち適切なものはどれか。

ア　腐食性流体が流れる配管のエルボおよびティのような、流れ方向が急激に変化する個所は、ピッチングが発生しやすい

イ　一般的に、常温使用する炭素鋼配管の腐食減肉を防止するためには、プラスチックライニングは効果がない

ウ　溶接部の応力腐食割れを防止するために、溶接後数日間常温で放置して引張り残留応力を低減した

エ　配管のデッドエンド部（行き止まり配管）は、流れがほとんどないために減肉する

【8】　すべり軸受の異常現象に関する記述のうち、誤っているものはどれか。

ア　オイルホワールにおいて、振回りの方向は軸の回転方向と同じである

イ　摩耗や焼付きが発生する原因の1つとして、軸の表面と軸受内面

との間の摩擦状態が流体潤滑状態であることがあげられる

ウ　摩擦熱による発熱量はPV値に比例する

エ　オイルホイップは、軸の回転数が危険速度の2倍以上となったときに発生する

【9】　機械要素の種類、損傷名称、損傷の状況、発生原因の組合わせとして誤っているものはどれか。

	機械要素の種類	損傷名称	損傷状況	発生原因
ア	ころがり軸受	スコーリング	表面のうろこ状のはがれ	材料の疲労
イ	配管のフランジ部	すき間腐食	腐食	流体の停滞
ウ	歯車	スポーリング	金属片のはくり	歯面の過大荷重
エ	すべり軸受	オイルホワール	振れ回り	自励振動

【10】　次の機械要素に生じる異常の原因についての記述のうち、誤っているものはどれか。

ア　歯車の強度検討では、歯の曲げ強度と歯面の面圧強度を検討する必要がある

イ　ボルトがゆるむ原因としてもっとも多いのがボルトの振動であり、そのほかにも取付け座面の陥没などがある

ウ　遅れ破壊は、静的な荷重を作用した高強度鋼製ボルトが、時間の経過により突然脆性的に破壊する現象であり、原因は腐食の進展である

エ　ころがり軸受の軌道面、転動体に生じる早期フレーキングの原因としては、軸受すきまの過小や過大、潤滑不良などがある

【11】 次の機械要素に生じる異常の原因についての記述のうち、誤っているものはどれか。

ア 歯付きベルト（タイミングベルト）の歯飛びが発生する原因は、主に負荷が過少の場合である
イ Vベルトがバタバタと振動を発生する原因としては、Vベルトのゆるみが考えられる
ウ ころがり軸受から金属的な高い音を発していたので、潤滑剤の不足、ケースシングへの取付け不良、異常な荷重などの原因を検討した
エ チェーン伝動において、スプロケットの歯数が120枚以上であると、ローラーチェーンの摩耗や伸びの原因となる

【12】 歯車の歯面に発生する損傷に関する記述のうち、誤っているものはどれか。

ア アブレシブ摩耗とは、潤滑油中の不純物や異物などがかみ込み、歯面のすべり方向にすりきずが発生する現象である
イ ピッチングとは、歯面の微細な凹凸がとれ、鏡面のように滑らかになる現象である
ウ スポーリングとは、歯面に過大荷重が繰り返し加わり、歯面表面下の組織に過大応力が生じ、かなりの厚さで金属剥離が発生する現象である
エ スコーリングとは、境界潤滑膜が切れて直接歯面同士が接触し、温度上昇を起こして溶着が発生する現象である

解答と解説

【1】ウ

 ア、イ、エ 題意のとおり。本章「1・1(3) ピッチング」を参照

 ウ 問題文はスコーリングについての説明なので誤り。本章「1・1(5)
   スコーリング」を参照

【2】ア

 ア 題意のとおり

 イ ジャーナルの旋回速度は軸の危険速度にほぼ一致するので誤り

 ウ 振回りの方向は、軸の回転方向と同じであるので誤り

 エ 軸の回転速度が、危険速度の2倍以上となったときに発生するの
   で誤り

【3】エ

 JIS Z 3001-4：2013 溶接用語－第4部：溶接不完全部によれば、

 ア ピットではなくウォームホールの説明なので誤り

 イ ウォームホールではなくピットの説明なので誤り

 ウ 溶込み不良ではなく融合不良の説明なので誤り。溶込み不良と
   は，設計溶込みに比べ実溶込みが不足していることである

 エ 題意のとおり

【4】ア

 ア 題意のとおり。ストライエーションは疲労破断面上に形成された
   ミクロ的な凹凸であることから、高倍率で初めて観察できる

 イ 脆性破壊ではなく、延性破壊であるので誤り。カップ＆コーンと
   呼ばれる破断面の片方が凸、もう片方が凹型が観察される原因
   は延性破壊である

 ウ 延性破壊ではなく、脆性破壊であるので誤り。シェブロンパター

ンという特徴的な山型模様が観察されるのは脆性破壊が原因で
ある

エ　衝撃破壊ではなく、疲労破壊であるので誤り。ビーチマーク(貝
殻模様)という縞模様がマクロ的に観察されるのは疲労破壊が原
因である。

【5】　イ

ア、ウ、エ　題意のとおり

イ　サージングではなく、ウォータハンマであるので誤り。ウォー
タハンマは、弁の急閉鎖や配管の充水時、ポンプの急停止といっ
た瞬間の圧力変動により生じた圧力波が伝播してポンプなどの
機器に損傷をもたらす

【6】　エ

ア　題意のとおり。圧電型振動センサと動電型振動センサは接触式セ
ンサであり、圧電型は10kHz以上を検出できるので加速度検出
に使用され、動電型は1kHzが検出限界であるので速度検出用に
使用される。

イ　題意のとおり。振動センサの固定方法と検出できる周波数と
の関係は、手による固定：1 〜 2kHz程度、マグネットによる
固定：5kHzまで、接着剤による固定：10kHzまで、ねじに
よる固定：数10kHzまでである(参照：旭化成 振動診断基礎
講座 第4回、https：//www.asahi-kasei.co.jp/aec/pmseries/
shindoshindan/4th.html)

ウ　題意のとおり。周波数も回転数も単位時間あたりの一巡の回数を
カウントするものであり、本質的には同じものである。rpmは〔回
転数／分〕＝〔回／分〕、Hzは〔回／秒〕であるので、回転数と周
波数の単位を揃えると1800〔rpm〕＝1800÷60＝30〔Hz〕と
なる。

エ　加速度ではなく、速度であるので誤り。アンバランス振動の周波
数は回転周波数に一致する。そこで1500rpmで回転する送風機

の回転周波数は25Hzとなり、低周波数域となるので振動測定で
検知するには、速度測定モードが有効である。

【7】　エ
　　ア　ピッチングではなくエロージョンであるので誤り。エロージョン
　　　　とは機械的に起こる摩耗作用のことで、配管中を腐食性流体が
　　　　流れているときなど、エルボやティなどの曲がり部で摩耗して、
　　　　減肉あるいは開口する現象である
　　イ　効果があるので誤り
　　ウ　常温で放置ではなく、熱処理を行う必要があるので誤り
　　エ　題意のとおり。配管のデッドエンド部（行き止まり配管）は、流体
　　　　中のスケールが堆積したことによる内面腐食が進行し、流体の
　　　　滞留と加圧のために減肉する

【8】　イ
　　ア、ウ、エ　題意のとおり
　　イ　流体潤滑状態ではなく、境界潤滑状態または個体摩擦状態にある
　　　　場合なので誤り

【9】　ア
　　ア　スコーリングは歯車の損傷であるので誤り。ころがり軸受、表面
　　　　のうろこ状のはがれ、材料の疲労というキーワードから、題意
　　　　はフレーキングに関することがわかる
　　イ、ウ、エ　題意のとおり

【10】　ウ
　　ア　題意のとおり。曲げ強さはルイスの公式、面圧強さにはヘルツの
　　　　公式を適用して計算する
　　イ　題意のとおり。いずれも原理的な要因としては、締付けの基本と
　　　　なるボルトの軸力の低下である
　　ウ　遅れ破壊の原因は、腐食ではなく水素脆化であるので誤り。この

水素脆性の起因となる水素は、ほとんどの場合鋼中に外部から
侵入し、それが拡散するものと考えられている
エ　題意のとおり。本章3「ころがり軸受」の表6.3.1を参照

【11】　ア
ア　過少負荷ではなく、過大負荷であるので誤り。このほか、ベルト
の張力が低すぎる場合にも歯とびが起こる
イ　題意のとおり。長期間の使用によるVベルトの摩耗や伸びにより、
Vベルトがゆるむ
ウ　題意のとおり。対策としては、潤滑剤を補給する、はめ合いを
修正する、予圧の調整を行う、ベアリングのすき間を検討する、
取付け精度や取付け方法を改善するなどがある
エ　題意のとおり。高速軸側スプロケットの歯数をできるだけ大きくす
ると、円滑な伝動になる。一般に17 〜 70枚程度が適当である
が、速比が大きく、低速側スプロケットの歯数が120枚を越えると、
チェーンのわずかな摩耗伸びにより噛合い不良を生じることがある

【12】　イ
イ　問題文の内容はポリッシングの説明となっているので誤り。ピッ
チングとは、歯面の凹凸の高い部分に荷重が集中し、この荷重
によって細かい亀裂が生じ、その亀裂が進展してピンホールが
発生する現象である
ア、ウ、エ　題意のとおり

第 **6-4** 章

機械系保全法
機械の主要構成要素の異常時における対応措置の決定

主題の傾向　学習のPOINT

　機械の主要構成要素の異常に対してどう対応していくかを問うものである。ここでは、振動による設備診断技術および金属材料の疲労と破壊の異常の発見を主体に触れていく。

　日常的に異常の早期発見・劣化の傾向管理に活用されている簡易診断の実務に関する知識、精密診断技術の基礎知識は十分に整理・習得しておくことが必要である。

　また、6・3章に関連した問題もころがり軸受や歯車に関して出題される。たとえば、ころがり軸受に発生した損傷名称をあげてその対策を考えさせる問題などである。

　金属疲労に関しては破断面形状から延性破壊かぜい性破壊かなどを問われることが主体となるので、それらの発生原因、破断面の特徴・相違点などを整理・学習することが大切である。

1 振動の種類と性質

回転機械の振動値には振動変位、振動速度、振動加速度がある。

(1) 振動の変位

・振動部分の移動量を示す。振動体のたわみ量や振れ量を評価するときに有効で、一般的に単位はμm(1μm＝1/1000mm)で表す
・一般の測定器では、周波数が10Hz以下の領域で高い感度を示す
・比較的低い振動数の領域で有効な判定資料となる(**図6・4・1**)

(2) 振動の速度

・振動するときの速さで、振動速度＝振幅×振動数(周波数)である。設備がどの程度摩耗・劣化するかを示すのに有効で、単位はmm/sで表す
・一般の測定器では、周波数10〜1000Hzの領域で高い感度を示す
・アンバランス、ミスアライメントなどが原因である振動の判定に有効な手段となる

(3) 振動の加速度

・加速度は変位×振動数の2乗で、高振動数領域で感度がよく、微小欠陥から出る応力波の検出に有効である

図6・4・1 振動の3種類の守備範囲

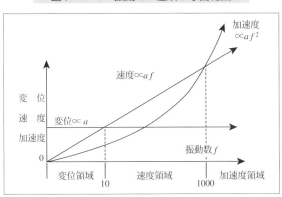

- 単位はmm/s^{2}であるが、地表面の加速度（G = 9800mm/s^2）の倍数で表す
- 一般の測定器では、周波数が1000Hz以上の領域で高い感度を示す
- ベアリングの欠陥などでは高周波が発生するので、振動加速度の測定が有効な指標となる

1・1　異常振動の判定法

（1）　絶対判定法
測定値を「判定基準」と比較して、良好、注意、危険と判定する方法。基準値＝多くの経験や実験に基づいた平均的な値で、あくまでも1つの目安としての値である。

（2）　相対判定法
同一部位を定期的に時系列的に比較し、正常な場合の値を初期値としてその何倍になったかを見て良好、注意、危険の判定をする。

（3）　相互判定法
同一機種が複数台ある場合、それらを同一条件で測定して相互に比較判定する。

1・2　異常振動の種類

（1）　強制振動
振動系に外部から周期的に変動する強制外力が作用する場合、この強制外力によって異常振動を発生させることを強制振動と呼ぶ。また、強制力の周波数と振動系の固有振動数が一致して激しく振動する現象を共振といっている。その代表例として回転機械のアンバランス、ミスアライメントなどがある。

（2）　自励振動
自励振動は強制外力の周波数に関係なく、振動系自身の固有振動数によっていちじるしい振動が発生する現象である。その代表例としてオイルホイップ、びびり振動、摩擦振動などがある。

振動周波数領域による故障判定　《実技試験出題項目！》

おもな振動として、低周波ではアンバランス、ミスアライメント、ガタの振動がある。

また、中間周波では歯車のかみ合い振動、高周波ではころがり軸受の振動がある。ここで、低周波＝数Hz〜1kHz、中間周波＝1〜数kHz、高周波＝数〜数10kHzの周波数帯である。下の表・図にそれぞれ異常の種類別、周波数帯域別の測定パラメーター指針を示す。

周波数領域による振動の種類

振動の種類	周波数領域	異常振動の種類の例
低 周 波	回転周波数の5倍程度まで	アンバランス　　　　ガタ ミスアライメント　　オイルホイップ 軸の曲がり
中間周波	数kHz程度まで	歯車の振動 流体力による振動
高 周 波	1kHz 以上	ころがり軸受のきずによる振動 摩擦振動

周波数帯域別測定パラメータ指針

周波数帯域	10	100	1000	10000Hz	
測定パラメーター	変 位				
	速 度				
	加速度				
おもな異常	アンバランス ミスアライメント オイルホイップなど	圧力脈動 ランナー通過振動	キャビテーション 衝 撃 ラビリンス接触		

1・3　振動の測定の仕方

　軸受部の振動測定位置および方向はISO 3945に従い、軸方向(A)、水平方向(H)、垂直方向(V)の3方向を測定するように規定されている。**図6・4・2**に振動測定位置および方向を示す。

　いま振動速度で、垂直方向(V)、水平方向(H)、軸方向(A)の測定結果を判定すると、

・V≫H、Aの場合はボルトのゆるみ
・V≒Hで、かつA≪H、Vの場合はアンバランス
・A≫V、Hの場合はミスアライメント

と考えられる。

　また、0 ～ 100Hzは振動変位、100 ～ 1000Hzは振動速度、1000Hz以上は振動加速度によるものが適当であるが、振動変位と振動速度はそれほど明確に区分されていない。

図6・4・2　振動測定位置および方向(ISO 3945)

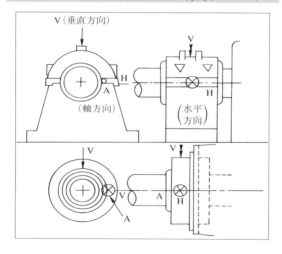

1・4　異常振動の原因

（1）　摩耗現象に伴う振動

　歯の全周にわたって均等に摩耗してバックラッシが増加したり、片当たりが生じていたり、また歯面にスコーリング、ピッチング、スポーリングなどの損傷があると、**図6・4・3**に示すようにかみ合いによる衝撃振動の振幅（固有振動数成分）が他の振動成分に比べて非常に大きくなる。そして衝撃振動の振幅はすべてがほとんど同じ値となる。

　このとき発生する衝撃振幅の周波数は1kHz以上の高い周波数である。

（2）　局所的な異常による振動

　歯車の歯の折損や局所的な歯面摩耗など局所的な異常がある場合には、異常な歯がかみ合うときだけ大きな衝撃振動が発生するので、高周波領域において**図6・4・4**のような振動が発生する。**図6・4・5**に歯車の局所異常を示す。

図6・4・3　歯車の摩耗現象に伴う振動（高周波）

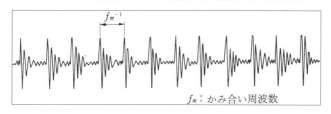

$f_m{}^{-1}$

f_m：かみ合い周波数

図6・4・4　歯車の局所異常による振動

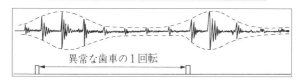

異常な歯車の1回転

図6・4・5　歯車の局所異常

① 大きな歯元クラック　② 局所的な歯面摩耗
③材質欠陥による歯の折れ　④ 局所的なピッチ
誤差、歯形誤差　⑤ 歯車のバックラッシ増加
時の回転速度の変動

2　金属材料の疲労と破壊

2・1　疲　労

（1）　金属材料の疲れ現象

　多くの機械や構造物は規則的な繰返し荷重や不規則な変動荷重を受け
ている。このような場合は、たとえその最大荷重から生じる応力が材料
の静的破壊強さ以下であっても、このような荷重が数100回ないし数
100万回繰り返される間に材料の一部に亀裂を生じ、この亀裂が荷重の
繰返しとともに徐々に進行してついに破断に至ることがある。この現象
を材料の疲れ（fatigue）という。

（2）　$S-N$ 曲線

　$S-N$ 曲線は、鉄鋼材料においては**図6・4・6**のように右下がりの傾
斜部分と、ほぼ水平の部分からなっている。水平部分の応力振幅を疲れ
限度、傾斜部分のある繰返し数における応力振幅をその繰返し数におけ
る時間強度という。両者を含めて疲れ強さという。疲れ限度は無限界の
応力繰返しに耐え得る応力振幅のうちの上限値である。

・限界繰返し数（$S-N$ 曲線の傾斜部から水平部に移る繰返し数）は、引
　張り強さの高い材料ほど繰返し数の少ないほうへ移動する

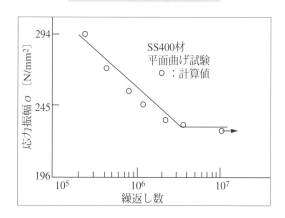

図6・4・6　S－N曲線

- ・限界繰返し数は一般に$10^6 \sim 10^7$回の間に入るようである。両振りねじりの場合の限界繰返し数は、回転曲げおよび両振り引張り圧縮の場合と比較して高くほぼ10^7回付近である
- ・金属材料の降伏応力以上の繰返し応力を受けて破壊する場合を低サイクル疲労という（塑性変形の繰返しによる疲労現象）
- ・低繰返し応力で破壊に至るまでの破壊繰返し数が10^4サイクル以上範囲となり破壊する疲労現象を高サイクル疲労という

（3）　疲れ限度（疲労限度）に対する影響因子

①　切欠き効果

部品に切欠きがあると、応力集中（断面が急に変わる個所に応力が集中する）によって疲れ限度が下がる。

②　寸法効果

曲げおよびねじりの繰返し荷重を受ける丸棒や板の疲れ限度が、直径や板厚によって変わることを疲労における寸法効果という。

③　仕上げ効果（表面粗さ）

疲労亀裂は表面層の近くに発生するので、部材の表面粗さは疲れ限度に影響を与える。表面粗さの大きいものほど疲れ限度は下がり、材料の引張り強さが大きいほどこの影響は大きい。

特定の腐食環境下（硫化物、苛性ソーダ、硝酸塩など）で、金属材料が一定の値以上に保持された引張り応力の作用により亀裂を生じ、破壊に至る現象を応力腐食割れという。

2・2 破 壊 《実技試験出題項目！》

（1） 疲労破壊

疲労破壊の特徴について以下に記す。

① 疲労破壊を起こさせる応力は、その材料の静的破壊強さ（荷重が引張りの場合は引張り強さ）よりかなり低い値であり、その値を引張り強さや降伏点だけから推定することはできない

② 疲労き裂はねじ底、キーみぞ底、丸穴の縁などのように、形状が急変して応力集中を生じている部分に発生しやすい。その亀裂の方向は、鉄鋼材料においては最大主応力の方向に直角方向である

③ 疲労破壊は延性材料でも塑性変形を伴わず、あたかもぜい性破壊のような様相で破壊する。マクロ的な破断面は、亀裂の伝播によって生じた貝がら模様（ビーチマーク）を呈するのが特徴である（**写真6・4・1**）

④ 疲労破壊の破断面は、繰返し荷重の1サイクルごとに形成される縞模様（ストライエーション）が見られるのが特徴で、ストライエーションの間隔が1サイクルごとの亀裂伝播速度を示すため、負荷応力の大きさを推定することができる

（2） ぜい性破壊

肉眼で見て、破断面近くにほとんど塑性変形を伴わない破壊をぜい性破壊という。ぜい性材料（たとえばガラス、セラミックスなど）の破壊によく似た様相を示す。ぜい性破面は一般に応力軸に垂直となり、金属光沢を呈し

写真6・4・1 疲れ破壊

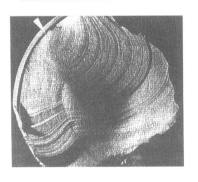

ている。シェブロパターンという山型模様が
観察される。

（3）　延性破壊

延性破壊のマクロ的な特徴は、破壊が起き
るまでにいちじるしい塑性流動が生じること
である。その結果、破断した部材にはマクロ
的に伸びや変形が認められ、破断部の近く
にはすべり模様や板厚の減少などが観察され
る。

（4）　クリープ破壊

クリープとは、一定荷重のもとで時間の経
過とともに材料がひずみを増加する現象であ
る。鉄鋼材料では常温付近においてはクリー
プ現象はほとんど無視できるが、再結晶温度
673K（400℃）以上の高温においては、時間
の経過とともにクリープ変形が進行し、荷重
が大きいときは破断に至る。

（5）　環境破壊

化学的環境の影響が無視できない破壊とし
て応力腐食割れ、腐食疲労、水素損傷などが
あり、これらを環境破壊という。

Zoom Up

応力集中

一様な断面を持つ材料が
曲げや引張りなどの荷重
を受けると、応力σは一
様に分布するが、軸にみ
ぞ、穴、段付部、切欠き
などが存在し断面が急変
すると、その付近の応力
が局部的に増大する。こ
の現象を応力集中とい
う。
応力集中部の最大応力
$\sigma_{MAX.}$（集中応力という）
と断面の急変部がない場
合の応力σとの比Kを応
力集中係数といい、次の
式で表される。

$$K = \sigma_{MAX.} / \sigma$$

3 流体機械に生じる異常と対応処置

(1) 流体機械に生じる異常現象

① キャビテーション

キャビテーションとは、液体の流れの中で圧力差により短時間に泡の発生と消滅が起きる物理現象である。

油圧装置において作動油の流速が早くなると、圧力が気圧以下に低下する部分が生じたり、作動油自体の蒸気が発生することが原因となり、作動油中に気泡が発生する。この気泡は油圧の高いところで急に消滅するときに局部的に数100気圧となり、配管やポンプなどの金属材料を破壊(壊食)する。

そこでキャビテーションの対策としては、圧力差が生じない(低圧部分が生じない)ようにすることがもっとも重要である。具体的には以下の点があげられる。

・吸込み揚程をできるだけ小さくする
・吸込み配管を太くして流速を下げる
・吸込み側バルブによる流量調節をしない

② ウォーターハンマ

ウォーターハンマとは、配管路内において、流速の急激な変化により管内の圧力が過渡的に変動(上昇または下降)する現象である。発生原因としては、バルブの急な開閉、ポンプの起動・停止、ポンプの回転速度の変化などがある。対策としては以下がある。

・配管サイズを上げる
・バルブの急開閉を避ける(30秒以上)
・チェックバルブやエア抜きバルブ、リリーフバルブを設置する
・ポンプにフライホイールを取り付ける

③ サージング

サージングとは、ポンプや送風機・圧縮機などの作動中に、外部から周期的な強制力を与えていないにもかかわらず特有の周期で吐き出し圧

力、吐き出し量が変動して、騒音・振動が発生する現象で、機器の損傷を招く場合もある。対策としては以下がある。
・入口ダンパ開度を絞るなどの吸込み側を絞る
・送風機吐出側配管に大気放出をつけたり、送風機吸込み側へのバイパスラインを追加する

(2) ポンプに生じる異常現象

主としてうず巻きポンプに生じる異常と原因、対策を**図表6・4・7**に示す。

表6・4・1 うず巻きポンプに生じる異常と対策

異常現象	原因	対策
規定量吐出されない	空気の吸込み インペラーに異物付着 回転数の不足	継手などからの漏入を封印 分解清掃 回転計で回転数を確認
ポンプが振動する	羽板に異物付着 吸込み管のスケール成長 軸の曲がり キャビテーション サージング ウォーターハンマ	分解清掃 分解清掃 曲がり修正 (1) を参照 (1) を参照 (1) を参照
過負荷	回転が速すぎる グランドパッキンの締過ぎ 回転体とケーシングの接触	回転計で回転数を確認 グランドパッキンをゆるめる 分解修理

＊この章の頻出問題＊

問　題	歯車のスコーリングの対策に関する記述のうち、適切でないものはどれか。 ア　極圧添加剤入りの潤滑油に変える イ　歯面温度を下げるために、冷却効果の大きい潤滑方法を採用する ウ　歯面粗度を細かくする エ　低粘度の潤滑油を用いる （2021年　2級）
解　答	エ
解　説	ア　題意のとおり。極圧添加剤入りの歯面間の潤滑油は境界摩擦に対処できる イ　題意のとおり。冷却効果の大きい潤滑方法は溶融や擬着に対処できる ウ　題意のとおり。歯面粗度を細かくすることで摩擦を緩和できる エ　高粘度の潤滑油を用いる必要があるので誤り

■ 解法のポイントレッスン

　1、2級ともに2番目の出題頻度である歯車の損傷への対処問題である。ころがり軸受の損傷対策とともにカタカナの損傷名が出てくるので6-3章の歯車の「1・1　損傷と原因」を復習しておこう。スコーリングとは、歯面間が境界摩擦状態となって摩擦面の潤滑膜が破れ、両面が金属接触を起こして高温状態となり、溶融と擬着が交互に発生した結果、歯面が引き裂かれる損傷である。そこで原因としては、境界摩擦状態を発生させる高荷重、潤滑油の不適（粘度不足など）、歯面粗度が粗いなどが考えられる。これらの対策としては、負荷の軽減、潤滑油の最適化（極圧添加剤の使用、高粘度の潤滑油の使用）、歯面粗度を細かくするなどのほか、歯面間の高温状態を防ぐために潤滑方法を工夫して冷却することなどがあげられる。そこで、ア、イ、ウは適切な対処であると判断できる。一方、エは境界摩擦への対処とはならないので誤りである。

■ 過去18年間の傾向分析

　本章では、異常時の対応処置と異常診断の2テーマについての出題がある。1、2級ともに、ころがり軸受の損傷対策の出題頻度が高い。次いで頻度が高いのが歯車の損傷対策である。1級の場合は、さらにすべり軸受の損傷対策、回転体・ポンプの損傷対策、振動診断がよく出題されている。また2級の場合には、ベルト・チェーンの損傷対策や電磁弁の動作不良（空気漏れなど）の出題が目立つ。

　対策としては、6・1～3章と合わせて学習すると効率がよい。とくに、ころがり軸受、すべり軸受、歯車、溶接品などの欠陥の種類、原因、対策など（軸受や歯車は異常診断も含めて）については相互に関連があるので、6・1～6・4章までは連続して繰返し学習することがなにより受検対策には有効である。

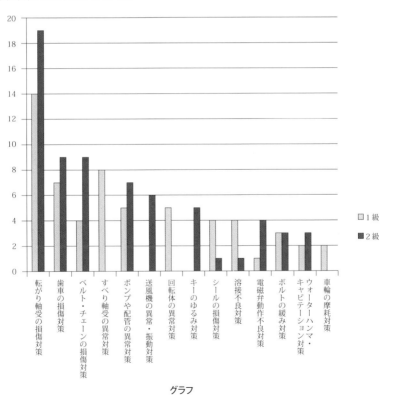

グラフ

実力確認テスト

【1】 溶接の不具合と対策に関する記述のうち、適切なものはどれか。

    ア 溶込み不足の対策の1つとして、溶接棒の径を大きくすることが挙げられる

    イ ブローホールの対策の1つとして、母材表面に水分を吹き付けることが挙げられる

    ウ オーバーラップの対策の1つとして、溶接電流の低減が挙げられる

    エ アンダーカットの対策の1つとして、溶接速度の増加が挙げられる

【2】 機械設備の異常における対応処置に関する記述のうち、適切なものはどれか。

    ア 平ベルトにばたつきが発生したが、プーリやプーリの軸心間距離が変えられないので、ベルトの厚みを厚いものに取り換えた

    イ 渦巻きポンプのキャビテーションが発生したので、吸込み側に制水弁を取り付けて絞ることにした

    ウ 2本掛けVベルトのうち1本にき裂が見つかったので、2本とも交換した

    エ ころがり軸受の6220C2を使用していたが、軸受振動を小さくしたいので、同じ寸法の6220に取り替えた

【3】 機械の主要構成要素の異常時における対応処置に関する記述のうち、適切なものはどれか。

    ア ころがり軸受が長時間負荷を受けたままで静止の状態が続いたので、転動体と内外輪に永久変形を生じたため、基本動定格荷

重を見直した

イ　新品の歯車装置で、騒音が大きかったので対象となる歯車間の
バックラッシを大きくした

ウ　駆動軸に接線キーが用いられていたが、重荷重で正逆転運転を繰
り返すうちに緩みが生じたため、平行キーに改造した

エ　軸受の変位や振動を小さくするため、ころがり軸受の6310を、
同寸法の6310C2に変更した

【4】　機械の主要構成要素の異常時における対応に関する記述のうち、
誤っているものはどれか。

ア　歯車の伝達トルクに脈動があり、騒音が大きくなったので、バッ
クラッシを小さくした

イ　ころがり軸受の内輪はめあい面にクリープが発生したので、軸と
のしめしろを大きくした

ウ　ころがり軸受に圧痕が発生したので、軸受すきまを小さくした

エ　歯車にピッチングが発生したので、歯面の曲率半径を小さくした

【5】　機械の異常時における対応処置の決定に関する記述のうち、誤っ
ているものはどれか。

ア　潤滑油配管として使用していたCR製ゴムホースが劣化したので、
NBR製ホースに交換した

イ　荷重の変動が異常に大きくチェーンが振動するので、トルクコン
バータを使用した

ウ　プーリー溝の中にVベルトの上面が沈んでいたが、ベルト点検の
結果き裂などの損傷は見当たらなかったで、そのまま使用を継
続した

エ　ころがり軸受でころがり面にリッジマークが発生したので、軸受
の絶縁対策を施した

【6】 ポンプや配管に生じる異常に関する記述のうち、適切なものはどれか。

ア　サージングは、ポンプの羽根が異物を咬み込むことで、羽根の回転ムラや異常音を生じる現象である

イ　ウォータハンマは、配管内の流体が高速で流れるときに乱流となり、その流れの乱れが音となって現れる現象である

ウ　キャビテーションは、送風機の羽根車の高速回転により羽根が失速状態になって大きな振動が生じる現象である

エ　コロージョンは、金属材料がそれを取り巻く環境と化学反応を起こし、腐食する現象である

【7】 機械の異常時における対応に関する記述のうち、適切なものはどれか。

ア　ポンプのグランド部が熱を持ち始めたので、グランドパッキンを増締めした

イ　油圧シリンダーの速度が低下したので、先ず作動油を新しいものと交換した

ウ　3本掛けのVベルトのうち、1本に亀裂が見つかったので、3本すべてを新品と交換した

エ　遠心送風機にサージング現象が発生したので、回転数を上げた

【8】 軸受異常時における対応処置の決定に関する記述のうち、適切なものはどれか。

ア　軸受内部やはめ合い面に錆や腐食があったので、通電を避けるためにアースをとった

イ　軌道の円周方向対象位置にのみフレーキング現象が見られたので、ハウジングの内径面の精度を点検して修正した

ウ　転動体と軌道面の接触部分にフォールスブリネリングが見られ

たので、転動体と軌道面を油で洗浄した

エ　はめ合わせていた回転軸と軸受内輪を分解したところ、軸受内輪
　　にクリープが発生していたので、はめ合いのしめしろを小さく
　　した

【9】　機械の主要構成要素の異常時における対応に関する記述のうち、
　　　誤っているものはどれか。

ア　ボルトの緩みを発見したので、ダブルナットを使用することと
　　し、先に薄いナットを締めその上に厚いナットを締め付けた
イ　うず巻ポンプに異常振動が発生したので、キャビテーションと判
　　断し、応急対策として吐出し側に制水弁を取り付けて絞った
ウ　油潤滑の軸受に電流が流れ、火花放電による電食が発生したの
　　で、軸受を交換し、負荷を軽減した
エ　遠心送風機にサージング現象が発生したので、吸い込み弁を絞っ
　　た

【10】　歯車の異常時における対応処置の決定に関する記述のうち、誤っ
　　　ているものはどれか。

ア　ピッチングの防止対策としては、表面層の硬化、歯面の曲率半径
　　の増大などがあげられる
イ　スコーリングの防止対策としては、耐かじり性の大きな表面処
　　理、歯面粗度を小さくするなどがあげられる
ウ　スポーリングの防止対策としては、均一な熱処理や適切な厚みの
　　表面硬化層の形成を行うことがあげられる
エ　アブレシブ摩耗の防止対策としては、しめしろを大きくする、潤
　　滑油の量を増加することなどがあげられる

解答と解説

【1】 ウ
- ア 対策としては、溶接棒の径を小さくすることであるので誤り
- イ 対策としては、母材表面の水分を除去する必要があるので誤り
- ウ 題意のとおり
- エ 対策としては、溶接速度を減少させることであるので誤り

【2】 ウ
- ア 平ベルトのばたつきの発生とベルトの厚みは直接関係がない。対処としてはアイドラ(案内車)の挿入を考える
- イ キャビテーションが発生するのは、速度の急増などで流体圧が飽和蒸気圧以下になった場合に気泡が生じる現象である。吸込み側に制水弁を取り付けて絞ると、絞られることによる圧力降下により気泡が発生してポンプ内に入り、危険である。制水弁は必ず吐出し側に設けることが大切である
- ウ 題意のとおり
- エ 軸受すき間にはC2、CN(普通)、C3、C4、C5の規格があり、この順にすき間が大きくなる。一般に軸受すき間を指定しない場合には、普通すき間になる。そこで軸受の変位や振動対策として、軸受6220よりもすき間が小さい6220C2にする

【3】 エ
- ア 基本動定格荷重ではなく、基本静定格荷重を見直すべきであるので誤り。基本動定格荷重とはころがり軸受が回転して総回転数が100万回転で定格寿命となるような荷重である。ころがり軸受が静止している場合には、変形の程度を転動体の $1/10^4$ 以内に抑えるような許容荷重が必要であり、この荷重を基本静定格荷重という
- イ バックラッシを小さくすべきであるので誤り。バックラッシには円周方向バックラッシ、法線方向バックラッシ(以上は図1)、

角度バックラッシ、半径方向の遊び（図2）がある。また、図にはないが角度バックラッシj_θ〔°〕とは、相手歯車を特定の中心距離で固定したとき、歯車が回転できる角度の最大値で、$j_\theta = j_t \times 360°/(\pi d)$で表される。（$d$：基準円直径、$j_t$円周方向バックラッシ）バックラッシがないと円滑な噛み合い運動ができなくなるが、バックラッシが大きすぎると騒音が大きくなったり、衝撃荷重による歯面の疲労が促進される

ウ　平行キーは重荷重で正逆転を繰り返す用途には使えないので誤り。接線キーは、軸心に対して120°の位置にそれぞれ勾配（1/60～1/100）を持つ2個のキーを互いに反対向きに組合わせて打ち込んで締結するもので、キーの接線方向の荷重面に予圧を与えられるため、重荷重で正転・逆転した場合にも対応できる

エ　題意のとおり

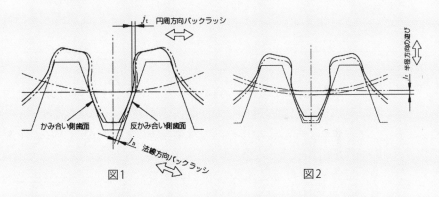

図1　　　　　　　　　　図2

出典：小原歯車工業㈱　歯車の設計資料
（http://www.khkgears.co.jp/gear_technology/intermediate_guide/KHK406_2.html）

【4】　エ
エ　歯面の曲率半径は大きくする必要があるので誤り。ピッチングの原因は歯面の凹凸の高い部分において大きな接触圧力が生じるからなので、圧力角を大きくしたり、転位歯車を使用して接触歯面の曲率半径を大きくする必要がある

ア、イ、ウ　題意のとおり

【5】ウ
ア 題意のとおり。CR（クロロプレンゴム）は耐油性は中程度であるが、NBR（ニトリルゴム）は耐油性が非常に優れ、自動車部品関連のOリングやオイルシール、オイルホースなどに多用されている

イ 題意のとおり。トルクコンバータとは、オイルを満たした容器内で、向かい合ったタービンが流体の力で回転することにより動力を伝える流体継手で、衝撃や振動を吸収する機能を持つ

ウ Vベルトは上面がプーリーより出ている状態で使用するので誤り。Vベルトはプーリーより上面が0.5〜2.4mm出ているのが適正である。プーリーみぞが摩耗してもベルトの上面がほぼ一致するまでは使用するが、ベルトが沈んでいるもの、とくにみぞの底面が光っている場合には、Vベルトの下辺がみぞの底面と接触しているので新しいベルトと交換する

エ 題意のとおり

【6】エ
ア サージングは、ポンプ内で自励振動を起こし、特有の定まった周期で吐出圧力および吐出量が変動する現象であるので誤り

イ ウォータハンマは、水圧管内の水量を急に遮断したときに、水流の慣性で管内に衝撃や振動が発生する現象であるので誤り

ウ キャビテーションは、流体の流れの中で、短時間に泡の発生と消滅が起きる現象であるので誤り

エ 題意のとおり

【7】ウ
ア グランドパッキンを緩める必要があるので誤り

イ 作動油の交換ではなく、まず油圧シリンダー内の漏れや油圧ポンプの圧力上昇不良などを調べる必要があるので誤り

ウ 題意のとおり

エ 回転数を下げるので誤り。サージング対策の基本は、サージング

限界よりも小風量側で運転することである。風量は回転数に比例するので、回転数を下げることにより風量をサージング限界以内に収めることができる

【8】 イ
ア 通電を避けるためにアースをとるのは電食対策であるので誤り。軸受保管の改善（見直し）、密封装置の改善（見直し）、長期間、運転休止する場合はさび止め処理をしておくなどの対策が必要である

イ 題意のとおり

ウ フォールスブリネリングは、輸送中の軸受停止中に受けた荷重や振動によって生じるので、洗浄は対策として誤り。必要な対策としては、輸送中の軸とハウジングの固定、与圧をかけて振動を軽減、内輪・外輪の分離包装による運搬などがあげられる

エ しめしろを大きくする必要があるので誤り。クリープは軸と軸受内輪のはめあいがゆるいために、お互いにこすり合うような微振動が発生するのが原因で生じる。そこで、しめしろを大きくして、軸と軸受内輪のはめあいをきつくする必要がある

【9】 ウ
ア 題意のとおり

イ 題意のとおり。キャビテーションは、速度の急増などで流体圧が飽和蒸気圧以下になった場合に気泡が生じる現象である。吸込み側に制水弁を取り付けて絞ると絞られることによる圧力降下により気泡が発生してポンプ内に入り、危険である。制水弁は必ず吐出側に設けることが大切である

ウ 負荷を軽減するのではなく、アースをとる必要があるので誤り。電食の原因は軸受内を電流が通過してスパークし、軌道表面が溶融するためである。そこで対策としては電流をスリップリングなどでバイパスに流す、または絶縁して軸受内を電流が流れないようにすることが必要である

エ　題意のとおり。サージング限界を小風量側へ移動させる必要があるが、このためには吸込み弁を絞る方法により効果があがる

【10】　エ

　　ア　題意のとおり。このほかにも、なじみ性の利用、高粘度潤滑剤の使用などがあげられる

　　イ　題意のとおり。このほかにも、歯面の曲率半径の増大、高粘度潤滑剤の使用、歯面温度を低くするなどがあげられる

　　ウ　題意のとおり

　　エ　問題文はころがり軸受のフレッチング対策なので誤り。アブレシブ摩耗は、摩耗の原因となる金属片や粒子がかみ合い面に侵入することで生じるので、フィルターによる異物の排除、十分な歯面の洗浄、潤滑油への異物混入防止が対策となる

第6-5章 潤滑および給油

主題の傾向 ⬇ 学習のPOINT

　潤滑剤は、回転機械に限らず種々の機械設備の摺動部や摩擦面に使用されており、その機械設備の機能を発揮させて効率よく運転するために重要な役割を果たしている。

　摩耗や焼付きを起こさないための方法や潤滑理論、潤滑剤の性能、潤滑給油法、潤滑管理など学習する範囲が広いが、潤滑を正しく行うための基礎的な知識、使用上の留意点、劣化の判定など実務的な保全知識・技術が問われることが多い。実践的な知識を理論的に整理しながら学習しておきたい。

　出題頻度の高い項目としては、次のようなものがあげられる。

・潤滑の状態、各種潤滑油の名称と性状
・劣化の原因
・温度変化と粘度指数の関係（とくに頻出されている）

1 潤 滑

1・1 摩擦の概念

（1） 乾燥摩擦

乾燥摩擦は別名「固体摩擦」ともいわれ、2つの摩擦面の間に潤滑剤がない完全に乾燥した固体と固体の摩擦である（**図6・5・1**）。

（2） 境界摩擦

境界摩擦は別名「境界潤滑」ともいわれ、摩擦面の表面が互いにきわめて薄い潤滑剤の膜で分離されているときの摩擦である（図6・5・1）。境界摩擦は機械の起動・停止のときにかならず起こるもので、給油量不足、粘度の不足および衝撃荷重を受けたときにも境界摩擦状態となる。

摩耗対策としては、添加剤（低面圧：油性剤や摩耗防止剤、高面圧：極圧添加剤）を使用する。

（3） 流体摩擦

別名「流体潤滑」といい、摩擦面（2面）が直接に接触することなく、比較的厚い連続的な油膜とその圧力によって完全にへだてられている状態の摩擦をいう（図6・5・1）。この状態における摩擦抵抗は流体の粘性抵抗のみで定まり、摩擦面の材質や仕上げ精度ならびに潤滑剤の油性にはまったく無関係である。

流体摩擦の摩擦係数は、境界摩擦のときの摩擦係数より小さい。また、

図6・5・1　摩擦の分類

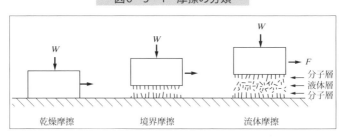

摩擦面における流体摩擦状態を得るためには当然、摩擦面間に油膜のクサビができやすい形状ほど有利になる。

2　潤滑剤

2・1　潤滑剤の使用目的

　潤滑の目的を区別すると、減摩作用、冷却作用、応力分散、密封作用、防錆作用、防じん作用となる。

（1）　減摩作用
　油膜の構成は粘度が高いほど安定性がよいが、あまり高すぎると油自身の摩擦熱のため、かえって摩擦面の温度が上昇することがあるので、運転条件から許される範囲内の粘度のものを使用しなければならない。

（2）　冷却作用
　油の粘度の違いで放熱力は大きい差がある。粘度の低い油ほど放熱力は大きいので、冷却作用の点から考えるとできるだけ低粘度の油を使用したほうがよい。

（3）　応力の分散作用
　歯車やころがり軸受の摩擦面は、点接触または線接触をして荷重を受けているため集中応力が発生する。
　摩擦面に潤滑油を供給することにより、微小ではあるが集中応力を分散することができて疲労時期が延長される。

2・2　潤滑剤の一般的性質　《実技試験出題項目！》

（1）　潤滑油の一般的性質
潤滑油の性質に関する主要項目について解説する。

①　粘度
粘度が大きくなれば摩擦抵抗が大きくなるので、たとえば軽荷重・

高速回転のジャーナル軸受に粘度の高い潤滑油を使用すると大きな摩擦損失を生じる。だからといって粘度の低いものがよいわけではない。粘度が低すぎると油は接触面の圧力に耐えられずに押し出され、流体潤滑の状態が保てなくなる。また、粘度は温度によって変化するので、使用個所の荷重、速度、温度などによって適正なものを選択することが大切である。

ISO粘度分類は工業用潤滑油の粘度区分である。$1 \sim 10$、$10 \sim 100$、$100 \sim 1000$、$1000 \sim 10000$の40℃における各動粘度範囲について対数目盛の6等分点を求め、これを中心として$\pm 10\%$の範囲を規格化したものである。粘度グレード(VG)表示は各中心粘度を整数化した形となっている。潤滑油はその粘度を規定どおりにつくることは困難なので、40℃における動粘度の範囲を規定してその中点粘度で呼ぶようにしている。

② 粘度指数

潤滑油の粘度は温度によって大幅に変化し、低温度で高くなり、温度が上がると低くなる。この変化の割合を示すのに粘度指数が用いられる。粘度変化の小さいものほど粘度指数は高く、良質な潤滑油といえる。良質な潤滑油とは粘度指数が80以上である。

③ 流動点、凝固点

潤滑油は冷却していくと粘度が次第に増大する。潤滑油を冷却したとき固まって流動しなくなる温度を凝固点といい、凝固する前の流動しうる最低温度を流動点という。

④ 摩耗率

単位すべり量L〔mm〕あたりの摩耗量V〔mm〕(V/L)で表される。流体摩擦であっても油中に微小であっても、固体異物が混入すると摩耗率が増加する。

⑤ せん断安定性

運動する摩擦面に挟まれた油が受けるせん断作用による粘度低下に耐える性質のこと。粘度低下は油成分の化学構造の変化が原因である。粘度指数とせん断安定性は相反し、粘度指数の高い油はせん断安定性が低い。

表6・5・1　ちょう度番号

ちょう度番号 (JIS K 2220)	ちょう度範囲	状　態
000 号	445～475	半流動状
00 号	400～430	半流動状
0 号	355～385	きわめて軟
1 号	310～340	軟
2 号	265～295	中間
3 号	220～250	やや硬い
4 号	175～205	硬
5 号	130～160	きわめて硬
6 号	85～115	きわめて硬

液体潤滑剤への固体潤滑剤の添加

油やグリースなどの液体潤滑剤に二硫化モリブデンなどの固体潤滑剤を混ぜて使う場合もある。固体潤滑剤の特徴である耐熱性などを潤滑油に付加して潤滑性能を向上させることが目的である。

⑥　全酸価

　潤滑油が劣化してくると酸性成分が増加するが、油試料1g中に含まれる酸性成分を中和するのに要する水酸化カリウムのmg数を全酸価といい、交油の目安とする。

（2）　グリースの一般的性質

①　ちょう度(cone penetration)

　測定方法は、298K（25℃）のグリースを混和器で60回混和した試料をカップに取り、試験器でコーンを落下させ、入った深さをミリメートルの10倍の数値で表す（**表6・5・1**）。

②　耐水性

　グリースの水分は0.5 ～ 3.0%程度が適正である。カップグリース（カルシウム石けん）では水分が一種の安定剤として含まれており、これが乳化作用をしてグリース状に保っているため、かならずしも水分が少ないほうがよいとはいえない。

　水分の多い場所における使用に対しては、水に洗い流されない性質、水が余分に混入して軟化する傾向の少ない性質が要求される。

粘度、粘度指数

粘度とは油のねばっこさを定量的に表すもので、管壁でのせん断抵抗を τ、管壁から管の中心に向かっての速度こう配（速度の変化の割合）を

$\dfrac{dy}{dx}$ とすると、

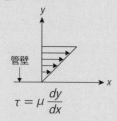

$$\tau = \mu \frac{dy}{dx}$$

で表される。

一方、動粘度 ν とは、

$$\nu = \frac{\mu}{\rho} \quad (\rho：油の密度)$$

で表されるものである。また粘度指数とは本章のとおりで、粘度と動粘度は油のねばさ、そのものを表し、粘度指数は温度による粘度変化の割合を表す。

これをグリースの耐水性という。また、これらのほかに滴点、機械安定性などがある。

③　滴点

　グリースは加熱により軟化するが、ある温度以上では液状となる。この液状となったグリースが測定試験機の容器底部から滴下した時の温度を滴点と言う。滴点はグリースの耐熱性を示すと同時に使用限界温度を表す。

（3）　固体潤滑剤の一般的性質

　固体潤滑剤としては、以前は黒鉛だけであったが、最近になって二硫化モリブデン、ポリ四ふっ化エチレン樹脂（PTFE）などの新しい潤滑剤が次々と開発されている。以下にその重要な性質を述べる。

・せん断力が小さいこと：硬さが低く、層状組織を有し摩擦抵抗が小さいこと
・融点が高いこと：耐熱性、熱安定性がよくて、焼付き防止の効果があること
・熱伝導度がよいこと

2・3　潤滑油の種類と用途

　潤滑油には、動植物系潤滑油、鉱油系潤滑油、合成潤滑油がある。動植物系潤滑油は、摩擦特性は良いが安定性に欠け、鉱油系潤滑油は潤滑性に富むが耐火性に劣る、合成潤滑油は石油などの基油に使用目的に応じた添加剤を加えて作られる、という特徴がある。また潤滑油は用途によって次の種類がある。

（1）　タービン油

各種のタービン、電動機、送風機や油圧作

種　　類	使用圧力範囲〔MPa（kgf/cm²）〕	適正粘度〔mm²/s（cSt）〕	
		313K（40 ℃）	373K（100 ℃）
ISO VG32	6.86MPa（70kgf/cm²）以下※	29.84	5.421
ISO VG68	6.86MPa（70kgf/cm²）以上※	67.86	9.224

※作動油選択の目安に使用のこと

動油に用いられるもので、無添加タービン油は6.86MPa（70kgf/cm²）くらいまでの一般油圧装置の作動油として用いられる。

　添加タービン油は酸化防止剤、錆止め剤、消泡剤などの添加剤を含み、重要なタービン、発電機、送風機、油圧作動油に広く使用されている。

（2）　マシン油

　タービン油とほぼ同一粘度であるが、精製度は潤滑油の中でもっとも悪く油の劣化が速い。手差し給油や滴下給油をする一般機械に用いられる。

（3）　軸受油

　マシン油が全損式給油方法であるのに対して、軸受油は主として循環式、油浴式、はねかけ式給油方法による各種機械の軸受部の潤滑油として用いられる。

（4）　油圧作動油

　油圧作動油の代表的なものを「2・4　油圧作動油」で説明する。

2・4　油圧作動油

　一般作動油では、ISO VG32 ～ 68タービン油相当品が多く使われている。これらの作動油の使用圧力範囲と適正粘度は、**表6・5・2**に示すとおりである。

（1）　油圧作動油の具備すべき条件

① 粘度が適正であること

② 粘度指数（VI）が高いこと。現在使用されている一般作動油のVI値は

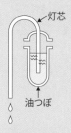

Zoom Up

まぎらわしい給油方法

①灯芯潤滑

油つぼの中に差し入れた
灯芯で毛細管現象を利用
して油をしみ込ませ、油
つぼの外に滴下するもの
である。灯芯がろ過器の
働きを行うため、少々

コンタミ
（ゴミ類）
が油に混
ざってい
ても給油
が可能で
ある。

②滴下給油

この方式は重力滴下なの
で、調節弁の開度を変化
させて油の滴下量を調節
する。滴下する油滴の供
給量は、油の粘度などの
影響で多少変化するが、
$0.05 \mathrm{cm}^3$/分程度である。
油面が40％程度に減少
したときに油を補給する
と摩擦面への供給量の変
化が少なくてすむ。じん
埃による針弁の詰まりに
注意すること。

100前後である
③ 消泡性がよいこと
④ 潤滑性がよいこと
⑤ 水分離性がよいこと。作動油中の水の混
　入許容度は0.1％程度である。新油でも水
　分が0.03％以内含まれている
⑥ 酸化安定性がよいこと
⑦ せん断安定性がよいこと
⑧ 防錆性がよいこと

3　潤滑方式

潤滑は、以下の3方式に分類される。

（1）　強制循環給油

　摩擦面の潤滑作用と同時に冷却作用を確
実に行う目的で、ポンプで潤滑油を循環さ
せる方法で、油量、油温、油圧の調整を確
実に行うことができる。吐出し圧力0.49MPa
（5kgf/cm²）程度までの歯車ポンプが多く用
いられ、軸受には0.09MPa（1kgf/cm²）前後
に減圧調整して供給する。

（2）　噴霧給油（オイルミスト潤滑）

　圧縮空気で油を霧状にし、摩擦面に吹き付
け給油する方法である。この特徴は、油とと
もに多量の空気を送り込むので冷却作用が大
きく、比較的少量の油で有効な潤滑ができる。
また、給油量と冷却の効果（空気量）とが独立
に調整できる点が、他の給油法にみられない
長所である。

(3)　グリース給脂

　グリース給脂は一般の潤滑油の場合と異なり間欠給脂なので、1回あたりの給脂量を少なくして給脂間隔を短くすることが望ましい。また、グリースが給脂装置の主管、枝管に長期滞留するので、高熱雰囲気にさらされたりしないようにするとともに、枝管取替え時などには、グリースを完全に充満させ、空洞が生じないようにする。

4　油汚染管理(コンタミネーション・コントロール)

4・1　潤滑油の劣化

　潤滑油の劣化を促進させるものとして、次のようなものがあげられる。

①　金属の影響

　潤滑油中に金属摩耗粉が混入すると、その酸化反応は接触金属の表面積に関係することから激しく酸化が進行する。また、油が劣化して生じた酸がこれらの金属と反応してつくる金属石けんも、強力な酸化促進剤として作用する。

②　水の影響

　油中に酸廃物や炭化物または金属摩耗粉などが存在すると、水による乳化を促進するだけでなくその分離が困難となる。水の含有量は0.1％以下、それ以上は更油の時期を考慮する(新油で0.03％)。また、水分が多く含有されると乳白色に変色する現象が現れる。

③　熱、日光の影響

　潤滑油は温度が上昇すると酸化が促進され、油温が343K(70℃)を超えると、温度が10K(10℃)上昇するごとに酸化速度は約2倍になるといわれている。また熱と同様に、長期間日光にさらされると紫外線などの影響によって色相が変化し、ついには変質生成物が発生する。

④　じん埃の影響

　1～2μmというような微粒子のじん埃は、長期間の使用中にはどうしても混入してくる。これらのじん埃は、油の劣化を促進するばかりで

なく、軸受やピストンリングなどの摩擦面の摩耗を助長する。

⑤　燃焼ガスの影響

⑥　油の劣化生成物の影響

以上の影響による潤滑油の一般的な劣化判定の目安は次のとおりである。

①　粘度の増減、②　酸価の増加、③　不溶解分の増加、④　油汚染、⑤　色相の変化、⑥　水分の変化

4・2　劣化の防止対策

潤滑油の劣化防止のために、次のようなことに留意すべきである。

① 使用温度は333K（60℃）以下、できれば328K（55℃）以下の使用が望ましい

② コンタミネーション・コントロールを行う

③ 水分の混入は避ける（水は添加剤を変質させ、多いときには作動油を乳化させ、油の劣化促進や腐食および潤滑不良につながる）

④ 原則として他のメーカーの潤滑油と混合しない

⑤ 同じメーカーであっても、商品名やグレードが異なった場合は混合は避ける（添加剤が劣化する）

⑥ 潤滑油の定期点検を行う

以下に劣化処置方法を示しておく。

①　新油と交換、②　再生して使用、③　粘度調整、④　脱水処理、⑤ろ過処理、⑥　アルカリ化調整、⑦　水分調整

4・3　汚染測定法

汚染の測定法には計数法と質量法とがある。

（1）　計数法

表6・5・3に計数法によるNAS規格を示す。一般に使用されている作動油はNAS11 ～ 12級であり、できれば11 ～ 12級以下の使用が望まれる。サーボ系では一般的にはNAS8級が使用限界であり、7級以下

粒子の大きさ（μ m）	クラス													
	00	0	1	2	3	4	5	6	7	8	9	10	11	12
5〜 15	125	250	500	1000	2000	4000	8000	16000	32000	64000	128000	256000	512000	1024000
15〜 25	22	44	89	178	356	712	1425	2850	5700	11400	22800	45600	91200	182400
25〜 50	4	8	16	32	63	126	253	506	1012	2025	4050	8100	16200	32400
50〜100	1	2	3	6	11	22	45	90	180	360	720	1440	2880	5760
100 以上	0	0	1	1	2	4	8	16	32	64	128	256	512	1024

での使用が望ましい。

（2）　質量法

① メンブレンフィルター法（ミリポアフィルター法）：作動油100ml中の汚染物の量を測定する方法

② 溶解抽出法（不溶解分）：酸化生成物の測定をするもので、作動油100ml中の不溶解分の重量を測定する方法

4・4　汚染の影響

汚染粒子の影響は軸受面や摺動面の摩耗をいちじるしく促進する。粒子の大きさでいえば、油膜厚さと同程度の大きさの粒子が摩耗にもっとも悪い影響を与える。つまり、油膜がポンプでは0.5 〜 30 μ m、バルブ摺動部で4 〜 20 μ mの厚さになるから、そのくらいの粒子ということである。

4・5　潤滑油の分析

潤滑部分の損傷状態を検出する方法にSOAP法（spectrometric oil analysis program）とフェログラフィ法が用いられる。

（1）　SOAP法

分光分析によって潤滑油中の金属元素の含有率（ppm）を求めて、経験的な基準値によって摩耗の状態を判定する方法である。

（2）　フェログラフィ法

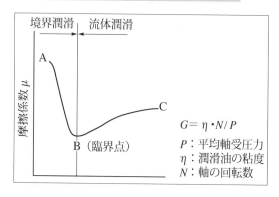

図6・5・2　ストライベック線図

潤滑油中の比較的大きな$(1 \sim 200\,\mu\text{m})$金属摩耗粉の大きさや形状をフェロスコープ・フェログラムリーダーを用いて分析し、潤滑部の損耗の状態を判定する方法である。定量フェログラフィ法と分析フェログラフィ法の2種類がある。

4・6　ストライベック線図

　一般的な平軸受では、$\text{G}=\eta \cdot N/P$となる無次元の量と、軸受の摩擦係数μとの間には、ストライベック線図(**図6・5・2**)に見られるような関係が成り立つ。図において、摩擦係数の最小になる点が臨界点で、臨界点の右側が流体摩擦(流体潤滑)領域、左側が境界摩擦(境界潤滑)領域である。

　ここで、G：機械の種類により変化する係数、η：粘度(Pa・S)、N：回転数(r/min)、P：平均軸受圧力(Pa)である。

4・7　ASTMカラー

　潤滑油の色相を表す標準色と現物の油の色を比較して、劣化の程度を判断する色見本である。色の薄い方から0.5刻みに0.5～8.0までの16段階のカラー(薄黄色 ～ 橙色 ～ 赤黒い色)数値に分けられている。実

用的な劣化判定は新油のカラー数値の＋2の色相を持っておおよその使用限界とする。ASTM色試験方法はJIS K 2580に規定されている。

＊この章の頻出問題＊

問　題	潤滑油の汚染度分析法に関する記述のうち、適切でないものはどれか。 ア　分析フェログラフィ法は、フェロスコープで摩耗粒子の大きさや形状、色などを観察し、機械の損傷原因と程度を判定するものである イ　SOAP法は、潤滑油中の摩耗粉を分光分析し、金属元素成分とその濃度を測定して損傷個所を推定する方法である ウ　定量フェログラフィ法は、総摩耗粒子量と異常摩耗粒子量の値を傾向管理することにより、機械の潤滑状態や損傷状態を診断するものである エ　フェログラフィ法は、10μmの摩耗粒子は分析できない （2023年度　1級）
解　答	エ
解　説	ア、イ、ウ　題意のとおり エ　10μm以上の摩耗粒子も分析できるので誤り

■ 解法のポイントレッスン

　潤滑油の劣化の管理に関する出題で1、2級とも頻出している。潤滑油の各種汚染分析法についてまとめておこう。

① フェログラフィ法：磁力によって潤滑油中の摩耗粒子を分離して摩耗粒子について分析するもので、分析フェログラフィと定量フェログラフィがある。比較的大きな($1 \sim 200\,\mu\mathrm{m}$)摩耗粒子観察用である

　・分析フェログラフィ法：顕微鏡を使ってガラススライド上に配列させた潤滑油中の摩耗粒子の量、形、大きさ、色などを顕微鏡で調べる方法である

　・定量フェログラフィ法：潤滑油中の大摩耗粒子と小摩耗粒子の密度を検出し、そこから得られる総摩耗粒子量と大摩耗粒子量（異常摩耗粒子量）の値を異常の判断基準とするものである（異常摩耗が始まると大摩耗粒子が増加する）

② SOAP法：分光分析装置による摩耗粉の光のスペクトルを観察する方法。比較的小さな（数μm程度まで）摩耗粒子観察用である

■ 過去18年間の傾向分析

　2級では潤滑油の劣化、粘度指数に関する問題が2016年～2019年度まで毎年出題されている。1級も同問題の出題率が高い。粘度指数や適正温度、NAS、ISO粘度分類、水の許容含有量などについて理解しておこう。1級では2020～2023年度連続して、潤滑油の試験項目としての「酸価」や「引火点」、「流動点」などの意味を問う出題が見られ、2級でも2020年度に「酸価」に関する出題が見られる。潤滑油の脂肪酸は空気中の酸素と結合して酸化反応を起こし劣化が進む。このとき有機酸を生じて酸価が増していくので、酸価を知ることで油の劣化程度を知ることができる。JIS K 2501：2003（石油製品及び潤滑油―中和価試験方法）において、酸価（acid number）とは「試料1g中に含まれる酸性成分を中和するのに要する水酸化カリウムのミリグラム（mg）数」と規定されている。また、1、2級とも以下のグラフのように、グリースに関する問題が毎年必ず出題（2006～2020）されている。本章の内容をよく理解しておくこと。潤滑の出題範囲・内容は広いが、同じパターンの問題を繰り返すので、対策は過去問の研究で十分に可能である。

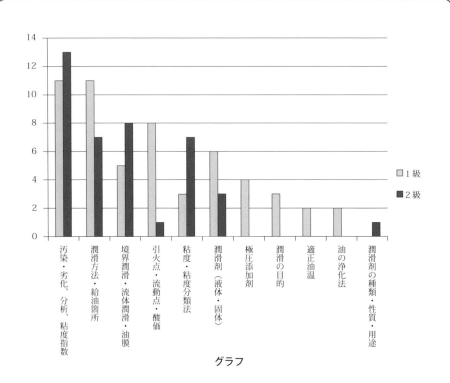

グラフ

実力確認テスト

【1】 潤滑・給油方式に関する記述のうち、誤っているものはどれか。

ア　滴下給油とは、1台のポンプ、分配弁、制御装置により適量を正確な間隔で給油する

イ　油浴潤滑とは、軸受、歯車部分を油の中に没す方法で給油する

ウ　灯心給油とは、オイルカップから灯心の毛細管作用を利用して常時給油する

エ　噴霧給油とは、オイルミスト発生器で圧縮空気により油を霧状にし空気とともに配管を通して給油する

【2】 グリースの増ちょう剤に関する記述のうち、適切なものはどれか。

ア　増ちょう剤の役目は、グリースの硬さを和らげることである

イ　増ちょう剤の配合量は、グリースの硬さなどによらず一定にすることが重要である

ウ　シリコングリースは、増ちょう剤として非石鹸基を用いており、耐熱用など用途が幅広い

エ　増ちょう剤として用いる非石鹸基には、ウレア、PTFE、ベントンなどがある

【3】 潤滑油に関する記述のうち、適切なものはどれか。

ア　潤滑油は、主に摩耗の防止を目的として使用されるものである

イ　SOAP法やフェログラフィ法は、潤滑剤の粘度を精密に測定する方法である

ウ　一般的に、鉱物系油を主とした合成潤滑油は、油膜構成力が減少し、温度上昇による粘度低下が顕著である

エ　潤滑油の汚染の測定には計数法のみを使う

【4】 グリースに関する記述のうち、誤っているものはどれか。

ア 摩擦面に塗布してかじりを防ぐためには、二硫化モリブデン系グ
   リースが適している
イ 耐熱グリースには、高温になるにつれて硬化するものと軟化する
   ものがある
ウ 見かけ粘度の高いグリースは、配管内の圧送に適している
エ グリースの耐熱性を示す重要な指標として、滴点がある

【5】 潤滑剤に関する記述のうち、誤っているものはどれか。

ア 粘度が低い潤滑油ほど、放熱力は大きい
イ グリースは、ちょう度が大きいほど硬い
ウ 粘度変化の大きいものほど、粘度指数は低い
エ 配管内を圧送するグリースは、見かけ粘度の低いものが使用され
   る

【6】 軸受の潤滑法に関する文中の(　)内に当てはまる語句として、
   適切なものはどれか。
   「(　)は、高速ころがり軸受の集中・自動給油が可能で、常
   に新鮮な油を必要量供給でき、空気による冷却効果もある一方、
   全損式で環境汚染の問題もある。」

ア 灯心給油
イ 飛沫給油
ウ 集中給油
エ 噴霧給油

【7】 グリースと潤滑油に関する記述のうち、適切なものはどれか。

ア 冷却効果については、グリースが潤滑油より大きい

イ　洗浄効果については、潤滑油はグリースよりは小さい

ウ　高速回転には、グリースの方が潤滑油より適している

エ　異物のろ過性については、潤滑油がグリースより優っている

【8】　境界潤滑に関する記述のうち、誤っているものはどれか。

ア　面圧増加、粘度低下および速度減少に伴って潤滑膜は薄くなり、流体潤滑から境界潤滑に移行する

イ　境界潤滑は、潤滑油の油膜が薄くなり、局部的に金属接触点が生じているような潤滑状態である

ウ　境界潤滑における油膜はくさびの形状となり、連続的な油膜とその圧力によって2つの面間は完全に隔てられる

エ　流体潤滑から境界潤滑へ移る条件は、油膜厚さと金属表面の表面粗さの関係による

【9】　JISにおいて、潤滑油の試験項目に関する記述のうち、適切なものはどれか。

ア　酸価とは、試料1g中に含まれる酸性成分を酸化するのに要する水酸化カリウムのmg数のことである

イ　流動点とは、試料を45℃に加熱した後、かき混ぜないで規定の方法で冷却したとき、試料が流動しない最高温度のことである

ウ　引火点とは、規定条件下で火種を液体試料に投入したとき、試料蒸気が閃光を発して瞬間的に燃焼し、かつその炎が液面上を伝播する試料の最低温度を101.3 kPaの値に気圧補正した温度のことである

エ　動粘度とは、粘度をその液体の同一状態における密度で除した値のことである

【10】　潤滑剤に関する記述のうち、適切なものはどれか。

ア　設備運転中の循環給油装置のタンクの油温は、ポンプ寿命を考慮すると303K(30℃)～ 328K(55℃)程度が適切である

イ　潤滑油温度が上昇した場合、粘度指数が小さい潤滑油は粘度指数が大きい潤滑油よりも粘度変化が小さい

ウ　グリース給脂は間欠給脂なので、1回あたりの給脂量を大きくして給脂間隔を長くすることが望ましい

エ　潤滑剤の劣化とは、潤滑剤そのものの化学的および物理的劣化のことであり、異物の混入や添加剤の摩耗などは直接劣化の原因とはならない

解答と解説

【1】　ア

ア　問題文は集中潤滑の説明となっているので誤り。滴下潤滑とは、給油する一定油量を一定圧で細孔から常時給油する方法である

イ～エ　題意のとおり

【2】　エ

ア　半固体状にする役目であるので誤り。増ちょう剤は使用温度範囲において不溶な親油性のある固体で、基油中に細かく分散して安定な3次元構造を形成し、基油を半固体（ゲル）状にする役目がある

イ　配合量は基油との親和性、グリースの硬さにより変化するので誤り。一般的には5～20質量％程度（住鉱潤滑剤（株）https://www.sumico.co.jp/qa/qa_g_thick_j.html）

ウ　増ちょう剤としてリチウム石鹸基を用いているので誤り。シリコングリースは、基油としてシリコン油、増ちょう剤はリチウム石けんであり、潤滑油添加剤としてシリカなどを配合している

エ　題意のとおり。ウレアとは、ウレア基(-NH-CO-NH-)を2個以上有する有機化合物のことである

【3】　ア

ア　題意のとおり。そのほか、冷却や応力の分散の目的で使用される

イ　潤滑油の粘度測定ではなく、潤滑部分の損傷状態を検出する方法であるので誤り。SOAP法は、潤滑油中の摩耗粉を分光分析し、金属元素成分とその濃度を測定して損傷個所を推定する方法である。フェログラフィ法は、潤滑油中の摩耗粉や混入異物をスライドガラス上に配列させ、それら粒子の形、大きさ、色などを顕微鏡で観察することによって損傷状態を検出する方法である

ウ　油膜構成力が増し、温度上昇による粘度低下が防げるので誤り

エ　計数法だけでなく、質量法を使うので誤り。質量法には汚染物の
　　量または不溶解分の量を測定する方法がある

【4】　ウ

ウ　適していないので誤り。粘度が高いと流動性が悪く、管内で流れ
　　にくいので、配管内の圧送には見かけ粘度の低いものが使用さ
　　れる。ニュートンの粘性の法則によれば、流体のせん断抵抗と
　　速度変化は比例し、このときの比例定数を粘度（絶対粘度）とい
　　う。しかし、グリースにはニュートンの粘性の法則が適用され
　　ないため、ＪＩＳが規定している「みかけ粘度」を使用する

　　参考：JIS K 2220：2013（グリース）によれば、見かけ粘度とは
　　「ポアズイユの式で計算するずり速度（せん断率）に対するずり応
　　力（せん断応力）の比。ずり速度とは、グリースの相隣接する一
　　連の層が互いに動く割合」と規定されている

ア、イ、エ　題意のとおり

【5】　イ

ア　題意のとおり。粘度が低いほど対流が起きやすく、油の表面から
　　の放熱量が多い（冷めやすい）

イ　ちょう度が大きいほど軟らかいので誤り。ちょう度とは、グリー
　　スの硬さの程度をグリースに円すい錘が沈み込む深さで表すも
　　ので、深く沈む（ちょう度が大きい）ほど軟らかいグリースであ
　　る

ウ　題意のとおり。潤滑油の温度の変化による粘度変化の度合いを示
　　すものを粘度指数といい、粘度指数が小さいほど温度による粘
　　度変化が大きい

エ　題意のとおり。潤滑油の粘度は厳密には一定ではないので、JIS
　　の測定法により示される一定値を「見かけ粘度」と呼んでいる。
　　「粘度」も「見かけ粘度」も低いほど流動性がよいのは同じである

【6】　エ

ア　自動給油には適さないので誤り。温度、油面高さ、油の粘度により給油量が変化する

イ　自動給油には適さないので誤り。中小型減速機、中小型往復動圧縮機、内燃機関用に使われる

ウ　低速〜中速用であり、環境汚染の問題は少ないので誤り

エ　題意のとおり

【7】　エ

グリースと潤滑油の特徴の比較を下の表に示す。

	グリース	潤滑油
冷却効果	小	大
高速回転	不適	適する
保守管理	容易	面倒
給油・給脂方法	複雑	容易
密封性・防塵性	良好	不良
洗浄性	不良	良好
異物のろ過	困難	容易

表より、

ア　冷却効果はグリースの方が小さいので誤り

イ　洗浄効果は潤滑油の方が大きいので誤り

ウ　グリースは高速回転には適さないので誤り

エ　題意のとおり

【8】　ウ

ウ　油膜がくさびの形状となり、連続的な油膜とその圧力によって2つの摩擦面間が完全に隔てられるのは流体潤滑の場合であるので誤り。境界潤滑においては、きわめて薄い油膜厚しか存在しないため、2つの摩擦面は接触して焼付きを起こす場合もある

ア、イ、エ　題意のとおり

【9】　エ

　ア　酸化ではなく中和であるので誤り。JIS K 2501：2003（石油製品及び潤滑油—中和価試験方法）に酸価とは、「試料1g中に含まれる酸性成分を中和するのに要する水酸化カリウムのmg数のことである」との規定がある

　イ　流動しない最高温度ではなく流動する最低温度であるので誤り。JIS K 2269-1987（原油及び石油製品の流動点並びに石油製品曇り点試験方法）に流動点とは「試料を45℃に加熱した後、試料をかき混ぜないで規定の方法で冷却したとき、試料が流動する最低温度をいい、0℃を基点とし2.5℃の整数倍で表す」との規定がある

　ウ　「火種を液体試料に投入したとき」ではなく、「引火源を試料蒸気に近づけたとき」であるので誤り。JIS K　2265-1：2007（引火点の求め方－ 第1部：タグ密閉法）に 引火点とは、「規定条件下で引火源を試料蒸気に近づけたとき、試料蒸気が閃光を発して瞬間的に燃焼し、かつその炎が液面上を伝播する試料の最低温度を101.3 kPaの値に気圧補正した温度のことである」との規定がある。

　エ　題意のとおり。JIS Z 8803：2011（液体の粘度測定方法）に問題の文章が規定されている

【10】　ア

　ア　題意のとおり。油温は高すぎると作動油の抗酸化性を低下させ、劣化を早めることになる。逆に、油温が低すぎると油の粘度が増し、油圧ポンプの機械効率が低下する

　イ　粘度変化が大きいので誤り。本章「2・2②　粘度指数」を参照

　ウ　1回あたりの給脂量を小さくして給脂間隔を短くすることが望ましいので誤り。給油とは異なり、粘度の高いグリースの給脂は詰まりや配管摩擦抵抗でポンプの負荷が大きいので、少しずつ間欠的に送る

　エ　異物の混入や添加剤の摩耗なども劣化の原因となるので誤り。本章「4・1　潤滑油の劣化」を参照

第6-6章 機械工作法の種類および特徴

主題の傾向 → 学習のPOINT

　保全活動における補修知識・作業はもともと機能低下・機能停止した設備の機能回復をする際に、改善・改造を織り込んでその設備のあるべき姿にすることが必須である。

　機能回復の対象には漏れ・摩耗・曲損・折損など数多くの現象がある。

　以上のことから、ここでは狭義の機械工作法による対応措置ではなく、設備機械を構成する種々の機械要素についての保全技術（補修技術）が問われる。

　どの分野とは特定できないが、レーザ加工、特殊加工・仕上げ・溶接・鋳造・鍛造など日常的な保全・補修活動で経験し、知識となっているものを整理・学習しておきたい。

1 溶 接

溶接はガス溶接と被覆アーク溶接に大別できる。被覆アーク溶接は、電気によりアークを発生させて溶加材を溶かして接合する。ガス溶接は可燃性ガスの燃焼熱で、ガス溶接機によって金属を加熱して溶接する方法である。

1・1 被覆アーク溶接

被覆アーク溶接は図6・6・1に示すように、ホルダーで支えた被覆溶接棒と被溶接物（母材）との間に交流または直流の電圧をかけ、その間隙にアークを発生させるものである。アークの強い熱〔温度約6273K（6000℃）〕によって溶接棒が溶け、金属蒸気または溶滴となって溶融池に溶着され、そこで母材の一部と融合して溶接金属をつくる。2つの部材を溶接するときは適当なみぞ（開先）をつくっておき、そこを溶着金属で埋めて接合を完了するものである。

（1） 溶接入熱

図6・6・1 被覆アーク溶接の略図

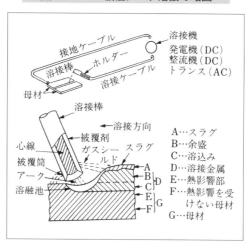

被覆アーク溶接では、一般に用いられるアーク電流は50～400A、アーク電圧は20～40V、アークの長さは1.5～4mm、アーク速度は8～30cm/minである。アーク熱効率とは、溶接入熱(H)の何%が溶接母材に吸収されたかの比率をいう。

（2）　溶融速度

溶接棒の溶融速度は、単位時間当たりに消費された溶接棒の長さまたは重量で表され、実験によると、与えられた１つの溶接棒の溶融速度はアーク電圧には無関係でアーク電流に正比例する。また直径の異なる棒でも、同種類の棒ならば心線の溶融速度は電流にだけ比例し棒径には無関係である。

1・2　半自動アーク溶接法の種類

（1）　TIG溶接

TIG溶接は非溶極式（非消耗電極式）アーク溶接の一種である。アルゴン、ヘリウムなどのイナートガス雰囲気中でタングステン電極と母材との間にアークを発生させ、そのアーク熱によって溶加材および母材を溶融して接合する（図6・6・2）。

用途は一般構造物はもちろん極薄鋼板、薄鋼板（2mm以下）、裏波溶接の１層目の溶接に適している。また、アルミニウム、マグネシウム合

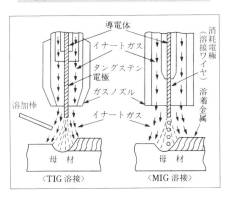

図6・6・2　TIG溶接とMIG溶接

表6・6・1　溶接部の主な欠陥とその原因

割れ名称	溶接欠陥状態		原因
溶接変質 硬化部割れ （二番割れ）	トウ クラック／変質硬化部／ビート下亀裂	溶接変質硬化部に現れるもので、一般に「二番割れ」といわれている	①溶着鋼中の水素 ②鋼材の硬化 ③応力集中
アンダーカット	アンダーカット／アンダーカット	溶接線端の部分で母材が溶けすぎてみぞあるいはくぼみができたもの	①溶接電流の過大 ②運棒の不良 ③アークの長すぎ
ブローホール	気孔／いも虫状気孔	溶着金属中に残留したガスのためにできた空洞である	①溶接棒または材料の湿気多量 ②溶接電流の過大 ③母材に付着している不純物 ④溶着部の急激な凝固 ⑤ブローホールの風対策もあるが、CO ガス、水素ガスが内部に残るのが主因
溶込み不足	溶込み不足／溶込み不足	接合部の底の部分が溶けないで、すき間が残ったもの	①溶接棒の径の過大 ②底の間隔が小さすぎる

金、ステンレス鋼の溶接に欠かすことのできない溶接法である。

（2）　MIG溶接

　MIG溶接はイナートガスアーク溶接法の1つで、ワイヤーを消耗電極とし、アルゴン、ヘリウムなどの酸化性のない不活性ガスを主成分としたシールドガス中でアークを発生させ、溶接をする方法である（**図6・6・2**）。MIG溶接は非常に活性で、溶接時に大気中の酸素・窒素・水素と反応し、溶接部が脆化するチタン材料に有効である。

また、この方法は非鉄金属やステンレス鋼の溶接に用いられる。炭酸ガスアーク溶接よりも酸素の少ない溶着金属が得られ、そのため切欠きじん性が非常に良好であることから、最近では高品質が要求される場合の軟鋼、高張力鋼、低温用鋼の溶接にも用いられる。

(3) 溶接欠陥とその原因

溶接作業上で、溶接棒、溶接電流、溶接速度、溶接順序、母材の確認、開先形状などが悪い場合に、**表6・6・1**のように種々の溶接欠陥が発生する。

また溶接部の残留応力の除去には、溶接線をはさんで、幅約150mmを移動ガス炎で200℃に加熱して急冷させる低温応力低減法が用いられる(出展：溶接接合教室　寺崎俊夫)がある。

2　ガス溶接

ガス溶接とは、酸素とアセチレンや水素、プロパンなどのガスを使って燃焼させた高温の火炎で材料を温め、溶加材を加えて接合する方法である。ガス溶接の特徴は、薄板や異種金属、溶融点の低い金属などの溶接が可能なことである。火炎温度は酸素—アセチレンが約3573K(3300℃)、酸素—プロパンは約2873K(2600℃) 酸素—水素が2933K(2660℃)である(火炎温度の出典：太陽日酸ガス＆ウエルディング株式会社、岩谷産業株

Zoom Up

ガス溶接

ガス溶接は、アセチレンの比重は空気を1とした場合、約0.91で酸素とよく結びつく性質を利用して燃焼する際に発生する熱を利用して金属の接合を行う溶接である。ガス溶接はアーク溶接と異なり、炎の温度は溶接トーチの火口の白芯先端から2～3mmのところがもっとも高く3000～3500℃にもなる。この高温により鉄鋼だけではなくチタンやステンレスといったさまざまな金属溶接が可能となる。ガス溶接装置としては、①アセチレンガスボンベ②酸素ボンベ　③ガス圧力調整器　④ボンベとトーチを接続するホース　⑤燃焼火口がついた溶接トーチがある。
酸素は、黒色のボンベに入れられ、アセチレンの燃焼を助ける働きをする。酸素のホースは青を標準とすると決められて

いる。また、アセチレンは褐色のボンベに入れられているが、爆発しやすい性質があり、危険なのでガスに特有の臭いがつけられている。アセチレンは、ボンベの中でアセトンに溶解させて爆発しにくいように配慮されている。アセチレンのホースは、赤を標準とすると決められている。

式会社)

3　レーザ加工

　レーザ加工とは効率の高い連続波CO_2レーザを用いて熱処理、溶接、切断などを行う加工法である。その特徴は、真空加工室が不要なので高い実稼動率で使用できることである。以下に留意点をあげておく。

① 超硬合金、耐火合金などの難削材の加工ではバイト加工と併用する。そのため工具寿命、加工度、能率の大幅改善が図られる

② 宝石類、電子機器の穴あけ、溶接、切断に用いる

③ アルミニウム、ステンレスなどのシート（3mm以下）の高速切断を行う

④ 金属の表面硬化、パルスショックで20 ～ 30%の硬さ向上が図られる

⑤ 加工物が導電性である必要はないので、プラスチックなどの非金属材料の加工も可能

4　鍛　造

　鍛造(forging)は、金属の素材を金型などで圧力を加えて塑性流動させて成形する。鍛流線が連続するために組織が緻密になり、鋳造

に比べて鋳巣（空洞）ができにくいので、強度に優れた粗形材をつくることができる。主に再結晶温度以上または以下の加工により熱間鍛造と冷間鍛造の区分があり、冷間鍛造は仕上がりの製品の寸法精度が熱間鍛造より優れる。

5　鋳　造

　鋳造とは溶かした金属を型に流しこみ、型の形状を製品に転写する技術である。

　鋳造法には以下がある。

砂型鋳造法：造形された砂型に溶湯を充填成。形砂の再利用不可

Ｖプロセス鋳造法：吸引・減圧して砂型を造形し、充填成形後に復圧することで型をばらす。砂の再利用が可能

低圧鋳造法：精密な金型に溶湯を低速・低圧で充填成形。複雑形状に適する

重力金型鋳造法：精密な金型に溶湯の重力で充填成形。複雑形状に適する

ダイカスト鋳造法：精密な金型に溶湯を高圧・高速で充填成形。精密製品に適する

　鋳造製品の主な欠陥には、ピンホールや収縮（ひけ）などがある。ピンホールの原因は型砂からのガス発生であり、対策として砂の種類を工夫する必要がある。収縮（ひけ）は溶融金属（湯）が冷えて収縮するときに生じるので、収縮分の湯を見込んで補給すること（押し湯）が対策となる。

Zoom Up

きさげ作業での赤当たりと黒当たり

①赤当たり

きさげ仕上げの荒削りにおいては、定盤に光明丹を一様に塗って加工面に擦り合わせる。このとき、加工面に残っている凸面に光明丹が付着して赤い部分ができる。この赤部分を削り取る作業のことである。

②黒当たり

きさげ仕上げの仕上げ削りにおいては、定盤の光明丹をふき取って、加工面に光明丹を薄めに塗って擦り合わせる。このとき、加工面の凸面の光明丹がふき取られて中から黒光りする地肌が出てくる。この黒い部分を削り取る作業のことである。

6 手仕上げ作業

（1） ラップ仕上げ作業

　ラップ仕上げ作業は、工作物より軟らかい材料でつくられた仕上げ定盤の表面に、ラップ油とラップ剤（砥粒）の混合物を塗り、これで互いにすり合わせを行い、工作物表面の小さな凹凸の除去を行い、磨くことである。これは、研削作業よりさらに精度の高い表面を持ち、仕上げしろは0.005mm程度である。ラップ仕上げには乾式法と湿式法があり、乾式法の方が仕上がり面に光沢が出る。

（2） きさげ作業

　きさげ作業は、定盤や工作機械の摺動面仕上げ、すべり軸受のメタルの仕上げなどにおいて、すり合わせにより当たりをとり、高い部分を少しずつ削り取っていくことで所望の仕上げ面を得る作業である。

7 その他の特殊加工法

（1） ウォータージェット加工

　直径が0.1mm前後の水のジェットを連続、あるいはパルス状に数百m/s以上の速さで噴射して除去加工を行う加工法である。金属・非金属の穴あけや切断などに使用される。

（2） フォトエッチング

　写真原版とフォトレジストを使用して、被加工物表面を局部的に皮膜保護してから、皮膜されなかった部分をエッチングにより除去して所要寸法の製品を得る方法である。

（3） 電解研磨

　被加工物を陽極とし、陽極溶解作用を利用して被加工物表面の突起部分を選択的に溶解して、なめらかな表面を得る加工法である。

(4)　化学研磨

被加工物の微小な凸部を化学的に選択溶解して、なめらかな表面を得るものである。設備が簡単で複雑な形状のものを均一に仕上げられるが、電解研磨と比べて研磨効果の点で劣る。

(5)　電子ビーム加工

大きなエネルギーを持つ電子の束を、真空中において電磁レンズで絞って固体表面に焦点を結ばせるとパワー密度が大きくなり、電子の持つ運動エネルギーの大半が熱となって材料表面を気化蒸発させることで除去加工を行う。

溶接に使う場合は、溶加材が不要で活性金属や異種金属の接合が可能という特徴がある。

(6)　超音波洗浄

超音波洗浄機では、被洗浄体を水または有機溶媒中に入れ、超音波を電子的に発生させる。

超音波洗浄は、純水の中に発生する約100ミクロンから10数ミリの泡（キャビティ）を発生させて洗浄を行う洗浄方法である。洗浄作用は、① 泡の消滅による衝撃力、② 純水の分子振動の加速度、③ 振動面から遠方に向かって発生する直進流の3つの作用により行われる。周波数が高ければ泡の発生は少ないが分子の加速度は大きくなり、精度な洗浄が可能となる。

＊この章の頻出問題＊

問　題	機械工作法に関する記述のうち、適切でないものはどれか。 ア　レーザ加工は、ワイヤ放電加工に比べ加工速度が速い イ　電解研磨は、化学研磨に比べ小物を大量に処理することが困難である ウ　湿式ラッピングは、乾式ラッピングに比べ表面が光沢のある鏡面に仕上がる エ　フライス加工における下向き削りは、上向き削りに比べ刃先が摩耗しにくい（2023年1級）
解　答	ウ
解　説	ア、イ、エ　題意のとおり ウ　乾式ラッピングの方が、表面が光沢のある鏡面に仕上がるので誤り

■ 解法のポイントレッスン

　1級では頻出の、1位と2位を占める高エネルギー加工法と手仕上げ加工などの複合問題である。同時に紛らわしい加工名称を並べてその特徴を比較する問題で、難易度が高い。まずは本章で各加工法の特徴について把握しておこう。その上で、

ア　レーザ加工はエネルギーの集中により加工速度は毎分700〜10,000mmであるが、ワイヤ放電加工は徐々に溶融しながらの加工であるので、加工速度は毎分で数mm程度である

イ　化学研磨では液槽に浸漬可能な限り量産加工できるが、電解研磨は電極が必要であり、電流密度の均一性も求められるので加工量には制限がある

ウ　湿式ラッピングでは工作液中の砥粒が動きながら研磨するため、加工量が大きく無光沢となる。乾式ラッピングは、ラップに埋め込まれた砥粒が工作物に対してすべりながら研磨するので、加工量は少ないが光沢のある仕上げとなる

エ　下向き削りは上向き削りのように刃先のすべりを生じないので、刃先が摩耗しにくい

■ 過去18年間の傾向分析

　過去18年間の傾向分析から、1級については本章のレーザ加工や電子ビーム加工、フォトエッチング、ラップ・化学研磨・エッチングの出題が極めて多い。また、1、2級共通の出題傾向としては、溶接に関する問題が多いようである。これは溶接欠陥などとの関連があり、保全知識として重要視されているためと思われる。溶接にもガス溶接やアーク溶接、スポット溶接、電子ビーム溶接があり、それぞれの特徴を理解するとともに、アーク溶接の被覆剤や溶接機、ガス溶接の際に用いるガス容器など関連知識も一緒にチェックしておこう。また、鍛造やマシニングセンタに関する問題もよく出題されている。2級では残留応力除去の熱処理の問題についても出題されるので、共通問題の勉強と一緒に基礎を理解しておきたい。

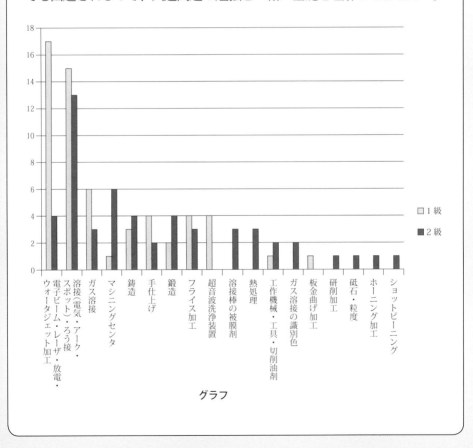

グラフ

実力確認テスト

【1】 鍛造に関する記述のうち、誤っているものはどれか。

    ア　型鍛造は材料の諸部分を、諸方向から順に加圧して行う鍛造である

    イ　圧造とは、ねじ、リベットなどを、プレス機械に取り付けた金型によって成形する鍛造である

    ウ　ロール鍛造とは、回転軸が平行で回転方向が向かい合う一対のロールに彫り型を取り付け、このロール軸に直角な方向から棒状の材料を挿入し、通過させて行う鍛造である。

    エ　冷間鍛造とは、室温または室温に近い温度で行う鍛造である

【2】 溶接に関する記述のうち、誤っているものはどれか。

    ア　スラグとは、電極の被覆剤またはフラックスが溶融し、凝固後に溶接金属を部分的または全体的に覆っている非金属物質のことである

    イ　スカラップとは、アーク溶接、ガス溶接、ろう接などにおいて、溶接中に飛散するスラグ及び金属粒子のことである

    ウ　フラックスとは、溶接またはろう接の際に、母材及び溶加材の酸化物などの有害物を除去し、母材表面を保護し、または溶接金属の精錬を行う目的で用いる材料のことである

    エ　溶接ビードとは、1回の溶接パスによって作られる結果としての1回分の溶接部又は溶接金属のことである

【3】 ガス溶接に関する記述のうち、適切なものはどれか。

    ア　酸素—アセチレン溶接の炎の温度は、溶接トーチの火口の白心先端から100mmのところがもっとも高い

イ　ガス溶接は、アルミニウムや薄板の金属の溶接に適している

ウ　酸素ガスは、アセチレンガスより比重が小さい

エ　酸素容器の色は褐色で、溶解アセチレンの容器の色は黒色である

【4】　次の溶接に関する記述のうち、適切なものはどれか。

ア　MIG溶接は、非消耗式電極であるタングステン電極と母材の間でアークを発生させて接合する方法である

イ　TIG溶接は、消耗電極であるワイヤーと母材の間でアークを発生させて接合する方法である

ウ　ガス溶接は、高温の火炎で材料を温め接合する方法で、溶接棒のような溶加材が不要である

エ　レーザ溶接は、レーザ光を金属に照射して金属を局部的に溶融・凝固させることによって接合する方法である

【5】　鋳造法の1つであるダイカスト法の説明として、誤っているものはどれか。

ア　ダイカスト法に使えるのはアルミや亜鉛、マグネシウム合金、銅などの非鉄金属である

イ　ダイカスト法は、砂型鋳造に比べて鋳造時の冷却速度が早く、鋳肌・寸法精度のいい緻密な製品ができる

ウ　ワックス（ろう）でつくった型にコーティングを施し、その後ワックス（ろう）を溶かすことによって鋳型ができる

エ　寸法精度が高く、薄肉で複雑な形状の製品をつくることができる

【6】　被覆アーク溶接棒に塗布された被覆材に関する記述のうち、適切なものはどれか。

ア　大気中の酸素や窒素を溶接金属中に進入させる効果がある

イ　溶接部の冷却を早めて、溶接効率を向上させる効果がある

ウ　スラグの融点、粘性、比重などを調整する効果がある

エ　アークの発生が妨げられ、アークが不安定になる欠点がある

【7】　次の手仕上げ作業に関する記述のうち誤っているものはどれか。

ア　ラップ仕上げには乾式法と湿式法があり、湿式法のほうが仕上がり面に光沢が出る

イ　きさげ作業における赤当たりとは、加工面の凸部に光明丹が付着している部分を削り取る作業のことである

ウ　ラップ仕上げでは、仕上げ定盤の表面に、ラップ油とラップ剤の混合物を塗り、これで互いに擦り合わせを行い、工作物表面の凹凸を除去する作業である

エ　きさげ作業とは、工作機械の摺動面仕上げなどにおいて、すり合わせにより当たりを取ることで、高い部分を少しずつ削り取る作業である

【8】　次の機械工作法とその説明の組合せのうち、適切なものはどれか。

ア　圧　接：部材を空気中または炉中で加熱し、打撃または他の衝撃力で接合面に十分な永久変形を与えて接合する加工である

イ　融　接：2個以上の母材を、接合される母材間に連続性があるように、熱、圧力またはその両方によって一体に接合する加工である

ウ　ろう接：はんだまたはろうを用いて継手とのぬれ現象およびすきまの毛管現象を利用し、母材をできるだけ溶融しないで接合する加工である

エ　溶　接：接合面が溶融状態で外力を加えずに接合する加工である

【9】　鋳造法に関する次の説明のうち、誤っているものはどれか。

ア　ダイカストとは、精密な金型に高速・高圧で溶湯を充填し、鋳

物を成形する鋳造法である

イ　砂型鋳造法とは、乾燥砂とビニル膜で造形した砂型に溶湯を鋳込み、鋳物を成形する鋳造法である

ウ　低圧鋳造とは、金型に低圧・低速で溶湯を充填し、鋳物を成形する鋳造方法である

エ　消失模型鋳造とは、発泡スチロールでつくった模型を気化させてできる空隙に溶湯を鋳込む鋳造法である

【10】　次の機械加工法に関する記述のうち、適切なものはどれか。

ア　フォトエッチング加工では、エッチング技術が基盤であるので、極薄製品の製作には不適である

イ　レーザ加工は炭酸ガスレーザを用いて熱処理や溶接、切断を行うので、被加工物には絶縁材料は加工できない

ウ　化学研磨の原理は、凸部を化学的に選択して溶解するので、バフ研磨のような機械的研磨よりも微細な加工ができない

エ　放電加工は、被加工物とグラファイト電極との間に起こした放電現象を利用して、非接触で複雑な形状の加工が可能である

解答と解説

【1】 ア

ア　問題文の説明は自由鍛造となっているので誤り。型鍛造とは、金型のインプレッション（金型内の彫り込み部分）内に、材料を加圧して充満させることによって成形する鍛造である

イ、ウ、エ　題意のとおり

【2】 イ

イ　問題文は、スパッタの説明となっているので誤り。スカラップとは、溶接線の交差を避けるために、一方の母材に設ける扇形の切欠きのことである

ア、ウ、エ　題意のとおり（いずれも JIS Z 3001（溶接用語）- 1 または 3001- 7（アーク溶接用語）に規定がある）

【3】 イ

ア　溶接トーチの火口の白心先端から 2 ～ 3mm のところがもっとも高いので誤り

イ　題意のとおり。アーク溶接は高温で金属を溶融して接合するが、ガス溶接は低温で金属を溶融するので、アルミニウムなどの融点が低い金属や薄板の溶接に適している

ウ　酸素ガスの方がアセチレンガスより比重が大きいので誤り。0℃ 1 気圧における酸素の比重は 1.105、アセチレンは 0.907 である

エ　酸素容器の色は黒色で、溶解アセチレンの容器の色は褐色であるので誤り。その他の色の分類は、液化炭酸ガス…緑色、液化塩素…黄色、水素ガス…赤色、液化アンモニア…白色、その他の高圧ガス…ねずみ色である

【4】 エ

ア　MIG 溶接ではなく、TIG 溶接であるので誤り

イ　TIG溶接ではなく、MIG溶接であるので誤り。TIG溶接もMIG溶接も、アルゴン、ヘリウムなどのイナートガス雰囲気中でアークを発生させて溶接することは共通しているが、電極がTIGは非消耗電極、MIGは消耗電極であることが異なる

ウ　溶加材も使用するので誤り。ガス溶接は酸素とアセチレンや水素、プロパンなどのガスを使って燃焼させた高温の火炎で材料を温めて接合する方法で、手作業の場合、作業者は片手に溶接トーチ、もう片方に溶加材を持って溶接を行う

エ　題意のとおり。レーザ溶接とは、レーザ光を熱源として主として金属に集光した状態で照射し、金属を局部的に溶融・凝固させることによって接合する方法である

【5】　ウ

ウ　問題文はロストワックス法に関するものであるので誤り。ロストワックス法とは、金型で製作した部品形状にワックス（ろう）を流し入れてつくった模型を加熱してワックスを溶かし、これを鋳型として、溶かした金属を流して鋳造する方法である。複雑な形状や、精密さを求める製品の製作が可能である

ア、イ、エ　題意のとおり

【6】　ウ

ア　大気中の酸素や窒素が溶接金属中に進入するのを防ぐので誤り

イ　溶接部を急冷することは溶接効率を下げることになるので誤り。溶接作業上は急冷を防止する必要がある

ウ　題意のとおり

エ　アークの発生を容易にして安定したアークをつくるので誤り

被覆剤の主な機能として、以下がある。

① アークの発生を容易にし、アークを安定化する

② ガスを発生させ、溶融金属を覆って大気中の酸素や窒素が溶接金属中に進入するのを防ぐ

③ 溶接作業性を良好にして，ビード外観を良好にし、冷却速度を

遅くする

④　スラグの融点、粘性、比重を調整し、各姿勢での溶接を容易にする

⑤　溶接金属の脱酸および清浄化を行う

⑥　必要な合金成分を添加する

【7】　ア

　ア　仕上がり面に光沢が出るのは、湿式法ではなく、乾式法であるので誤り

　イ　題意のとおり。紛らわしい用語で「黒あたり」があるが、黒あたりはきさげ作業の仕上げの段階で、加工面の凸面の光明丹がふき取られて中から出てきた黒光りする地肌を削り取る作業のことである

　ウ、エ　題意のとおり

【8】　ウ

　ア　問題文は鍛接の説明になっているので誤り。JIS Z 3001-1：2018（溶接用語－第1部：一般）によると圧接とは「接合面に大きな塑性変形を与える十分な力を外部から加える溶接。通常、溶加材は使用しない」と規定されている

　イ　問題文は溶接の説明になっているので誤り。JIS Z 3001-1：2018（溶接用語－第1部：一般）によると融接とは「接合面が溶融状態で外力を加えずに行う溶接。溶融溶接ともいう。通常、アーク溶接では，溶加材が使用される」と規定されている。

　ウ　題意のとおり

　エ　問題文は融接の説明になっているので誤り。JIS Z 3001-1：2018（溶接用語－第1部：一般）によると、溶接とは「2個以上の母材を、接合される母材間に連続性があるように、熱、圧力またはその両方によって一体にする操作。溶加材を用いても、用いなくてもよい。」と規定されている

【9】　イ
　　イ　問題文はVプロセス鋳造法の説明となっているので誤り。砂型鋳
　　　　造法とは、木型や樹脂型を用いて空洞を成形した砂型に溶湯を
　　　　鋳込み、鋳物を成形する鋳造法である。なお、Vプロセス鋳造法
　　　　は吸引力によって減圧して鋳物砂を造形し、鋳造、冷却後、鋳
　　　　物砂を大気圧に戻すことによって型ばらしを行う鋳造法である
　　ア、ウ、エ　題意のとおり

【10】　エ
　　ア　極薄製品の加工が可能であるので誤り。フォトエッチング加工
　　　　では、精密写真と腐食加工の応用によって半導体のリードフレー
　　　　ムなどの極小・極薄製品の製作に使われる
　　イ　導電性のない非金属材料の加工も可能であるので誤り。レーザ加
　　　　工は、照射した光エネルギーを熱に変えることで除去加工する
　　　　ので、被加工物の導電性には無関係で、プラスチックなども加
　　　　工できる
　　ウ　機械的研磨よりも微細な加工が可能であるので誤り。化学研磨
　　　　は、電気を使わず化学研磨薬液に浸漬することにより金属表面
　　　　を溶かして研磨する。機械研磨では仕上げることが難しい微細
　　　　なバリ取り・キズ取り・凹凸除去・光沢研磨を同時に大量に処
　　　　理することができる
　　エ　題意のとおり

出題の傾向　　学習のPOINT

　非破壊試験は金属材料の割れ、きず、内部の欠陥などを、その材料を破壊することなく検査する方法だけに幅広い知識が問われる。
　磁気試験、超音波試験、浸透探傷試験など代表的な非破壊試験法の特徴および用途について学習したい。

1　非破壊試験

JIS Z 2300：2020（非破壊試験用語）によると、非破壊試験とは、素材または製品を破壊せずに、品質又はきず、埋設物などの有無及びその存在位置、大きさ、形状、分布状況などを調べる試験。略称はNDTを用いる。同JISによると非破壊試験には方法によって次のように分類できる。

① 外観試験、② 漏れ（リーク）試験、③ 浸透探傷試験、④ 超音波探傷試験、⑤ 磁気探傷試験、⑥ 渦電流試験、⑦ 放射線透過試験、⑧ アコースティック・エミッション（AE）試験、⑨ ひずみゲージ試験、⑩ 赤外線サーモグラフィ試験

次節で、おもな非破壊試験について記す。

① ～ ⑦ が発生してしまった損傷を検出するのに対し、⑧ のAEは発生しつつある割れをタイムリーに検出するという違いがある。

2　非破壊試験の種類

2・1　漏れ（リーク）試験

漏れ（リーク）試験はタンクや容器などの溶接部の気密・水密を調べる目的で行われる。JIS Z 2300：2020（非破壊試験用語）に漏れ試験として液圧試験・水圧試験が規定されている。同JISによれば、液圧試験・水圧試験とは「試験体に水又は他の液体を一杯に充てんする圧力試験。必要があれば、所要時間、液体に圧力を加え、漏れがないか、試験体の外面を目視検査する。液体が水の場合をとくに水圧試験という」である。液圧試験はアコースティック・エミッション（AE）試験と併用される場合もある。

非破壊試験の適用範囲

非破壊試験種類が多く、適用範囲を誤らないように注意する必要がある。とくに、①試験の原理、②内部の欠陥検出用か、あるいは表面欠陥検出用であるのかの区別、③試験の適用ができない材料、などについて整理しておくことが大切である。

②と③を表にまとめる。

検査名称	検出できる欠陥	検査できない材料
浸透探傷試験	表面欠陥	表面の粗い材料
超音波探傷試験	内部欠陥	多孔質材
磁気探傷試験	表面欠陥	非磁性体（SUS304 など）
渦電流試験	表面欠陥	不導体
放射線透過試験	内部欠陥	ミクロ割れラミネーション
AE 試験	表面、内部	一部のプラスチック

2・2　浸透探傷試験

浸透探傷試験とは検査体表面に開口した欠陥を浸透液を用いて探傷する方法で、金属以外の非磁性材料にも適用できるが、多孔質のものや極端に表面の粗いものに対して適用しにくい場合もある。他の試験法と比べてもっとも特徴的なことは、複雑な形状の検査体でも1回の操作で試験面全体の探傷が可能で、欠陥の方向に関係なくすべての方向の欠陥が探傷できることである。

浸透液として、染料を含むものと蛍光物質を含むものの2種類がある。

浸透時間は、試験体の温度を考慮して決める。

2・3　超音波探傷試験

（1）　原　理

超音波探傷試験は可聴音（オーディオ）を超えた音波を被試験物の内部に侵入させて、内部の欠陥あるいは不均一層の存在を検知する方法で、普通は0.5 ～ 15Mc（メガサイクル）の周波数の超音波が用いられる。

金属材料の内部に持続時間のきわめて短い超音波パルスを入射すると、内部欠陥が反射源となって反射した超音波（これをエコーと呼ぶ）が戻ってくるが、このエコーを受信してブラウン管表示する。

このときのエコーの大きさから欠陥の大きさを推定し、また送信された超音波パルスが受信されるまでの時間を測定して、欠陥まで

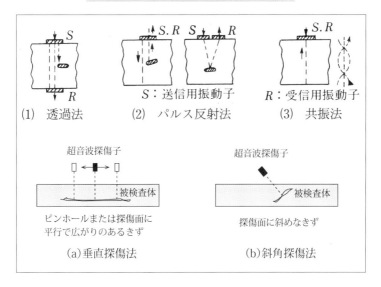

図6・7・1 超音波探傷試験の種類

(1) 透過法　(2) パルス反射法　(3) 共振法

S：送信用振動子　R：受信用振動子

超音波探傷子

(a)垂直探傷法
ピンホールまたは探傷面に
平行で広がりのあるきず

(b)斜角探傷法
探傷面に斜めなきず

の距離を知ることができるのである。

(2) 種　類

超音波探傷試験には次の3とおりがある。

① 透過法

この方法は精度は低いが、薄板製品あるいは表面層近くに欠陥を見つけ出すのに便利である。

② パルス反射法

この方法は溶接部、鋳物鍛造品および圧延素材の欠陥の試験に用いられる。パルス反射法には、**図6・7・1**の(a)垂直探傷法と(b)斜角探傷法とがあり、探傷面に平行な広がりのあるきずの検出には垂直探傷法が使用される。

③ 共振法

薄板の厚さの測定、板中の欠陥(ラミネーション)の試験、あるいは操業中の化学反応容器の厚さを測定して、腐食状況を知るなどの目的に使用される。

図6・7・2　欠陥部における磁粉模様の形成

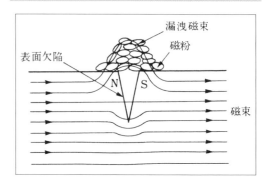

2・4　磁気探傷試験

（1）　磁気探傷試験の原理

　磁気探傷試験は図6・7・2に示すように、
被試験物を磁化した状態で表面または表面に
近いきずによって生じる漏洩磁束を、磁粉も
しくは検査コイルを用いて検出してきずの存
在を知る非破壊検査方法である。肉眼で見え
ないかすかなきず（割れ、すじきず、介在物
偏析、ブローホール、溶込み不良など）を検
知できるが、オーステナイト系ステンレス鋼
などの非磁性体には適用できない。

（2）　磁粉探傷試験

　磁粉探傷試験とは、強磁性体の表面または
表面から比較的浅い部分に存在する欠陥を探
傷する方法の1つである。試験体に適切な磁
場を加え、欠陥部に生じた漏洩磁場によって
磁粉を磁化し、欠陥部に生じた磁極に磁粉を
吸着させて磁粉模様を形成させる。形成され
た磁粉模様を観察することにより欠陥の有無
を知ろうとする試験方法である。

また、磁束線の方向と直角になる向きのき裂が発見されやすい。

2・5　渦電流試験

　渦電流試験は金属内に誘起される誘導渦電流(フーコー電流：eddy current)の作用を利用する比較的新しい非破壊試験方法で、金属の表面あるいは表面に近い内部の諸欠陥(割れ、ブローホール、空孔、すじきず、介在物、表面ピット、アンダーカット、溶込み不良、融合不良など)はもとより、金属の化学成分、顕微鏡組織および機械的・熱的履歴も検査できるほか、細管の寸法検査、各種の材料の選別にも利用できる。

　とくに磁気探傷試験を応用できない非磁性金属材料に便利である。オーステナイト系ステンレス鋼管(とくに細管)の欠陥検査や腐食度の検査に用いられる。

2・6　放射線透過試験

(1)　X(エックス)線透過試験

　X線は物体を透過するが一部は物体中に吸収される性質があり、透過X線の強さは透過厚さ、欠陥の有無、材質に応じて変化する。また、X線は蛍光物質に当たってこれから可視光線を発生したり、写真フィルムを感光させる性質がある。X線透過法はこれらの性質を利用して、金属内部にある欠陥を調べるものである。

(2)　γ(ガンマ)線透過試験

　肉厚が大になると普通のX線では透過しにくくなるため、X線よりさらに波長が短くて透過力の強い放射線、すなわちγ線を利用する試験法である。

　この方法は装置が簡単で現場での取扱いが容易であり、かつ可搬性があり安価である(γ線源は人体に照射されると有害であるから、普通はアルミニウム製のカプセルに詰め、これを鉛やタングステン製の容器に入れ保管している)。

2・7　アコースティック・エミッション（AE：Acoustic Emission）試験

（1）　概　要

　物体に荷重をかけていくとはじめに弾性変形をするが、その荷重の繰返しまたは荷重の増加などによって物体は塑性変形を生じ、ついには微細な割れが生じる。この割れの発生、成長の各段階ごとにひずみエネルギーが解放される。これをAEセンサーによってキャッチし、超音波を電気信号に変換してそのものの現在の状態を知り、破壊を未然に防止しようとするものである。

（2）　特　徴

　従来の非破壊試験法は、すでに発生している欠陥を検出する方法であるのに対して、AE試験は欠陥が発生しつつある状態を調べる方法である。

　AE試験は、その欠陥が安定して無害なのか、成長するような不安定な欠陥なのかなど、欠陥の有害度に関する情報が得られ、また破壊の予知が可能なことが大きな特徴である。また、稼動中に非分解で検査ができるので、大型で複雑な形状の設備でも検査が可能である。

2・8　ひずみゲージ試験

　電気抵抗ひずみゲージ法が一般的である。この方法は、ひずみゲージと呼ばれる素子を被測定物の表面に貼り付け、物体が変形するときにこれに追随して変形する、ひずみゲージの電気抵抗値の変化を測定し、この位置のひずみを求める方法である。この電気抵抗値の変化はきわめて微少であるため、ホイートストンブリッジ回路と呼ばれる、電気抵抗を精密に測定する回路が使用される。

　電気抵抗ひずみゲージは、温度係数の小さいマンガニンやアドバンスの細線または箔を樹脂板に貼り付けた構造である。測定にはブリッジ回路を用いるが、温度補償が必要であるためブリッジの2辺または4辺を同種のひずみゲージで構成する場合が多い。

　ひずみゲージの性能評価としてゲージ率Kが用いられる。

ε：ひずみ、R：ひずみゲージの抵抗、ΔR：ひずみゲージの抵抗の変化量とすると、

$K=(\Delta R/R)/\varepsilon$の関係がある。

＊この章の頻出問題＊

問　題	非破壊検査に関する記述のうち、適切でないものはどれか。 ア　浸透探傷試験は、赤色や蛍光の浸透性のよい検査液を用いて表面の欠陥を検出する方法である イ　渦電流探傷試験は、導電性のある試験体の近くに交流を通じたコイルを接近させ、電磁誘導現象によって試験体に発生した渦電流の変化を検出して探傷試験を行う方法である ウ　磁粉探傷試験は、被検査物を磁化した状態で、きずによって生じる漏洩磁束を磁粉もしくは検査コイルを用いて検出する方法である エ　超音波探傷試験は、稼動中の測定物から放出される超音波をセンサで検出して、破壊が発生する前にその予兆を調べる方法である （2022年　2級）
解　答	エ
解　説	ア、イ、ウ　題意のとおり エ　問題文はアコースティック・エミッション試験の説明となっているので誤り

■ 解法のポイントレッスン

　非破壊試験の出題頻度の1~4番目までがすべて揃った問題である。この4つの非破壊試験法は保全現場においてよく用いられる試験方法なので出題も多い。本問題においてJIS Z 2300：2020（非破壊試験用語）の定義は以下のとおりである。
① 浸透探傷試験：一般に浸透処理、余剰浸透液の除去処理、及び現像処理で構成される表面に開口したきずを指示模様として検出する非破壊試験
② 渦電流探傷試験（JISでは過電流試験）：対象物を検査するために誘導渦電流の電磁効果を用いる非破壊試験
③ 磁粉探傷試験（JISでは磁気探傷試験）磁性粉末を含む適切な試験媒体

を利用し、漏えい磁界によって表面及び表面近傍のきずを検出する非破壊試験

④ 超音波探傷試験：超音波を試験体中に伝搬させたときに試験体の示す音響的性質を利用して、試験体内部のきずまたは材質を調べる非破壊試験

⑤ アコースティック・エミッション試験：AE信号波を利用する非破壊試験方法及び材料評価方法

　本章の非破壊試験の項でのポイントは2つ。まず、内部欠陥検出用と表面欠陥検出用について試験法の区分ができること。2つめは、それぞれの試験法の特徴、とくにキーワードを知っておくことである。たとえば、浸透探傷試験は浸透液の模様、超音波探傷試験は伝搬・エコー、磁気探傷試験や磁粉探傷試験は漏洩磁界・磁粉模様、渦電流試験は渦電流・電磁効果、アコースティック・エミッション試験はAE信号・弾性波…などを整理しておこう。

■ 過去18年間の傾向分析

　出題は各非破壊試験方法に関するものと非破壊試験全般的な特徴に関する問題に大別されるが、基本は各非破壊試験について、適用（内部欠陥探傷用か表面欠陥探傷用なのか、など）や手順（磁粉や浸透液などの使用など）、原理、方法（超音波探傷試験のパルス反射法や斜角探傷など）についてまとめながら勉強しておくことである。過去18年間の傾向では、1、2級共通でほとんど毎年のように出題される項目として、超音波探傷試験、磁粉探傷試験、浸透探傷試験がある。これは各探傷試験とも方法に数種類あるため、問題がつくりやすいためであろう。1級に特化した頻出問題としてはAE試験が挙げられる。本書を十分に理解すること。また、平成25年度の試験ではひずみゲージに関する問題が1、2級ともに出題されている。今後の出題も予想されるので本章「2・8　ひずみゲージ試験」で学習しておきたい。

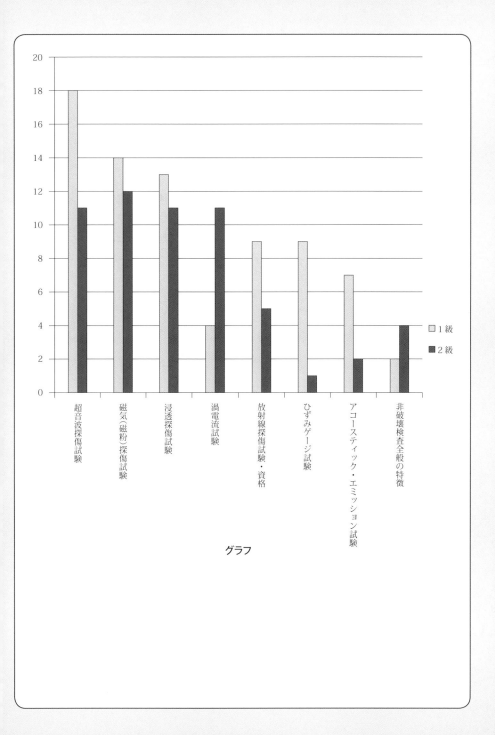

グラフ

実力確認テスト

【1】 探傷試験方法と欠陥の試験要求の組合わせのうち、適切なものは
どれか。

	探傷試験方法	欠陥の試験要求
ア	アコースティック・エミッション試験	突合わせ溶接部内部のスラグ巻込みを見つけたい
イ	超音波探傷試験	金属表層部の割れやピンホールを検出したい
ウ	X線透過試験	鋳物ケーシングの内部欠陥を発見したい
エ	渦電流試験	すでに発生した欠陥を検出するのではなく、発生しつつある状態を検出したい

【2】 次の超音波探傷試験に関する記述のうち、誤っているものはどれ
か。

ア 透過法は、薄板製品あるいは表面層近くの欠陥を発見するときに
適するが、小さいきずの探傷には適さず、深さ方向の位置は測
定できない

イ パルス反射法は、透過法に比べて小さいきずの探傷に適し、傷の
深さの位置が測定できるが、試験体が薄い場合には適さない

ウ 共振法は、溶接部に存在する探傷面に斜めに存在するきずの発見
に適する

エ 垂直探傷法は、ピンホールまたは探傷面に平行で広がりのあるき
ずの発見に適する

【3】 非破壊検査に関する記述のうち、誤っているものはどれか。

ア 浸透探傷試験は、一般に浸透処理、余剰浸透液の除去処理、及び
現像処理で構成される表面に開口したきずを指示模様として検
出する方法である

イ　渦電流試験は、対象物を検査するために誘導渦電流の電磁効果を
　　用いる方法である

ウ　磁粉探傷試験は、材料が変形したりき裂が発生したりする際の弾
　　性波をAEセンサで検出する方法である

エ　ひずみゲージ試験とは負荷を与えた試験体に生じるひずみゲー
　　ジの状態を調べる方法である

【4】　非破壊試験に関する記述のうち、適切なものはどれか。

ア　浸透探傷試験は、試験材の内部の割れや空洞の探知に適している

イ　肉厚の大きな鋳物内部に発生した欠陥の検出には、γ線よりもX
　　線透過試験を用いる

ウ　アルミニウム製品の表面に発生したきずの検出には磁粉探傷試
　　験が適している

エ　歯面に焼入れした歯車の表面検査を渦電流試験で行った

【5】　非破壊試験に関する次の記述のうち、誤っているものはどれか。

ア　超音波探傷試験は、超音波を試験体中に伝搬させたときに試験体
　　の示す音響的性質を利用して、試験体内部のきずまたは材質を
　　調べる非破壊試験である

イ　磁気探傷試験は、磁性粉末を含む適切な試験媒体を利用し、漏え
　　い磁界によって表面および表面近くのきずを検出する非破壊試
　　験である

ウ　浸透探傷試験は、漏れの有無、漏れ個所の検出、漏れ量の測定な
　　どを行う試験である

エ　アコースティック・エミッション試験は、AE信号波を利用する
　　非破壊試験方法および材料評価方法である

【6】 次の浸透探傷試験に関する記述のうち、適切なものはどれか。

ア 欠陥の方向によって探傷できる場合とできない場合がある
イ 複雑な形状の検査体では、検査面全体の探傷に複数回の操作が必要である
ウ 検査体表面に開口した欠陥を浸透液を用いて検査する
エ 金属以外の被磁性体材料や多孔質、表面が粗いものすべてに適用が可能である

【7】 磁粉探傷試験に関する記述のうち、誤っているものはどれか。

　　磁粉探傷試験は、磁化された被試験物の磁束線の模様により欠陥を検出する非破壊検査法である。したがって、(ア)被試験体は強磁性体であることが条件となる。また、磁化された被試験体の磁束線模様を観察するので、(イ)表面に口を開いたきずや表層部に存在する割れ状のきずも検出できる。試験では、強磁性体の微粉末を使い、(ウ)試験体の欠陥により発生した漏洩磁界の周囲に発生した磁粉模様を観察する。
　　磁粉探傷試験は(エ)表面開口きずばかりではなく、材料のブローホ—ルやきず深さも検出できる適用範囲の広い試験法である。

【8】 次の非破壊試験について、検出可能な欠陥と試験ができない材料の組合わせのうち誤っているものはどれか。

	試験名称	検出できる欠陥	試験ができない材料
ア	渦電流試験	表面欠陥	不導体材料
イ	磁気探傷試験	表面欠陥	非磁性体
ウ	超音波探傷試験	内部欠陥	多孔質材料
エ	浸透探傷試験	内部欠陥	表面が平滑な材料

解答と解説

【1】　ウ

ア　アコースティック・エミッション試験ではなく、超音波探傷試験であるので誤り。本章「2・3　超音波探傷試験」「2・7　アコースティック・エミッション試験」を参照。

イ　超音波探傷ではなく、渦電流試験であるので誤り。渦電流試験は、表面きずの検出能力に非常に優れた試験方法で、熱交換器や航空・自動車部品、金属棒・ワイヤーなど、さまざまな検査に応用されている。本章「2・3　超音波探傷試験」「2・5　渦電流試験」を参照

ウ　題意のとおり。本章「2・6　放射線透過試験」を参照

エ　渦電流試験ではなく、アコースティック・エミッション試験であるので誤り。本章「2・5　渦電流試験」「2・7　アコースティック・エミッション試験」を参照

【2】　ウ

ウ　問題文は射角探傷法の説明であるので誤り。共振法は薄板の厚さの測定、板中のラミネーションの検査、操業中の化学反応容器の腐食状況の検査などに適する。共振法とは、発信子から音波を入力することで低周波成分を含む広帯域な超音波を伝搬させて部材に固有の共振を発生させ、材質や厚み、欠陥の有無に応じて変化した共振振動を受信子でとらえることにより欠陥の有無を評価する手法である

ア、イ、エ　題意のとおり

【3】　ウ

ウ　問題文はアコースティックエミッション試験の内容となっているので誤り。磁粉探傷試験は、被検査物を磁化した状態で、きずによって生じる漏洩磁束を磁粉もしくは検査コイルを用いて

検出する方法である

ア、イ、エ　題意のとおり（JIS Z 2300：2020（非破壊試験用語））に
　　　　　　問題文とおりの規定がある）

【4】　エ

ア　浸透探傷試験ではなく、超音波探傷試験か放射線透過試験である
　　ので誤り。非破壊試験は、表面傷検査用と内部傷検査用に大別
　　できる。表面傷の検出には浸透探傷、磁気探傷、渦電流試験が
　　適する。また内部きずの検出には、超音波探傷、放射線透過試
　　験が適する（本章「2・3　超音波探傷試験」を参照）

イ　X線ではなく、γ線を用いるので誤り。本章「2・6　放射線透
　　過検査」を参照。γ線はX線よりさらに波長が短く、約 0.01nm
　　（0.1Å）以下のものをいう。透過力はX線より強いが、電離作用、
　　写真作用、蛍光作用はX線より弱い

ウ　磁粉探傷試験ではなく、浸透探傷試験であるので誤り。本章「2・
　　4（2）磁粉試験」を参照

エ　題意のとおり。導電性のある試験体の近くに交流を通じたコイル
　　を接近させ、電磁誘導現象によって試験体に発生した渦電流の
　　変化を検出して探傷試験を行う方法である

【5】　ウ

ウ　問題文は漏れ試験（リーク試験）に関する説明となっているので
　　誤り。浸透探傷試験は一般に、浸透処理、余剰浸透液の除去処理、
　　現像処理で構成される表面に開口したきずを指示模様として検
　　出する非破壊試験である

　　　なお、JIS Z 2300：2020（非破壊試験用語）にア～エの問題文
　　章およびウの解説文章どおりの規定がある

【6】　ウ

ア　欠陥の方向に関係なく、すべての方向の欠陥が探傷できるので誤
　　り

イ　1回の操作で検査面全体の探傷が可能であるので誤り
ウ　題意のとおり
エ　多孔質や表面が極端に粗いものについては適用できない場合も
　　あるので誤り

【7】　エ
　エ　磁粉探傷試験は被試験体表面部や表層部の欠陥の検出しかでき
　　　ない。ブローホールは通常は被試験体内部に存在するため、磁
　　　粉探傷試験は適用できない。ブローホールやきず深さは超音波
　　　探傷試験で検出する

【8】　エ
　ア、イ、ウ　題意のとおり
　エ　浸透探傷試験は表面欠陥を検出するための試験法であり、表面が
　　　平滑な材料の試験には適するので誤り。浸透探傷試験は検査個
　　　所に浸透液と呼ばれる液体を塗布し、きずに浸み込ませる試験
　　　方法であるため、多孔質材料ではきずと孔の区別ができないた
　　　めに試験対象とはできない

主題の傾向 ▼ 学習のPOINT

　油圧および空気圧に関する試験科目およびその範囲は、次のとおりである。
- 油圧装置および空気圧装置の基本回路
- 油圧機器および空気圧機器の種類、構造および機能
- 油圧装置および空気圧装置に生じる故障の種類・原因および防止方法
- 作動油の種類および性質

　これらの油圧・空気圧に関する各項目のポイントを整理して正しく理解し、学習することが重要である。

- 油圧は「潤滑」とともに一番多く出題されており、ポンプ、バルブ、アクチュエータと対象は広範囲にわたり、基礎的事項から応用的なものまでとなっている。それも異常・故障発生時の対応措置に関するものが多く、今後もこの傾向の出題となるであろう
- 基本回路に関する出題の比率は低いが、増加が考えられるので、各種制御弁の種類と特徴を整理しながら基本回路をマスターしてほしい
- 油圧作動油の必要な特性と、難燃性作動油の種類と特性の知識も重要である
- 空気圧の学習のポイントとしては、シリンダ、フィルタ、ルブリケータ、圧力スイッチなどについて、その構造や機能をベースとして実際の使用上の注意事項を整理しておくことである

1　サーボ回路

　普通の切換え弁は、単に流れの方向だけを切り換えるには非常に便利であるが、負荷(物体)の速度や位置を任意に決めることは困難である。これを可能にするために物体の位置、方向、姿勢(角度)などを制御量とし、目標値の任意の変化に追従するように構成された制御機構がサーボ機構である。

　切換え弁のスプールは外部から自由に動かされ、負荷(物体)はそれにつれて動くことになるわけで、このスプールを動かすエネルギー源により、電気サーボ、油圧サーボ、空気圧サーボに分けられる。

2　油圧機器

2・1　油圧装置を構成する5要素

　油圧装置で力を伝達する作動油の流れは、基本的に**図6・8・1**のようになっている。つまり、油圧装置はいろいろな要素の組合わせにより多くの機能をもたせることができるが、基本的には図中①～⑤の5つの要素があれば十分であることがわかる。

　図6・8・2に実際の油圧回路図における5要素の関係を示した。このように複雑な油圧回路においても5つの要素に大別して見ることができる。

2・2　油圧ポンプの機能・構造

(1)　ベーンポンプ
ベーンポンプには定容量形と可変容量形があり、一般に前者は圧力

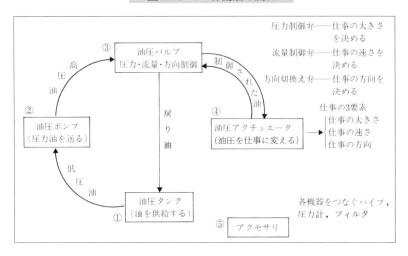

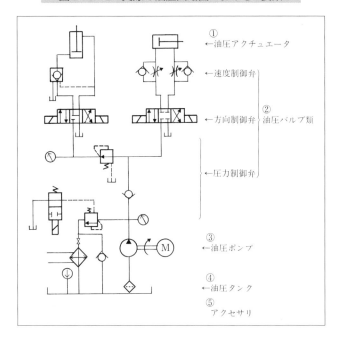

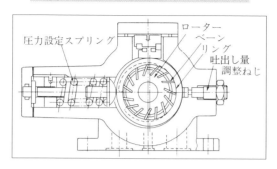

図6・8・3　可変容量形ベーンポンプ

平衡形、後者は圧力非平衡形が使用されている。圧力的には、従来は6.86MPa（70kgf/cm²）が一般的であったが、圧力補償機構の採用などにより13.73MPa（140kgf/cm²）以上の使用に対してもすぐれた性能を示すようになってきた。

① 特　徴

ベーンポンプの特徴として、次のことがあげられる。

・通常9〜15枚のベーンをもち、リングの形状により吐出し量が制御でき脈動も少ない

・ベーンは常に遠心力でリング面に押しつけられており、ベーン先端が多少摩耗しても漏れ、すき間をつくることなく安定した性能を維持する

② 可変容量形ベーンポンプ

1回転当たりの吐出し量を負荷圧に応じて変え、油圧作動に必要なだけの圧油を吐出し、ムダなエネルギー損失を少なくするために生まれたのが可変容量形ポンプである（図6・8・3）。

(2) 歯車ポンプ

歯車ポンプは、一対の歯車がケーシングの中でかみ合って回転することによってポンプ作用をする。他のポンプと比較して構造が簡単で部品点数も少なく、安価であり耐久性にもすぐれているため、工作機械、建設機械、車両、農機用機械など広く使用されている。

歯車ポンプは外接形と内接形に分類でき、歯形はインボリュート、トロコイドなどが用いられている。

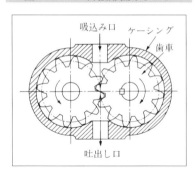

図6・8・4　外接形歯車ポンプ

圧力的には、従来は6.86 ～ 13.73MPa（70 ～ 140kgf/cm^2）であったが、改良研究により外接形では20.59MPa（210kgf/cm^2）、内接形では29.42MPa（300kgf/cm^2）が可能になってきた。

図6・8・4に外接形歯車ポンプを示す。

（3）　ピストンポンプ

ピストンポンプはシリンダ内におけるピストンの往復運動によってポンプ作用が行われ、他のポンプと比較して高圧での使用に耐え効率がすぐれている。

①　種　類

ピストンポンプは次の3種類に分けられる。

・ピストンを駆動方向に配置したアキシャル形
・半径方向に放射状に配置したラジアル形
・軸と直角方向に並列に配置し、クランクまたはカムで駆動するレシプロ形

②　特　徴

ピストンポンプの特徴として、次のことがあげられる。

・他のポンプと比較して非常に高圧まで耐え、効率もすぐれている
・可変容量形にするのが比較的容易で、バルブとの組合わせによってさまざまな可変制御が可能で、回路設計の容易化、省エネルギー化が行える
・ポンプとモータが同一構造で行え、油圧トランスミッション化が容易

である

しかし、多くの利点をもつ半面、次のような欠点がある。

・構造が複雑で精密な仕上げを必要とし高価になる
・摺動部が作動油の汚染により摩耗しやすく、作動油の管理が重要である
・ピストン本数による脈動が振動・騒音源になりやすい

2・3 油圧バルブの種類・機能

（1） 圧力制御弁

圧力制御弁は、油圧回路の圧力を一定に保持する、回路内の最高圧力を制限する、主回路より一段低い圧力に減圧する、回路内の圧力が一定以上になるまで流れをしゃ断するなど圧力を制御する弁である。

① リリーフ弁

油圧回路内の圧力が弁の設定圧力に達すると、弁が開いて圧油の一部または全量を戻り側へ逃がし、油圧回路を一定圧力に保ち、異常圧力を防止し、装置を保護する役目を果たす。リリーフ弁を構造的に分類すると、直動形リリーフ弁とバランスピストン形（パイロット作動形）リリーフ弁に大別できる。

1） 直動形リリーフ弁

この弁は構造が簡単で容量の割には比較的小型だが、チャタリングの発生や圧力オーバーライド性能が悪く、低圧小容量向けの安全弁として使用される。

2） バランスピストン形リリーフ弁

この弁は、回路内の余剰油を逃がすバランスピストン部（流量制御部）と、その作動を制御して圧力を調整するパイロット部（圧力制御部）からなりたっている。したがって、このリリーフ弁をパイロット作動形リリーフ弁とも呼ぶ。また、この弁は油圧バランス構造にしているため、チャタリング現象が小さく圧力オーバーライドも小さい。**図6・8・5**に作動原理を示す。

② 減圧弁

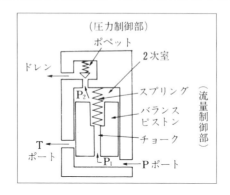

図6・8・5　バランスピストンの作動原理

　主回路より一段低い圧力が必要な場合に使用する弁で、構造的には差圧一定形減圧弁と2次圧一定形減圧弁がある。

　差圧一定形減圧弁は、1次側圧力と減圧された2次側圧力との差圧が常に一定で、流量調整弁の圧力補償機構に用いられている。

　2次圧一定形減圧弁は圧力制御弁として一般的に使用するもので、1次側圧力が2次側設定圧力よりも高ければ、1次側圧力に関係なく2次側圧力を一定圧力に保持する。

③　シーケンス弁

　2つ以上の分岐回路がある場合、回路の圧力によってアクチュエータの作動順序を自動的に制御するために使用するのがシーケンス弁である。シーケンス弁は構造的に直動形シーケンス弁とパイロット作動形シーケンス弁に分類できる。

④　アンロード弁

　回路内の圧力が設定圧力以上になると自動的に圧油をタンクに逃がして回路圧力を低下させ、ポンプを無負荷状態にして動力を節約できる自動弁である。

　シーケンス弁と異なるのは、2次側回路はかならずタンクへ接続されることである。

⑤　カウンターバランス弁

　アクチュエータの戻り側に抵抗を与え、立形シリンダなどの自重落下

防止、または制御速度以上の速さで降下するのを防止するときに使用するのがカウンターバランス弁である。ドレンは内部に、パイロット圧力は外部または内部から取り入れる。この弁はかならずチェック弁を内蔵し、2次側から1次側への逆流が自由に流れる構造になっている。

（2）　流量制御弁

　油圧回路の供給油量を調整し、油圧シリンダや油圧モータなどの速度を制御するのが流量制御弁である。流量の制御方法には可変容量形ポンプを使って1回転当たりの吐出し量を変える方法と、流量制御弁による方法がある。

①　絞り弁

　絞り弁の形状にはニードル形とスプール形があり、前者をニードル弁、後者をスロットル弁と呼んでいる。

　絞り弁は弁内の絞り抵抗によって通過流量を制御するもので、機構が簡単で広く使用されている。しかし、圧力変動によって流量が変化する欠点があり、そのためアクチュエータの速度の精密さを必要としない回路や、圧力変動の少ない回路に使用される。

②　流量調整弁

　流量調整弁は圧力補償付き流量調整弁とも呼ばれる。絞り弁の欠点をなくすためには、圧力変動があっても通過流量が一定になるように弁内部の絞り弁前後の圧力差を一定にすればよく、そのために差圧一定形の減圧弁が内蔵されている。これを圧力補償付き流量調整弁と呼ぶ。

　圧力補償付き流量調整弁では、制御開始時に過渡的に設定流量をいちじるしく上回る流量が流れることがある。これを「ジャンピング現象」と呼ぶ。その原因は、圧力補償ピストンに圧力が作用していない場合、スプリング力により減圧部が全開の状態にあり、制御開始時に1次側圧力および流量が急激に流入すると、規定の圧力に減圧されるまでに時間遅れが生じるためである。

（3）　方向制御弁

　油圧アクチュエータの運動方向を制御するため、油の流れの向きを変えたり、流れの方向を規制する制御弁である。方向制御弁の操作方法による分類には、電磁操作、機械操作、手動操作などがある（JIS B 0142

2011（油圧・空気圧システム及び機器—用語））。
① チェック弁
　油を1方向にだけ流し、反対方向への流れを完全に阻止する弁である。チェック弁やリリーフ弁は、油圧が設定圧以上になると、作動油が弁ばねを押し上げてタンクに逃げる構造であるが、この逃げ始めの圧力をクラッキング圧力という。クラッキング圧力は、ばね力をシート受圧面積で割った値で表わされる。
② パイロット操作チェック弁
　逆流を完全に阻止せず、必要に応じてパイロット圧力による外力を作用させ逆流を可能にする弁である。
③ 切替え弁
　切替え弁とは、アクチュエータへの油の流入と流出の方向を切り替える弁であり、弁体の操作形式により、手動切替え弁や電磁切替え弁がある。
・手動切替え弁
　レバー等を手動で動かして弁体の位置を変えて油の方向を切り替える弁
・電磁切替え弁（ソレノイド弁）
　切換え弁の片側または両側にソレノイド（電磁石）を設け、電気信号のON、OFFにより交互に通電・励磁して電磁石を作動させ、直接または間接的にスプールを駆動し、油の方向を切り替える弁。
④ 交流ソレノイドと直流ソレノイド
　交流ソレノイド弁では、コイルに流れる電流は可動鉄心と固定鉄心の距離（ストローク）によって変化し、ストロークが大きくなると大きな電流（起動電流）が流れる。したがって、何らかの原因でスプールが切換え途中で固着するとコイルに過大な電流が流れ続けるため、異常発熱を起こしてコイルの焼損に至ることがある。供給電圧が低すぎる場合や電磁弁内に異物が混入していると、うなり音を発生する。
　一方、直流ソレノイドではコイルに流れる電流はコイルの巻き線抵抗のみによって決まるためストロークに関係なく一定であり、通常はコイルの焼損は起きない。ただし、巻き線抵抗は温度によって変化し、温度

バルブのトラブル

(1) リリーフ特性（圧力オーバライド特性）

リリーフ弁において、逃げ始め圧力（クラッキング圧力）とポンプ吐出し量を全量逃がす圧力（全量圧力）は一致しない。この圧力差を圧力オーバライドといい、設定圧力の何%まで使用流量として有効利用できるか知ることができる。下の図に圧力オーバライド特性を示す。

リリーフ特性（圧力オーバライド特性）

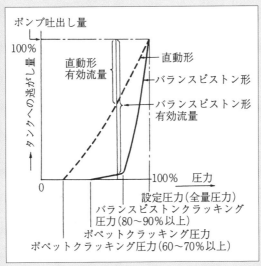

（2）作動遅れ

油圧装置において、アクチュエータの急激な停止や切換え弁の操作や負荷の変動によって、回路内に過渡的に異常高圧（サージ圧）が発生することがある。この異常圧から設定圧力に安定するまでの時間を作動遅れという。

（3）ジャンピング現象

圧力補償付流量調整弁では、制御開始時、過渡的に設定流量をいちじるしく上回る流量が流れることがある。これをジャンピング現象と呼ぶ。その原因は、圧力補償ピストンに圧力が作用していない場合、スプリング力により減圧部が全開の状態にあり、制御開始時に1次側圧力および流量が急激に流入されると規定の圧力に減圧されるまでに時間遅れが生じるためである。

（4）サージ圧力

流体の流れが制御弁などの操作によって、急激に変化させられると、流体の運動エネルギーが圧力のエネルギーに変わるため急激な圧力の変動が生じる。このように、油圧回路中で過渡的に発生する異常圧力変動の最大値を、通常サージ圧力と呼んでいる。

（5）チャタリング

弁がたたかれる現象で、直動形リリーフ弁のようにスプリングによって圧力を設定している弁に発生しやすい。圧力がスプリングの力に近くなると弁が浮き上がり、すき間から油が流れ出すと圧力が小さくなり、スプリング力で弁がたたきつけられて閉じるが、次の瞬間圧力が上昇して弁を持ち上げる。騒音を発生しながら繰り返される現象をいう。

が上がると抵抗が増えて吸引力が低くなるため、直流ソレノイドの使用に当たっては油温・室温などの周囲温度に気をつける必要がある。

⑤　電気－油圧サーボ弁

電気－油圧サーボ弁とは、微弱な電気信号を油圧に変換して強力な出力を得ようとするもので、入力信号に比例した流量または圧力を制御する弁である。油圧サーボバルブは普通の切換え弁とよく似ているが、サーボバルブではバルブと中立位置でのスプールの重なりしろが非常に小さく、数10ミクロンに加工されるのが普通である。そして4ヵ所の重なりしろの公差も数ミクロン以内に抑えられている。次に、サーボ弁の故障の約90％はゴミの影響によるものといわれている。このため油圧の場合、ノズル入口側において公称3〜5μm程度のフィルタを内蔵している。

さらに弁入口において、公称5〜10μmのフィルタを使用しなければならない。この場合の油の汚染度の限界はNAS6〜7級とされている。

電気－油圧サーボ弁は、次のような特徴をもつ。
・電気信号によって比例制御ができる
・遠隔制御、プログラム制御ができる
・高速応答で追従性がよい
・分解能が高く制御精度が高い
・信頼性が高い

2・4　油圧アクチュエータ

油圧アクチュエータは、流体エネルギーを直線運動や回転運動に変換する装置の総称であり、変換方式によって次の2つに大別できる。
・油圧シリンダ：直線往復運動
・油圧モータ：回転運動

（1）　油圧シリンダ

油圧シリンダは、流体のもつエネルギーすなわち流量、圧力を直線運動に変えるものである。

①　構　造

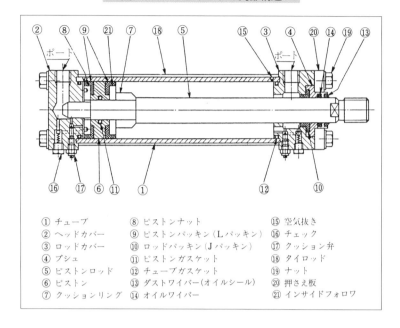

① チューブ　　　　　　⑧ ピストンナット　　　　　⑮ 空気抜き
② ヘッドカバー　　　　⑨ ピストンパッキン（Lパッキン）　⑯ チェック
③ ロッドカバー　　　　⑩ ロッドパッキン（Jパッキン）　⑰ クッション弁
④ ブシュ　　　　　　　⑪ ピストンガスケット　　　⑱ タイロッド
⑤ ピストンロッド　　　⑫ チューブガスケット　　　⑲ ナット
⑥ ピストン　　　　　　⑬ ダストワイパー（オイルシール）　⑳ 押さえ板
⑦ クッションリング　　⑭ オイルワイパー　　　　　㉑ インサイドフォロワ

図6・8・7　油圧シリンダの推力

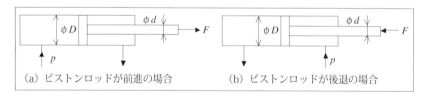

（a）ピストンロッドが前進の場合　　（b）ピストンロッドが後退の場合

一般産業用油圧シリンダの内部構造を**図6・8・6**に示す。

② 種　類

1）　単動形シリンダ

ピストンの片側だけに油圧がかかるもので、おもに立形に用いられる。

2）　複動形シリンダ

　ピストンの両側に油圧がかかるもので、油圧シリンダとして一般的に用いられるのはこの形式である。これらのシリンダには両ロッド形、テレスコピック形なども含まれ、両ロッド形のものは前進・後進スピード

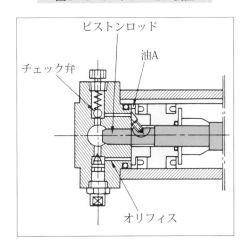
図6・8・8　クッション装置

の等速化を目的として使用することが多い。

③　推　力

図6・8・7に示すピストン直径D、ピストンロッドの直径dの油圧シリンダにおいて供給圧力がpの場合、ピストンロッドに発生する推力Fは、ピストンロッドが前進する場合、$F=(\pi D^2/4)\times p$、ピストンロッドが後退する場合、$F=\{\pi(D^2-d^2)/4\}\times p$となる。すなわち、ピストンロッドの前進・後退では推力Fの値が異なることに注意する必要がある。

なお、上記は空気圧シリンダにおいても同様である。

④　**クッション装置**

運動しているピストンがシリンダのストロークエンドにおいて、そのままの早いスピードでカバーに当たると大きなショックが発生し、精度不良や油圧機器自体の寿命低下を生じることがある。

図6・8・8でストロークエンドにおいてピストンロッドがカバーに入ると、Aの油はせき止められてオリフィスを通って外部に通じる。この逃げ量を調整することによりクッション部のシリンダスピードが調整できる。ピストンが反対方向に動く場合は、外部からの油はチェック弁を押し開いてピストン全面積にかかるため、急激に圧力が上昇することもなくスムーズにスタートする。

性能＼分類	歯車モータ	ベーンモータ	ピストンモータ	
			アキシャル形	ラジアル形
圧力範囲〔MPa〕	0.69〜17.16	0.69〜17.16	0.69〜34.32	0.69〜20.59
速度範囲　最大 r/min (rpm)	600〜3600	1000〜3600	1000〜3600	1000〜4500
速度範囲　最小 r/min (rpm)	150〜400	50〜150	1〜150	1〜150
ランニングトルク (理論値の％)	80〜95	85〜95	90〜95	90〜95
起動トルク (理論値の％)	70〜80	75〜90	85〜95	80〜90
瞬間過負荷トルク (ランニングトルクの％)	110〜130	120〜140	120〜140	120〜140
容積効率　〔％〕	80〜90	85〜95	93〜98	90〜98
全効率　〔％〕	65〜90	75〜90	85〜95	80〜95

$1MPa = 10.2kgf/cm^2$

（2）　油圧モータ

　油圧モータは油圧によって連続回転する機器で、原理的には油圧ポンプの吸入側から油を送り込むものなので、構造に関しては油圧ポンプの項を見ていただきたい。

　油圧モータの形式を機能・構造から分類したものを**表6・8・1**に示す。

2・5　アキュムレータ

　アキュムレータは、油圧回路において油が漏れた場合に圧力が低下しないための漏れた油の補充や、停電などの緊急時の補助油圧源となるだけでなく、サージ圧力を吸収したり脈動を減衰させるなどの効用をもっている。**図6・8・9**にアキュムレータの構造を示す。

　最近のアキュムレータはほとんどが気体圧縮式で、その中でもブラダ形が主流となっており、使用される気体は安全性・経済性の面から通常は不活性ガスのうち窒素ガスが使用されている。

　この圧力は使用条件によって異なる。**図6・8・10**にエネルギー蓄積用と衝撃・脈動吸収用の場合の圧力設定範囲を示す。

図6・8・9　アキュムレータの構造(ブラダ形)

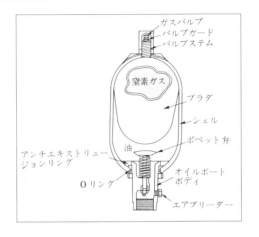

図6・8・10　窒素ガスの封入圧力

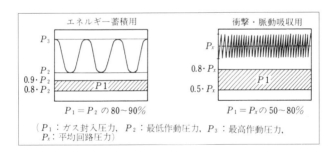

3　油圧装置を構成する基本回路

3・1　圧力制御回路

　圧力を制御するもので、無負荷回路、シーケンス回路、圧力調整回路、自重落下防止回路、アキュムレータ回路などがある。

図6・8・11　シーケンス弁を用いたシーケンス回路　図6・8・12　自重落下防止(カウンターバランス)回路

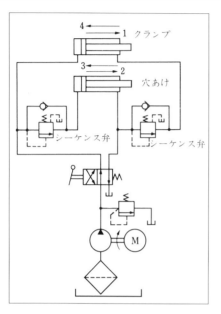

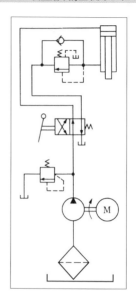

(1)　無負荷回路

この回路は、油圧アクチュエータが仕事をしていない場合に、油圧ポンプを無負荷にして動力損失を少なくし、油温の上昇を防止して油圧ポンプの寿命を長くするためのものである。

(2)　シーケンス回路

油圧アクチュエータを順次作動させる回路をシーケンス回路といい、次のようなものがある。

・負荷の違いを利用するもの
・シーケンス弁を用いるもの(**図6・8・11**)
・電磁切換え弁とリミットスイッチを用いるもの

(3)　圧力調整回路

この回路は、主回路圧力とは別に回路の一部を減圧し、作動の目的に応じた圧力を保持させるものである。

(4)　自重落下防止回路(カウンターバランス回路)

立形シリンダのロッドが負荷によって自重落下する場合には、**図6**

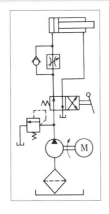

図6・8・13 メーターイン回路

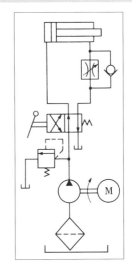

図6・8・14 メーターアウト回路

・8・12に示すようにロッド側回路にカウンターバランス弁を挿入し、ロッド側負荷に見合う背圧を発生させることにより自重落下を防止することができる。この場合、シリンダの下降速度はポンプ吐出し量に見合った一定のものとなる。

(5) アキュムレータ回路

アキュムレータを用いることにより、圧力の保持によって動力を節約したり、急激な圧力を吸収して回路の安全確保などを図ることができる。

3・2 速度制御回路

(1) 速度制御の基本回路

① メーターイン回路

図6・8・13に示すように、アクチュエータの入口側に流量制御弁を設定し流量を制御する方法である。

この回路は、シリンダにロッドの運動方向と逆の方向の負荷が作用する場合に適用され、またシリンダ負荷の変動の大きい回路に適しているので、フライス盤の送りなどに使用される。

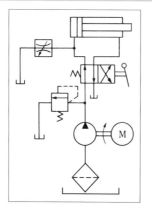

図6・8・15　ブリードオフ回路

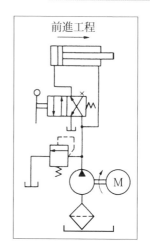

図6・8・16　差動回路

② メーターアウト回路

図6・8・14に示すように、油圧アクチュエータの出口側に流量制御弁を設け、アクチュエータの速度を制御する回路である。

負荷変動が大きい個所やロッドの運動方向と同じ方向に作用する負荷（シリンダが縦型で自重降下の危険性がある場合など）に有効である。

③ ブリードオフ回路

図6・8・15に示すように、ポンプからアクチュエータに流れる流量の一部をタンクへ分岐（バイパス）することにより、アクチュエータの速度を調節する回路である。ムダな動力の消費をせず回路効率は非常にすぐれている。しかし負荷の変動が大きい場合には正確な速度制御はできない。

(2) 差動回路

シリンダの左右両側のポートに同時に圧油を送り、前進時にピストンの両側を回路で連結してロッド側の油をピストン側に流し、ポンプからのピストン側への供給油と合流した大流量によりロッドを早送りさせる回路である（**図6・8・16**）。

(3) 同調回路

複数のシリンダや油圧モータを、同時に同速で作動させたい場合の回

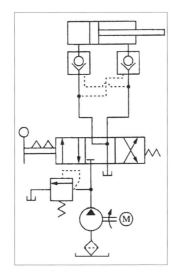

図6・8・17　ロッキング回路

路を同調回路という。

　回路を大別すると、油の流れを調整して2つ以上のシリンダを同調運動させるものと、シリンダの回路を直列に結合して行うものの2種類になる。

3・3　ロッキング回路

　図6・8・17に示すように、切換え弁やパイロットチェック弁を用い、油圧アクチュエータを任意の位置に固定し動き出さないようにする回路である。

4　油圧装置に生じる故障の種類、原因および防止法

4・1　故障の現象と原因推定　　《実技試験出題項目！》

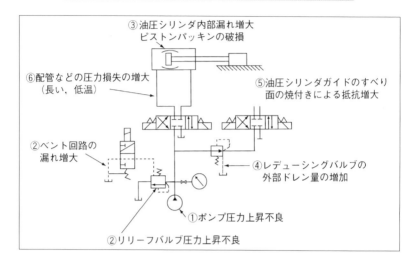

図6・8・18　油圧シリンダの出力低下現象の原因

図中ラベル：
③油圧シリンダ内部漏れ増大 ピストンパッキンの破損
⑥配管などの圧力損失の増大（長い，低温）
⑤油圧シリンダガイドのすべり面の焼付きによる抵抗増大
②ベント回路の漏れ増大
④レデューシングバルブの外部ドレン量の増加
①ポンプ圧力上昇不良
②リリーフバルブ圧力上昇不良

（1）　油圧シリンダの出力低下

　油圧シリンダの出力低下の原因としては、次のようなものが考えられる。**図6・8・18**は、以下に述べる原因項目を回路図で示したものである。

① 油圧ポンプの圧力上昇不良

② リリーフバルブの圧力上昇不良

・ ゴミによる場合は分解、洗浄
　 バランスピストンチョークのゴミ詰まり
　 バランスピストンと弁座に異物かみ込み
　 針弁と弁座に異物かみ込み

・ 摩耗によるものは部品交換
　 針弁と弁座の摩耗

・ ベント回路より内部漏れが大きい

③ 油圧シリンダの内部漏れ増大

・ シリンダピストンパッキンの破損

・ オイルモータの容積効率が大幅に低下

④ 油圧回路内のバルブより大量の油がタンクへバイパス

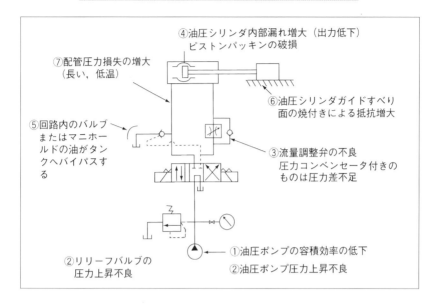

④油圧シリンダ内部漏れ増大（出力低下）
　ピストンパッキンの破損

⑦配管圧力損失の増大
　（長い，低温）

⑥油圧シリンダガイドすべり
　面の焼付きによる抵抗増大

⑤回路内のバルブ
　またはマニホー
　ルドの油がタン
　クへバイパスす
　る

③流量調整弁の不良
　圧力コンベンセータ付きの
　ものは圧力差不足

②リリーフバルブの
　圧力上昇不良

①油圧ポンプの容積効率の低下

②油圧ポンプ圧力上昇不良

⑤ 油圧シリンダガイドすべり面の焼付きなどによる抵抗増大
⑥ 配管などの圧力損失の増大

(2)　油圧シリンダの速度低下

　油圧シリンダの速度低下の原因としては、次のようなものが考えられる（**図6・8・19**）。
① 油圧ポンプの容積効率の低下
② 出力不足が原因で起こるもの
・ 油圧ポンプの圧力上昇不良およびリリーフバルブの圧力上昇不良
③ 流量調整弁の不良
・ 圧力コンベンセータ付きのものは圧力差が不足の場合
④ 油圧シリンダの内部漏れ増大
・ シリンダピストンパッキンの破損
・ オイルモータの容積効率の低下
⑤ 油圧回路内のバルブまたはマニホールドブロックから油がタンクへ
　 バイパス

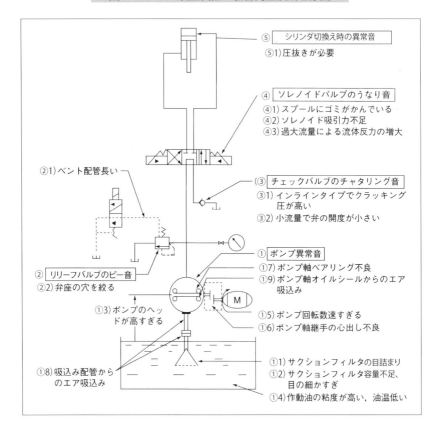

⑤　シリンダ切換え時の異常音
⑤1) 圧抜きが必要

④　ソレノイドバルブのうなり音
④1) スプールにゴミがかんでいる
④2) ソレノイド吸引力不足
④3) 過大流量による流体反力の増大

②1) ベント配管長い

③　チェックバルブのチャタリング音
③1) インラインタイプでクラッキング
　　 圧が高い
③2) 小流量で弁の開度が小さい

①　ポンプ異常音
①7) ポンプ軸ベアリング不良
①9) ポンプ軸オイルシールからのエア
　　 吸込み

② リリーフバルブのピー音
②2) 弁座の穴を絞る

①3) ポンプのヘッ
　　 ドが高すぎる

①5) ポンプ回転数速すぎる
①6) ポンプ軸継手の心出し不良

①8) 吸込み配管から
　　 のエア吸込み

①1) サクションフィルタの目詰まり
①2) サクションフィルタ容量不足、
　　 目の細かすぎ
①4) 作動油の粘度が高い，油温低い

⑥ 油圧シリンダガイドすべり面の焼付きなどによる抵抗増大

⑦ 配管などの圧力損失の増大

（3）　騒　音

図6・8・20に、油圧装置の騒音発生個所と原因を示す。

①　ポンプの異常音

ポンプから異常音が発生する場合、次のような原因が考えられる。

1) サクションフィルタの目詰まり

2) サクションフィルタの容量不足、または目が細かすぎる

3) ポンプ吸込みヘッドの高さが油面から高すぎる

4) 作動油の粘度が高い、または油温が低い
5) ポンプの回転数が速すぎる
6) ポンプの軸継手の心出し不良
7) ポンプ軸ベアリングの不良
8) 吸込み配管からのエア吸込み
9) ポンプ軸オイルシールからのエア吸込み

② リリーフバルブのピー音の原因
1) リモートコントロールしているときのベント配管の容積が大きい
2) リリーフバルブ針弁弁座付近の渦流による(弁にチョークを入れて絞ると効果がある)

③ チェックバルブのチャタリング音の原因
1) インラインタイプ(入口と出口が直線上になる形式)でクラッキング圧が高い
2) 小流量で弁の開度が小さい

④ ソレノイドバルブのうなり音
ソレノイド(電磁石)の可動鉄心が完全に密着しておらず、振動を伴ってうなり音を発生する場合は次のような原因が考えられる。
1) スプールにゴミがかみ込んで動きが固い
2) ソレノイドの吸引力不足(誤結線をしていないか、また電圧・周波数が正しいかどうか調べる)
3) 過大流量による流体反力の増加

⑤ シリンダ切替え時の異常音
1) 圧抜きが必要

(4) 振動、油漏れ
振動や油漏れという現象が生じた場合、次のような原因が考えられる。
1) 起動、停止時の切換えクッションが大きい(慣性力による異常圧力の発生に対するブレーキバルブがない)
2) サージ圧の発生
3) 配管サポートの強度不足
4) 油圧ポンプにキャビテーション発生
5) リリーフバルブにチャタリング発生

(5)　発　熱

発熱の原因としては次のようなものが考えられる。

1) ポンプ容積効率の低下
2) ポンプ内部の異常摩耗による焼付き
3) 油温上昇が激しい
4) ストレーナの目詰まりまたは吸込み抵抗大
5) エアの侵入
6) 軸継手の心出し不良

4・2　油圧ポンプの機能低下・停止とその原因

ポンプの基本的性能としては容積効率、機械効率、全効率などがある。これらの値が初期値より悪くなっていくことが機能低下であり、装置の機能が果たせなくなるまで進行したものが機能停止である。機能低下としては容積効率の極端な低下である吐出し量不足(圧力上昇不良)、機能停止としては焼付き、部品破損、外部油漏れなどがあげられる。

以下に、吐出し量不足の原因について記す。

(1)　ポンプ吸入抵抗大による吐出し量不足

油圧ポンプは、ポンプ吸入側での負圧が大きくなると吐出し量が減少する。これは負圧がある値を超えると油の中に溶解している空気が気泡となって出てきて、油のかわりに空気を吸い込むためである。この吸入圧の吐出し量に対する影響は、ポンプ形式によってもまた油温によっても異なる。

この吸入抵抗の増大による負圧の増大は、単に吐出し量の低減だけでなく大きな騒音を発生し、キャビテーション(空洞発生現象)による激しい侵食を起こしたり、部品振動を誘発したりして寿命をいちじるしく縮める。

(2)　油中のゴミによる部品の摩耗

油圧機器の内部部品間のシールはパッキンなどのシール材を使用せず、油の粘性を利用したすき間のコントロールによって行っている。このため、微小なゴミの影響を受けやすい。異物の大きさの影響としては

表6・8・2　悪影響を及ぼす粒径

対象油圧機器	影響粒径〔μm〕
ピストンポンプ	12〜20
ラジアルピストンモータ	15 以上
歯 車 ポ ン プ	20 以上
オ イ ル シ ー ル	0.3〜1.0
メカニカルシール	0.5max

表6・8・3　ポンプの種類と適正作動油の種類

周囲温度／粘度	278K(5℃)〜313K(40℃) 313K(40℃)における粘度 mm²/s	313K(40℃)〜353K(80℃) 313K(40℃)における粘度 mm²/s
ベーンポンプ 6.86MPa 以下	30〜49	43〜 77
ベーンポンプ 6.86MPa 以上	53〜75	65〜 99
歯 車 ポ ン プ	30〜75	105〜190
ラジアルピストンポンプ	30〜49	65〜270
アキシャルピストンポンプ	43〜75	75〜172

摺動部のクリアランスとの関係があるといわれ、一般的に各ポンプの種類ごとに悪影響を及ぼす粒径は**表6・8・2**に示すとおりである。

（3）　潤滑不良による摩耗

作動油の特性はいろいろあるが、ポンプの寿命にとって重要な特性には粘度と潤滑性がある。次に、それらの影響について見ていくことにする。

①　粘　性

必要粘度はポンプの種類や使用条件によって異なるが、一般的な目安としては**表6・8・3**のとおりである。

一般に鉱油系作動油の場合、使用温度範囲が303K（30℃）〜 328K（55℃）ほどであれば、使用圧力6.86MPa（70kgf/cm²）以下ではVG32相当油が、6.86MPa（70kgf/cm²）以上ではVG 68相当油が使用される。

②　潤滑性

ポンプの回転摺動部はきびしい潤滑状態におかれている。したがって、

油温が333K（60℃）を超えて使用しなければならないような場合は、とくに潤滑性を向上させた耐摩耗性作動油を使用する必要がある。

③　空気、水、異種油の混入

作動油中に空気が混入すると油膜切れを起こし、たとえば軸受などが金属間接触して凝着摩耗を起こし、使用不能になることがある。

水が混入した場合は摩耗の促進のほか、キャビテーションおよびエロージョンの発生、作動油の劣化などを引き起こす。鉱油系作動油の水分の混入割合は新油で0.03％ほどである。水分混入の許容量は、装置が常に稼動しているかどうか、作動油が常に循環しているかどうかなど装置の条件やタンクの大きさ、作動油などによって異なるが、0.1％が限度である。

5　油圧ポンプの性能計算

ポンプの出力（油圧ポンプに仕事をさせるために必要な入力）L_{out}〔W〕と吐出し量Q〔m³/s〕は、ポンプの種類に関係なく次の式で計算される。

ポンプの出力　　　　　　L_{out}〔W〕$= \dfrac{P \times Q}{\eta}$〔W〕

ポンプの吐出し量　　　　Q〔m³/s〕$= q \times N \times \eta$〔m³/s〕

上式において、P〔Pa〕は吐出し圧力、q〔m³/r〕はポンプ容量（羽根車1回転あたりの水体積）、N〔rps〕は回転数、ηはポンプの全効率である。

6　空気圧機器

6・1　空気圧装置の構成

(1)　空気圧装置の特徴

空気圧装置には次のような特徴がある。

①空気圧力は、往復圧縮機の1段で588.4〜686.5kPa（6〜7kgf/cm^2）、2段で1176.8〜1372.9kPa（12〜14kgf/cm^2）で、ほとんどが980.7kPa（10kgf/cm^2）以下で使用される。油圧に比べ軽・中負荷作業に適している。また、空気圧力が低いので空気圧機器も軽量で安価となる

②圧縮性流体である空気を利用しているので、空気タンクにエネルギーの蓄積ができる。このため、停電時の作動や高速作動、さらに圧縮機の容量以上の仕事をなし得るが、制御性は電気・非圧縮性の油圧に比べて劣る

③油圧に比べて、空気源である圧縮空気を工場のどこでも容易に入手できて、利用しやすく保守管理が容易である

④配管は油圧に比べて容易である。また、外部漏れも、油圧のように環境汚染や火災の心配がない

⑤低温時の水分凍結防止やシールおよび電気部品などを配慮すれば、233K（−40℃）〜473K（200℃）の範囲で利用可能である

⑥油圧のようにサージ圧の発生がないので、過負荷防止装置を必要としない。圧力源の性質上、必要以上の力を出すことなく自動停止する

⑦電気に比べて信号伝達の速度は遅いが、温度、振動、引火などの環境性に対する適応が大きい

⑧空気は油に比べて慣性、粘性が小さいので圧力損失が少ない

⑨使用圧力が低いため、大きな力を得にくい。したがって出力不足を防ぐため負荷の計算を正確に行い、作動機器の選定に当たっては、若干余裕を持たせる必要がある

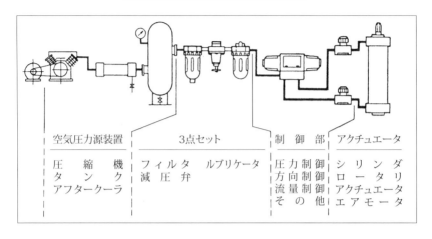

空気圧力源装置	3点セット	制　御　部	アクチュエータ
圧　縮　機 タ　ン　ク アフタークーラ	フィルタ　ルブリケータ 減　圧　弁	圧力制御 方向制御 流量制御 そ　の　他	シ　リ　ン　ダ ロ　ー　タ　リ アクチュエータ エ　ア　モ　ー　タ

⑩ 空気は圧縮性流体であるため、作動機器の精密な速度制御はむずかしい

⑪空気には潤滑性がなく、常に水分を含んでいる。したがって、回路機器すべてに防錆処理が必要となる。また、回路機器の摺動部分への潤滑を配慮しなければならない

⑫周囲温度が278K（5℃）以下のところで使用すると、空気の断熱膨張による凍結のおそれがあるため、あらかじめ除湿した空気を使わなければならない

⑬圧縮性があるので、機器が破裂したような場合、非常に危険であるので十分な注意が必要である

(2)　空気圧装置の基本構成

　空気圧装置に用いられる空気圧機器は、電動機や原動機などによって機械的エネルギーを空気の圧力エネルギーに変換し、制御弁などで制御し、アクチュエータ出力の負荷の要求に適合した機械的エネルギーとして取り出す一連の機器、および応用機器である。空気圧装置は、一般に空気圧力源装置、清浄化機器、潤滑機器、制御部、アクチュエータに分けられる。これらの機器をまとめたのが**図6・8・21**である。

①　空気圧力源装置

1）　圧縮機

ターボ形の圧縮機は、羽根車を高速で回転させるので、大容量形が多い。

往復動圧縮機はシリンダ内を往復運動するピストンにより空気を吸い込み圧縮するもので、98MPa（1000kgf/cm^{2}G）前後の高圧のものまであるが、通常の空気圧力源として使用されるのは0.7MPa（7kgf/cm^{2}G）前後のものが多用されている。

スクリュー式圧縮機は、ケーシングの中で2つのローターがかみ合って、回転することによって空気を圧縮する方式であり、圧縮時に強制的に油を注入して、冷却、ローターの潤滑、シール作用をしながら空気も冷却して圧縮するため、往復式より空気温度が低い。また、騒音も小さいので、コスト高ではあるがこの形が増加しつつある。

2）　タンク

空気タンクの機能は、一時的に多量の空気が使用されても空気圧の低下を最小限にすることである。また、空気消費量の変動に伴う空気圧の脈動を平滑化し、さらに停電時の一時的運転を可能にさせることである。

3）　アフタークーラー

圧縮機の直後に設置され、圧縮機から吐き出される473K（200℃）〜573K（300℃）に加熱された空気を冷却することによって、圧縮空気中の水分を除去する。一般にアフタークーラーは空気の温度を311K（38℃）まで下げ、混入蒸気の63％以上を除去するように設計されている。

②　3点セット

1）　フィルタ

圧縮機に吸入・吐出される空気には、粉じん、圧縮機で発生する油の酸化物、配管中に発生するドレンなどが含まれており、エア機器の作動不良の原因となる。このために、各種フィルタで異物を除去し、清浄な空気を供給する目的で使用されている。

2）　減圧弁

本章「6・2(1)①　減圧弁」を参照。

3）　ルブリケータ

空気圧機器のアクチュエータや方向制御弁、流量制御弁などは摺動部がある。

　連続使用するためには適度な潤滑が必要である。加圧された空気配管の中に配置し、潤滑油を霧状にして空気中に混合して送り出す機器である。使用潤滑油は、スピンドル油やマシン油を使うとシール剤を傷めるのでVG32タービン油が用いられる。

③　潤滑機器

　空気圧機器のアクチュエータや方向制御弁、流量制御弁などは摺動部がある。これらの摺動部に潤滑油を適量供給することは性能維持と耐久性の向上、防錆、冷却その他のために必要なことである。圧縮空気中に給油・潤滑する機器を潤滑機器という。その代表がルブリケータである。

④　制御部（空気圧制御弁）

　この弁は空気圧配管中に設置し、流れの方向を変える、流量を調整し、または圧力や作動順序や時間などを制御させるために用いられる。空気圧制御弁は機能上から分類すると次のようになる。

- ・圧力制御弁
- ・方向制御弁
- ・流量制御弁

⑤　アクチュエータ

　流体エネルギーを変換して機械的な仕事をする機器をアクチュエータという。アクチュエータは以下のように分類される。

- ・空気圧シリンダ
- ・空気圧モータ
- ・揺動形アクチュエータ
- ・空油変換機器

6・2　空気圧機器の種類と特徴

（1）　圧力制御弁

圧力制御弁には、空気圧回路で空気圧力が規定圧力以上になったら圧力を逃す安全弁、さらに1次側の圧力を2次側の要求する圧力に減圧する減圧弁、その他の弁がある。

①　減圧弁

減圧弁は、圧縮空気の圧力を減圧して、2次側の圧力が所定の設定値になるように調整する弁である。構造や機能から分類すると、直動形とパイロット形に分けられる。

1）　直動形減圧弁

1次側圧力と弁ばねによって押し上げられた弁体は、ステムを介して与えられる調節ばねによる力および2次側圧力と対抗している。一方、ダイヤフラムでは、2次側圧力が押し上げる力が調節ばねの力と対抗している。

2次側圧力が設定圧力よりも低い場合、調節ばねがダイヤフラムを押し下げる。このとき、弁体もステムを通じて押し下げられるため、1次側空気が2次側に流れる。また、2次側圧力が設定圧力よりも高い場合は、ダイヤフラムは押し上げられるが、ダイヤフラムとステムとの間のリリーフ弁シートが開く。これによって2次側空気が排出され、2次側圧力は設定値まで減圧される。

2）　パイロット形減圧弁

直動形減圧弁の精度では不十分な使用目的の場合、パイロット機構を組み込んで2次圧力の変化に敏感に対応した制御を行うことのできる弁がパイロット形減圧弁である。流量はさほど必要としないが、制御精度を要する各種試験検査用、大流量域で直動形にまさる制御精度を必要とする用途に用いる大容量形がある。

3）　急速排気弁（クイックエグゾーストバルブ）

切替え弁とエアシリンダなどのアクチュエータとの間に設ける方向制御弁の一種である。シリンダへ給気するときには，**図6・8・22**(a)のようにダイヤフラムが排気口を塞ぎ、排気するときには**図6・8・22**(b)の

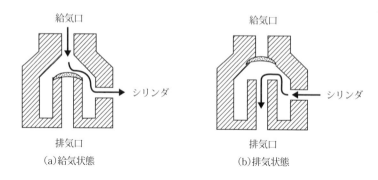

図6・8・22　急速排気弁

給気口　　　　　　　　　　　　　　給気口

シリンダ　　　　　　　　　　　　　　シリンダ

排気口　　　　　　　　　　　　　　排気口
(a)給気状態　　　　　　　　　　　　(b)排気状態

ようにダイヤフラムが給気口を塞いで電磁弁を介さずに直接大気へ排気
する。そこでロッドの前進のときのピストンの空気抵抗が減り、ピスト
ン速度を早めることができる。

4)　ポペット式安全弁

空気タンクに取り付けて使用されるのがこのポペット式である。弁
体（ポペット）は調節ばねの圧縮力でバルブシートに押し付けられている
が、弁体下部に作用している1次側の圧力が上昇し、ばねの力に打ち勝
つと弁体とバルブシートとの接触面がわずかに開き、1次側圧力が排気
される。やがて1次圧力が下がると、調節ばねの力で弁は閉じて吹き止
まりとなる。

5)　ダイヤフラム式安全弁

ダイヤフラムによって弁口を開閉するものである。常時は、調節ばね
の圧縮によって生じた力でダイヤフラムがバルブシートに密着して閉じ
ているが、ダイヤフラムの下側の面に作用している1次圧力が上昇して
ばねの力に打ち勝つと、ダイヤフラムが押し上げられて1次圧力が排気
される。1次圧力が下がると、調節ばねの力で弁は再び閉じる。この形
式はダイヤフラムの受圧面積を大きくすることもできるので、ポペット
式よりも敏感に作動する。

（2）　方向制御機器

①　方向制御弁の分類

方向制御弁は、空気圧シリンダや空気圧モータなどのアクチュエータ

の始動・停止方向の切換えを目的とした、流体の流れの方向を制御する弁をいう。方向制御弁には、1方向の流れを止める止め弁、2個以上の入口からの圧力に対して高い圧力の入力が出口側に通じるシャトル弁、アクチュエータからの排気を急速に行う急速排気弁、一般的な切換え弁がある。

・操作方式による分類：電磁操作（ソレノイド）弁と空気圧操作弁、機械操作弁、人力操作弁による方式がある
・バルブの構造による分類：ポペット弁とスプール弁によるもの、その他がある

② 電磁弁

電磁石（ソレノイド）を操作力としたもので、方向制御弁の中でもっとも多く用いられている。

(3) 流量制御弁

流量制御弁は空気の流れる量を調整して、アクチュエータの作動速度を制御するための弁で、単に空気流量を調整する絞り弁や一方向だけ絞り弁が内蔵され、もう一方の反対の流れ方向は絞っていない速度制御弁もこの範ちゅうに入る。

① 絞り弁

絞り弁は、調節ねじで弁の開度を調節し流路抵抗を変えて、空気流量制御を行う弁である。弁開度を微細に調節できるようにニードル弁が多い。

② 速度制御弁

逆止弁と絞り弁を並列に1つの本体中に組み合わせた流量調整弁で、アクチュエータの速度制御用として広く用いられるので、速度制御弁（スピードコントローラ）と呼ばれている。

(4) 付属機器

① 消音器

電磁弁、方向制御弁は排気ポートから排気されるとき急激な膨張のために、一種の破裂音を発生する。この騒音を防ぐための機器が消音器（サイレンサー、またはマフラー）である。

② 自動排水器

圧縮空気から分離されたドレンが一定量溜まるとフロートの作用で自

動的に外部に排出する。

6・3　アクチュエータ（作動機器）

アクチュエータとは、圧縮空気のエネルギーを機械的エネルギーに変換して、種々の仕事をする機器である。

（1）　空気圧シリンダ

空気圧シリンダの構造は簡単で、しかも圧縮空気の持つ圧力エネルギーを機械的な往復直線運動に容易に交換できるところから、省力・自動化の中心として使用され、どこにでも見出すことができる。

空気圧シリンダの分類を**図6・8・23**に示す。

空気圧シリンダはピストンの面積をA、空気圧をPとすれば、ピストンロッドに伝えられる力はPAになるが、実際にはこれより少なくなる。

（2）　揺動形アクチュエータ

揺動形アクチュエータを構造上から分類すると、**図6・8・24**のようになる。

図6・8・23　空気圧シリンダの分類

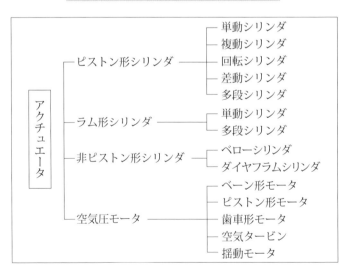

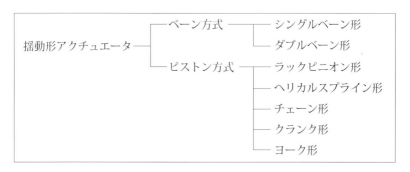

　揺動形モータは出力軸の回転運動が制御されているアクチュエータをいう。圧縮空気のエネルギーを回転方向の運動に変換し、一定の角度の間を往復回転させるもので、コンベヤの反転装置、ロボットの手の回転、ボール弁の開閉など各種装置に利用される。

(3)　空気圧モータ

　空気圧モータは空気圧エネルギーを用いて連続回転を行うアクチュエータで、始動、停止、正転、逆転などは方向制御弁で制御される。空気圧モータは電動機に比較して次のような特色がある。

① 速度を自由に調整できる

② ストッパーなどに当てて停止しても、電動機のように焼損しない

③ 防爆構造である

　歯車形、ベーン形、ピストン形などに分類される。

(4)　空油変換機器

　空気には圧縮性があるためにシリンダは低速でスムーズな作動が困難であり、定速動作ができない、中間停止の精度がよくないなどの欠点がある。これを簡便に解決するために空油変換がある。

　アクチュエータの空油変換機器などを利用して、作動流体を圧縮空気から液体に変換し、機械的な仕事をさせる。工作機械の送り、リフターなどに応用されている。

Zoom Up

空気圧回路

空気圧の回路も油圧と似ている。代表的なものが図に示すメーターイン、メーターアウト回路である。前掲の油圧回路図と異なるのは、図に示すように排気はタンクに戻らず、サイレンサーを通じて大気に排出する点である。また、流量制御弁はメーターイン、メーターアウト回路ともに給気側、排気側の両方に取り付けてある。さらに、作動油を逃がすことで回路圧力を設定値に保つ圧力制御弁（リリーフ弁）がない。

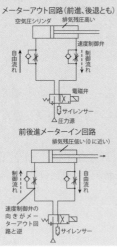

メーターアウト回路（前進、後退とも）
空気圧シリンダ　排気残圧高い
速度制御弁
自由流れ　制御流れ
電磁弁
サイレンサー
圧力源

前後進メーターイン回路
排気残圧低い（0に近い）
制御流れ　自由流れ
速度制御弁の向きがメーターアウト回路と逆
サイレンサー

6・4　空気圧回路

(1) 空気圧回路（基本回路）

空気圧シリンダを駆動する基本回路は**図6・8・25**のようになる。

アクチュエータの手前には空気中の水分を除去するフィルター、圧力を調整するレギュレーター、アクチュエータ摺動部への潤滑油の補給を行うルブリケータが一般に設置されている。

アクチュエータの速度を制御する方式には2つの回路がある。アクチュエータから排出される空気量を調整する方式がメーターアウト回路で、圧力変動が大きく、かつロッドが前進する際にロッドを引張る方向に負荷が作用する場合でも使用できる。アクチュエータへ流入する空気量を調整する方式がメーターイン回路で、大きな圧力変動に対しても流量制御が可能であるが、運動方向と同じ外力に対しては、別の制御回路が必要である。

空気圧装置のメーターイン回路はメーターアウト回路に比べて速度を制御する能力が低いので、単動形シリンダの速度制御や作動中に負荷が急激に減少する場合に使用されるくらいで、一般装置はメーターアウト回路方式を使っている。

(2) シリンダの出力

空気圧シリンダの出力は、減圧弁で設定された空気圧力Pとシリンダの断面積Aの積から求められる。

たとえば空気圧シリンダの効率が90％の

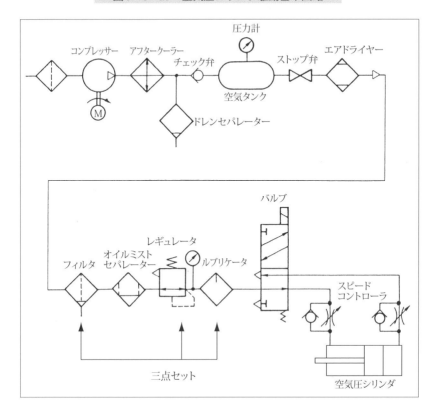

図6・8・25　空気圧シリンダ駆動基本回路

とき、圧力が49N/cm^2、断面積が19.6cm^2（シリンダ径50mm）である
ときの出力は、

　　出力＝0.9×19.6×49＝864.4N

　つまり、出力を増すためには、圧力や面積を増加させればよい。

7　作動油

7・1　性　質

　作動油はポンプによって発生したエネルギーをアクチュエータに伝達する重要な役割を持っている。このほかに、機器の摺動部分での潤滑を良くしたり、すき間からの漏れを防いだり、金属の錆を防ぎ、油圧機器から発生する熱を奪い去るなどのはたらきもしている。

（1）　種　類

　作動油を使用条件によって分類すると**図6・8・26**のようになる。

①　石油系作動油

　この作動油はパラフィン系原油を精製したものに酸化防止・防錆のため添加剤を加えたもので、ほとんどの油圧装置はこの作動油で十分な性能と耐久性が得られる。欠点として、耐火性、高温における耐劣化性、不揮発性などに限度があるので、その場合には難燃性を使用する。

②　合成系作動油（難燃性）

　特別に低温や高温用としてつくられた合成有機化合物の作動油で、リン酸エステル系、脂肪酸エステル系などがある。この種の油は油温変化に対し粘度変化が少ないのが特徴だが、石油系に比べて酸化性・潤滑性・腐食性の点で劣るので、航空機や耐火性用としての特殊用途にだけ使用されている。

③　水成系作動油（難燃性）

　引火の危険を伴う油圧装置に使用される一種の合成作動油で、油中水乳化系や水・グリコール系などがある。油中水乳化系は石油系の油を乳化剤で油中水滴形、つまり水のつぶを油で包んだW/O形としたもので、合成系作動油と比べて難燃性には優れるが潤滑性に劣る作動油である。水・グリコール系は高温の場合に水分が水蒸気に変わって作動油の表面をおおって引火を防ぐ性質の作動油である。

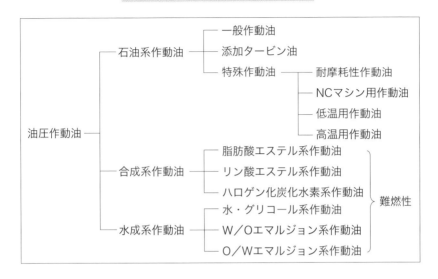

(2) 作動油の性状

作動油として用いられる油の性質は**表6・8・4**のようになっている。

① 比 重(物理的性質)

比重は油の種類によって異なり、石油系作動油で0.85 〜 0.9程度、合成作動油(リン酸エステル系)は1.1 〜 1.28、難燃性作動油(水・グリコール系)は1.05 〜 1.1。比重が大きくなるとポンプの吸込み性能が悪くなるので、配管径やストレーナーの容量に注意しなければならない。

② 粘 度

作動油の粘度は、油圧機器の機械効率、油漏れ、摩耗、圧力損失、容積効率、発生熱、ポンプの吸込み作用などに大きく影響するので、使用条件に適した粘度の作動油を選ぶことが大切である。

③ 粘度指数

粘度指数は、油温の変化に対する粘度変化の割合を示すものであるから、作動油の選定で大切な項目である。粘度指数の高いほど、油温による粘度の変化が少ない作動油といえる。粘度温度のグラフを**図6・8・27**に示す。

表6・8・4 主要作動油の性状例

作動油の種類 性状の項目	石油系作動油	水成系作動油		合成作動油	
		油中水乳化系(W/O系)	水・グリコール系	リン酸エステル系	脂肪酸エステル系
比　重	0.85～0.90	0.92～0.94	1.05～1.1	1.1～1.28	0.92～0.95
粘　度 mm²/s(cSt)311K(38℃)	40～70	76～97	43	43	40～60
粘度指数(V.I)	95～100	130～150	140～165	32	160～200
流動点K(℃)	253(−20)以下	265(−8)～248(−25)	243(−30)～221(−52)	253(−20)	243(−30)
水分(重量%)	−	40	35～45	−	−
高温使用限界K(℃)	373(100)	338(65)	338(65)	423(150)	383(110)
熱，酸化安定性	343K(70℃)以下	338K(65℃)以下	338K(65℃)以下	343K(70℃)以下でとくに良い	343K(70℃)以下でとくに良い
耐　火　性	悪い	かなり良い	良い	良い	やや悪い
潤　滑　性	非常に良い	良い	良い	かなり良い	かなり良い
圧　縮　性	高い	高い	低い	良い	低い
金属の腐食	Cuだけ不可	Cd,Mg,Zn,Cuは不可	Cd,Mg,Zn,Cuは不可	良い	良い
ゴムへの影響	良い	良い	やや悪い	悪い	良い
消　泡　性	良い	良い	良い	良好	良好
キャビテーションの誘発	普通	発生しやすい	発生しやすい	少ない	少ない
水処理性	良い	やや悪い	悪い	良い	良い

図6・8・27　作動油の温度上昇と粘度の関係

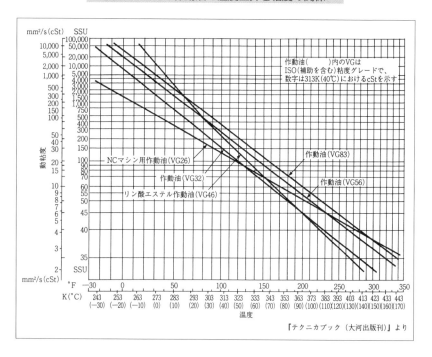

『テクニカブック（大河出版刊）』より

粘度指数の低い作動油は低温で粘度を増し、ポンプの始動が困難となり、吸込み側でキャビテーションを起こし、油温が上昇すると油の粘度は適正になって装置は正常になる。

④ 引火点と発火点

作動油を加熱すると一部が蒸発して、炎を近づけたとき引火する最低温度を引火点という。発火点は引火点よりも20〜50K（℃）高い。石油系で473K（200℃）〜503K（230℃）、合成系では523K（250℃）前後である。作動油中に洗浄油やフラッシング油などが混入すると引火点が低くなるので保守管理上注意が必要である。

⑤ 酸化安定性

油は、熱、酸素、金属などで劣化し、酸性物質を生成し、さらにスラジを発生する。つまり、酸化は劣化であり、その変質の指標となる酸価を知ることによって劣化度合いもわかる。酸化を遅らせるために添加剤を入れすぎると、抗乳化性がくずれてしまう。

⑥ 耐摩耗性（潤滑性）

これは、油圧機器の焼付きや摩耗を防止する性質で作動油としての基本的な性状で、油性と極圧性に分かれる。

⑦ 圧縮性と消泡性

一般に作動油は低圧、中圧の場合は非圧縮性とみなしてさしつかえないが、高圧大容量の油圧装置になると圧縮性が大きな問題となる。作動油中に空気が混入していると圧縮率が大きく変化するので、油中の空気含有量に注意する必要がある。作動油は常温の大気圧下において体積比で8%前後の空気を溶解している。

圧力が低下すると油中の空気が遊離し、気泡として作動油中に混在する。この気泡の分散状態は気体なので、圧力や温度の変化によって気泡の容積はいちじるしく変化する。気泡の発生原因はポンプ吸込み配管からの場合と、タンク油面低下の場合がある。空気はシリンダ作動の不規則やキャビテーション現象になって騒音を発生し、キャビテーション腐食も起こす。

⑧ 抗乳化性と水分離性

油の劣化を防止するには、油が乳化しにくいことと水を分離する能力

とが必要になる。両方の性状を合わせて抗乳化性という。油の乳化を放置すれば潤滑性が低下し、劣化し、錆を発生する。とくに油温が高くなるとこの現象は促進される。

　⑨　色相（ユニオン色）

　油に水分や空気が混入すると、乳白色か乳黄色になり、また、劣化や汚染の場合には黒ずんだ色になる。色相では油の性質は直接示せない。

　⑩　容器内塗装のはく離

　水―グリコール系油圧作動油は、基本的にすべての塗料を溶解またははく離する。そこで、作動油として使用する場合、油圧タンク内面や配管内面などに塗装がなされていないか確認の上、塗装されている場合には塗装を除去する必要がある。

7・2　保守管理

　油圧装置が機能を十分発揮するためには、とくに作動油を最適な状態に保持することが必要である。油圧装置で発生する不具合現象は、ほとんど作動油の粘度や油温の管理不良、作動油の特性劣化、作動油中のゴミや空気などによるものである。

（1）　作動油の粘度

　粘度は、作動油の性状のうちでもっとも重要なもので、それが適切でない場合の悪影響は、以下の2点にまとめられる。

① 粘度が高すぎる場合には、流体抵抗の増大による温度の上昇、圧力損失の増大、動力損失の増大、作動不良など

② 粘度が低すぎる場合には、内部漏れと外部漏れの増大、ポンプ容積効率の低下、潤滑性の低下による摺動部分の摩擦増大、精密な流量調整の困難など

（2）　作動油中のゴミ

　油圧機器の作動不良の原因はゴミによるものがきわめて多いので、ゴミの侵入経路に十分な注意が必要になる。

① 最初から入っているゴミとして、組み立てるまでの溶接スケール、バリ、切粉、土砂、シール片、錆など

② 内部で発生するゴミは、摩耗による金属粉、油の酸化によるスラッジなどの堆積物、シール屑など

③ 外部から侵入するゴミは、タンク、配管接続部などからのゴミや水分など

(3) 石油系作動油の運転温度

装置作動中の油温が高すぎると、作動油の抗酸化性を低下させ劣化を早めることになる。逆に油温が低すぎると、作動油の粘度を増し、油圧ポンプの機械効率が低下する。参考のために、一般作動油の運転温度範囲を示す。

① 危険始動温度

288K（15℃）以下ではポンプや弁の作動抵抗が増大し、フィルタからポンプまでの配管抵抗が大きくなり、騒音も発生する。よって加熱装置が必要になり、288K（15℃）〜303K（30℃）の温度範囲で始動するのがもっとも適当とされている。

② 推奨油温度

各ポンプメーカーが推奨する油温は305K（32℃）〜343K（70℃）の範囲であるが、機械効率、ポンプ寿命、作動油の酸化の点からの適正な油温は303K（30℃）〜328K（55℃）の範囲である。

③ 限界油温度と危険油温度

高温の限界は343K（70℃）〜353K（80℃）の範囲で粘度、抗酸化性、効率に大きな影響を及ぼす。353K（80℃）以上になるとポンプ効率と寿命は急速に低下し、作動油の寿命は急激に縮まる。油温の標準について図6・8・28に示す。

(4) 難燃性作動油の問題点

難燃性作動油の中で、W/Oエマルジョンや水―グリコールのように水を含んだ作動油は、石油系作動油に比較して潤滑性が劣るので、最高圧力と回転数を制限して使用する。また油の温度も最適油温は308K（35℃）〜318K（45℃）、最高油温は323K（50℃）ぐらいである。また、この種の作動油は比重が大きく粘度も高いので、吸込みフィルタの容量、管径を大きくする（タンクの油面がポンプよりも高いので欠点は防げる）などで対処する。また、リン酸エステル系作動油を使う場合は、塗料、シー

Zoom Up

油性と極圧性

油性：金属すべり面の
耐摩耗性、焼付き防止
の役目をする。ただし、
すべり面が局部的に高
温になると、その効果
も減少する。水分が混
入すると乳化しやすい
極圧性：油膜が薄くな
り、すべり面が局部的
に発熱すると、添加剤
によって耐摩耗、焼付
きを防止する

キャビテーション

流動している液体の圧
力が、局部的に低下し
て蒸気や含有気体を含
む泡が発生する現象。
温度が低下すると〔288K
（15℃）以下〕、粘度が大
きくなり、キャビテー
ションが起きる。

ル材を溶融する作用があるので、十分注意し
なければならない。

7・3　汚　染　《実技試験出題項目！》

　油圧装置が広い分野で使用され、高圧・
高速・精密な制御を行っている。そのため、
汚染（コンタミネーション）についても理解す
る必要がある。その原因と種類を**表6・8・5**
に示す。

（1）　劣　化

　作動油の劣化速度は油温、水、金属、気泡
または溶解空気圧力などで異なるが、なかで
ももっとも影響が大きいのが油温である。油
温が343K（70℃）を超えると10K（10℃）油
温上昇に対し酸化速度は2倍になる。

（2）　汚染度の等級

　汚染度を測定するには、計数法すなわち汚
染物の数と大きさをカウントする方法、汚染
物質の重量を測定する重量法、指数として
汚染程度を比較する方法などがある。計数
法による汚染の基準としてはNAS（National
Aerospace Standard）規格が使用されている
（**表6・8・6**）。

（3）　汚染粒子と油圧機器の摩耗

　油圧回路を高圧にすると、作動油の条件は
一段ときびしくなり、耐摩耗性、酸化安定性
などとともに汚染粒子の問題がある。高圧の
ために摺動すき間を小さくすると、汚染粒子
で摩耗が早くなり、故障の原因になる。

　また、サーボ油圧に用いる作動油は、細い

図6・8・28 温度の標準(タンク内の温度)

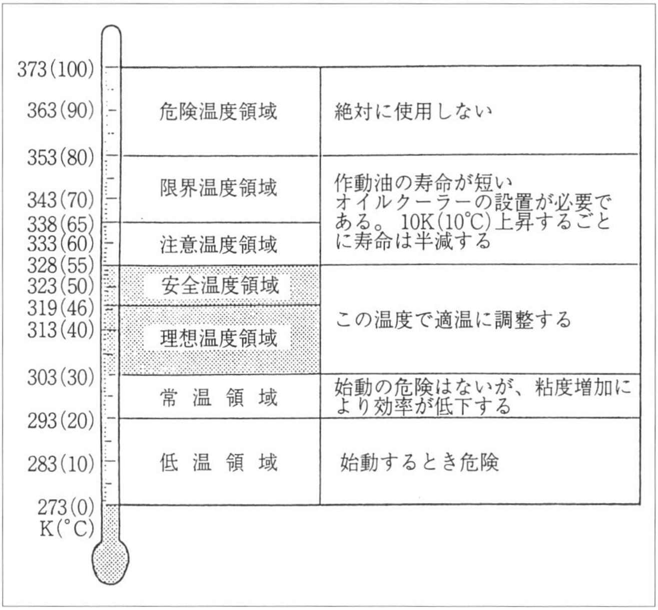

K(℃)	温度領域	説明
373(100)		
363(90)	危険温度領域	絶対に使用しない
353(80)		
343(70)	限界温度領域	作動油の寿命が短い オイルクーラーの設置が必要である。10K(10℃)上昇するごとに寿命は半減する
338(65) 333(60)	注意温度領域	
328(55) 323(50)	安全温度領域	
319(46) 313(40)	理想温度領域	この温度で適温に調整する
303(30)	常温領域	始動の危険はないが、粘度増加により効率が低下する
293(20) 283(10)	低温領域	始動するとき危険
273(0)		

表6・8・5 作動油汚染の原因と種類

汚染の原因 ＼ 汚染物の種類	金属粉	鋳物砂	じん埃	錆	溶接スラグ	シール材	ゴム類摩耗粉	切削・研摩粉	繊維類	塗料片	作動油劣化物	水分	異種の液体	空気
不適当な洗浄や製造組立工程	○	○	○	○	○	○	○	○	○	○	—	○	○	—
保管、輸送途上	—	—	○	○	—	○	○	—	○	○	—	○	○	—
装置の露出部や修理時	○	—	○	○	○	○	○	—	○	○	—	○	○	○
装置内からの離脱や発生	○	—	○	○	○	○	○	○	○	○	○	○	○	○

表6・8・6　NAS汚染度等級

(NAS　1638)

等級	粒子の大きさ [μm] 100ml 中の粒子の数				
	5〜15	15〜25	25〜50	50〜100	100以上
00	125	22	4	1	0
0	250	44	8	2	0
1	500	89	16	3	1
2	1 000	178	32	6	1
3	2 000	356	63	11	2
4	4 000	712	126	22	4
5	8 000	1 425	253	45	8
6	16 000	2 850	506	90	16
7	32 000	5 700	1 012	180	32
8	64 000	11 400	2 025	360	64
9	128 000	22 800	4 050	720	128
10	256 000	45 600	8 100	1 440	256
11	512 000	91 200	16 200	2 880	512
12	1 024 000	182 400	32 400	5 760	1 024

ノズルから噴射され、油圧の制御を行うことから作動油の清浄度管理が重要である。一般に、NAS7級以下の清浄度管理が必要である。

（4）　その他の注意点

① 水の含有量は0.1％以下、それ以上は更油の時期を考慮する（新油で0.03％）。また、現象として、水分が多くなると乳白色に変色する
② 空気の含有量は、6 〜 10％が標準でそれ以上はキャビテーションを起こしやすい

7・4　油圧装置と消防法

　油圧装置に使用する一般の油圧作動油は、油の蒸気に火を近づけると燃える引火性がある。この引火時の油の蒸気温度を引火点という。消防法ではこの引火点のあるものはすべて危険物（防火対象物）といい、危険物として扱うのは**表6・8・7**のとおりである。

　油圧装置は、消防法では一般取扱い所の分類に属するので、屋内に油圧装置を設置する場合、タンク構造は法でいう屋内タンク貯蔵所の基準に従わなければならない。詳細は管轄の消防署と相談すること。

表6・8・7　危険物の種類と量

石油製品の種類	引　火　点 K（℃）	分　　　類	危険物として取り扱われる量（指定数量、L）
エーテル類	233(−40)〜228(−45)	第4類特殊引火物	50
ガソリン（揮発油）	230 （−43）	第4類第1石油類	200
エチルアルコール	286 （13）	〃　アルコール類	400
灯　　　　油	311(38)〜343(70)	〃　第2石油類	1000
軽　　　　油	300(27)〜343(70)	〃　　〃	1000
重　　　　油	＞343（70）	〃　第3石油類	2000
潤　滑　油	＞403（130）	〃　第4石油類	6000
タービン油	＞443（170）	〃　　〃	6000
作　動　油	453(180)〜513(240)	〃　　〃	6000
動 植 物 油	523(250)〜623(350)	〃　動植物油類	10000

＊この章の頻出問題＊

【油圧・空気圧】

問　題	油圧機器に関する記述のうち、適切でないものはどれか。 ア　カウンタバランス弁は、回路内の圧力が設定圧力以上になると、自動的に油圧を逃がす イ　一般的に、減圧弁のドレンポートに必要以上の背圧がかかると、二次側の圧力は上昇する ウ　カットオフとは、ポンプ出口側圧力が設定圧力に近づいたとき、可変吐出し量制御が働いて流量を減少させることである エ　デセラレーション弁は、アクチュエータの加速や減速に用いられる （2023年度　1級）
解　答	ア
解　説	ア　問題文はアンロード弁についての説明となっているので誤り イ、ウ、エ　題意のとおり

■ 解法のポイントレッスン

　1、2級ともに、頻出のトップである油圧機器（シリンダ、モータ、弁など）に関する出題であるが、やや難しい内容である。ア については，油圧バルブの種類と特徴を比較しておこう。アンロード弁は設定圧以上を逃がして動力節約、カウンタバランス弁はアクチュエータの戻り側に抵抗を与えることによるロッドの自重落下の防止用として使われる。イについて、ドレンポートは2次側圧力が高くなった場合、作動油をタンクに逃がすことによって2次側の圧力を設定圧に保つ役割があるので、ドレンポートに背圧が必要以上に作用すると作動油を逃がせなくなり、2次側圧力が上昇する。ウ の原理はベルヌーイの定理である。エ のデセラレーション弁は機械操作可変絞り弁ともいい、カムによる機械操作やばね負荷によりアクチュエータを徐々に減速する流量制御弁である。工作機械のテーブル送りなどの際に必要な加減速・停止をアクチュエータに行わせたい場合に使用される。

＊この章の頻出問題＊

【作　動　油】

問　題	作動油に関する記述のうち、適切でないものはどれか。 ア　ジエステル油は、ブチルゴムパッキンに使用できない イ　水―グリコール系作動油は、ウレタンゴムパッキンに使用できる ウ　リン酸エステル系作動油は、ニトリルゴムパッキンに使用できない エ　塩素化炭化水素作動油は、ふっ素ゴムパッキンに使用できる （2023年度　1級）
解　答	イ
解　説	ア、ウ、エ　題意のとおり イ　使用できないので誤り

■解法のワンポイントレッスン

　作動油や潤滑油と配管やポンプ周りに使用するシール材質（とくにゴム）の適性については，保全上でも操業上でも重要な事項である。本問題は難燃性作動油とゴム材料の適性について問うもので、下の表（ジュンツウネット21、ゴムシール材と潤滑油の適合性について、https：//www.juntsu.co.jp/qa/qa1507.php）を参照すると、イが誤りと判断できる。

難燃性作動油に対する適用材料		水‐グリコール系	リン酸エステル系	塩素化炭化水素	ジエステル油
ニトリルゴム	NBR	優	不可	不可	可
フッ素ゴム	FR	可	優	良	良
ブチルゴム	IR	優	良	不可	不可
ウレタンゴム	UR	不可	不可	不可	不可

　油種とゴムの適性については、6-1章「シール」や6-5章「潤滑油」においても重要な項目であり、本問に出されたゴムの種類はパッキン材料としてもオーソドックスなので、上の表で整理しておきたい。大まかには、ふっ素ゴムはほとんどの油種に使えるのに対して、ウレタンゴムは

逆に使えないということをまず覚えておこう。これだけでも本問題には
正解できる。

■ 過去18年間の傾向分析

　1級は油圧機器の異常対策と作動油の出題が多い。2級については、
油圧機器、空気圧機器の出題が多く、1級では応用、2級では基礎と出
題範囲の区別をしていることがわかる。

　全般的には、出題範囲は油圧・空圧装置と作動油に大きく2分され
ている。油圧・空気圧装置については①出力と回路、②機器の種類と
構造、③故障、原因、防止法、④作動油の種類と性質に分類される。

　①については、シリンダの推力（一般回路、差動回路）が繰返し出題さ
れている。また、回路図についてもメーターイン、メーターアウト、ロッ
キング、シーケンス、差動、アンロード回路など基本的なものが出題さ
れている。

　②については、油圧機器については、アキュムレータ、急速継手、ベー
ンポンプ、弁類（アンロード弁、流量調整弁、減圧弁など）、ソレノイド
などが頻出項目である。空気圧については、3点セット（ルブリケーター、
エアフィルター、減圧弁）、消音器、急速排気弁などが繰返し出題され
ている。

　③については、弁類の異常、チャタリング、スティックスリップ、出
力や速度低下、振動、サージ圧、目詰まりなどの出題が繰返し見られる。
また、ポンプの吐出量や入出力と回転数の関係などもたびたび出題され
ている。バランスピストンの役割と圧力オーバライドについての出題も
たびたびある（2015年1級など）ので、本章で理解をしておこう。

　④の出題傾向としては、難燃性作動油の種類についての出題頻度が
もっとも高く、作動油の性質（流動点、汚染度、粘度、含水率、使用温
度）が続いている。作動油の添加剤に関しての問題もときどき見られる
ので、インターネットなどを利用して添加剤についての知識も補足して
おこう。

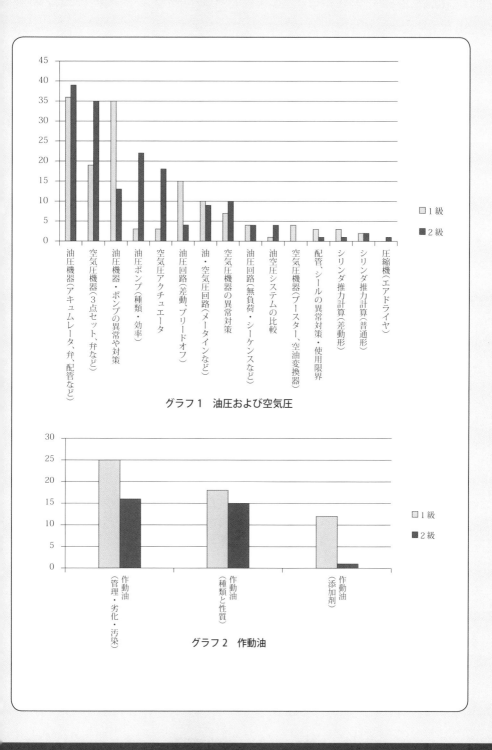

グラフ1　油圧および空気圧

グラフ2　作動油

実力確認テスト

【油圧機器および空気圧機器】

【1】 空気圧機器に関する記述のうち、適切でないものはどれか。

ア メータアウト回路は、負荷変動がある状況でも速度への影響が少ない

イ 3点セットのルブリケータにスピンドル油やマシン油を使用してはいけない

ウ 排気を急速に行うには、3点セットとアクチュエータの間に急速排気弁を接続するとよい

エ 空気圧モータは逆転ができるので便利である

【2】 空気圧回路に使用されている方向制御弁の不具合現象と原因に関する記述のうち、適切なものはどれか。

ア 弁のスプールが作動しない原因の1つとして、回路の設定圧力の過剰がある

イ 弁のスプールが作動しない原因の1つとして、アクチュエータへの近すぎる設置がある

ウ 排気ポートから空気が漏れる原因の1つとして、方向制御弁の取付けねじのゆるみがある

エ 排気ポートから空気が漏れる原因の1つとして、シリンダのピストンパッキンのきずがある

【3】 油圧機器に関する記述のうち、誤っているものはどれか。

ア 電磁弁のスプールの切替え速度は、直流電磁弁よりも交流電磁弁の方が速い

イ 定容量形のポンプであっても、回転数が変化すると吐出量も変化

する

ウ　チェック弁のクラッキング圧力は、ばね力をシートの受圧面積で
割った値である

エ　スロットル弁とは、ニードル形の弁を持つ絞り弁のことである

【4】　油圧機器に関する記述のうち、誤っているものはどれか。

ア　油圧モータのオイルシールは、一般的にドレン圧力が0.03MPa
程度までならば使用できる

イ　直流ソレノイドは、交流ソレノイドと比較してソレノイドコイル
の焼損が発生しにくい

ウ　両ロッド形シリンダは、前進・後進のスピードが同じにしたい
場合に用いられる

エ　アキュムレータに封入するガスは、酸素を使用する

【5】　油圧・空気圧装置の異常時における対応に関する記述のうち、
誤っているものはどれか。

ア　交流電磁弁でうなり音が発生したため、供給電圧が低すぎること
も原因の1つと考え、電圧が正常であるか確認した

イ　負荷変動により油圧シリンダの速度が不安定であったため、メー
タイン回路からメーアウト回路に変更した

ウ　減圧弁の圧力調整ができないので、2次側に圧力補償付き流量調
整弁を接続した

エ　エアフィルタのドレン部より空気が漏れたので、ドレン弁を増締
めした

【6】　油圧に関する記述のうち、誤っているものはどれか。

ア　減圧弁のドレンポートに必要以上の背圧がかかると、二次側の圧
力は上昇する

イ　アンロード弁は、回路内の圧力が設定圧力以上になると、自動的に油圧を逃がしてポンプを無負荷状態にする

ウ　ブリードオフ回路は、メータイン回路やメータアウト回路よりも動力損失が大きい

エ　チェック弁のクラッキング圧力は、ばね力をシート受圧面積で割った値で示される

【7】　アクチュエータとしてシリンダを作動させる油圧回路に関する記述のうち、誤っているものはどれか。

ア　シーケンス回路は、シリンダの出口側に流量制御弁を設け、シリンダのロッドの制御する回路である

イ　差動回路は、シリンダの左右両側のポートに同時に圧油を送り、シリンダーのロッドを早送りさせる回路である

ウ　カウンターバランス弁は、シリンダに背圧を持たせてロッドの自重落下を防止する場合に使用する

エ　ブリードオフ回路は、ポンプからシリンダに流れる流量の一部をタンクへ分岐することでシリンダーのロッドの速度を調整する回路である

【8】　空気圧回路に使用されている方向制御弁について，原因とその結果生じる可能性のある不具合現象の組合わせのうち、誤っているものはどれか。

ア　スプールの摺動部への異物かみ込み：弁のスプールの作動不良

イ　パイロット流路の詰まり：弁のスプールの作動不良

ウ　スプール部のシールパッキンの損傷：排気ポートから空気が漏れる

エ　シリンダのロッドパッキンの損傷：排気ポートから空気が漏れる

【9】 油圧・空気圧装置に関する文章として、適切なものはどれか。

ア　シリンダの内径が同じならば、空気圧シリンダは油圧シリンダよりも大きな出力を得ることができる

イ　油圧回路ではアクチュエータの応答速度は空気圧回路よりも速い

ウ　空気圧アクチュエータは油圧アクチュエータよりも運転速度の調整が容易である

エ　油圧回路は配管に戻り回路を必要としない

【10】 油圧機器に関する記述のうち、誤っているものはどれか。

ア　油圧ポンプは原動機の動力で駆動軸を回転させるが、油圧モータは圧油を油圧モータに押し込むことで駆動軸を回転させている

イ　カウンタバランス弁は、負荷の落下を防止するため、背圧を保持する圧力制御弁である

ウ　油圧バルブは、弁体がスプールの場合、閉位置の状態では油漏れは全く発生しない。

エ　ブリードオフ回路は、メータイン回路やメータアウト回路と比べ、動力損失が少ない

【11】 油圧・空気圧機器に関する記述のうち、誤っているものはどれか。

ア　リリーフ弁は、回路圧力を一定に保つために使用される

イ　カウンタバランス弁は、負荷の落下防止に使用する

ウ　差動回路は、ピストンの動きを高速にすることができる

エ　ブリードオフ回路は、負荷変動が大きい場合でも正確な速度制御ができるという長所がある

【12】 油圧、空気圧機器に関する記述のうち、誤っているものはどれか。

ア 空気圧シリンダのロッド前進時の出力（推力）は、同一圧力の場合、シリンダ断面積が大きいほど小さくなる

イ 油圧回路に使用されるカウンターバランス弁は、アクチュエータの戻り側に抵抗を与え、自重落下を防止するときに使用する

ウ 交流ソレノイドは、直流ソレノイドと比較してソレノイドコイルの焼損が発生しやすい

エ メータアウト回路は、変動する負荷に対して安定した速度で制御する場合に使用する

【13】 油圧装置において、ポンプで発生する異常音の原因に関する記述のうち、誤っているものはどれか。

ア サクションフィルタの目詰まり

イ ポンプ軸継手の芯出し不良

ウ 作動油の粘度が低く，油温が高い

エ ポンプ軸オイルシールからのエア吸込み

【14】 油圧シリンダの構造について、名称と役割の組合わせのなかで、誤っているものはどれか。

ア タイロッド：シリンダに油圧を加えると、出たり引っ込んだりする棒で、物を押して移動させたり、押付けて圧入したりする

イ クッション機構：ピストンがストロークエンドで停止するとき油圧力を急激に増加させることで、ピストン速度を徐々に減速させる

ウ シリンダチューブ：両端をヘッドカバーとロッドカバーで覆われた円筒で、内部にはそれとはめ合うピストンが入る

エ オートスイッチ：シリンダに内蔵された磁石を検出することで、ロッドの前進端や後退端を検出するセンサ

【15】 空気圧装置の異常に関する記述のうち、誤っているものはどれか。

ア エアフィルタのドレン部より空気が漏れる原因の1つとして、ドレン弁シート部への異物の噛みがある

イ 減圧弁の圧力調整ができない原因の1つとして、弁ばねの破損がある

ウ ルブリケータで油が滴下しない原因の1つとして、ルブリケータサイズの不適がある

エ オイルミストセパレータにおいて、2次側に多量にドレンが出る原因の1つとして、低温による圧縮空気中での水滴の発生がある

【作動油の種類および性質】

【1】 次の作動油の種類と性質に関する記述のうち誤っているものはどれか。

ア O/Wエマルション作動油は、水の中に小さな油滴を分散させた乳濁液状の作動油である

イ W/Oエマルション作動油は、油の中に小さな水滴を分散させた乳濁液状の作動油である

ウ リン酸エステル系作動油はブチルゴムには適さないが金属に対する耐腐食性に優れる

エ 耐摩耗性作動油は、極圧添加剤や摩耗防止剤を配合した作動油で、高圧下において金属面の摩擦・摩耗の減少と焼付けを抑制する

【2】 作動油に加えられる添加剤に関する記述のうち、適切なものはどれか。

ア 極圧剤は、遊離基、過酸化物と反応して安定な物質に変えることにより油の酸化を防止し、ワニス、スラッジの生成を抑制する

イ　清浄剤は、潤滑油の酸化防止および腐食性酸化生成物の破壊、抑制金属表面における防食被膜を形成する

ウ　分散剤は、摩擦面で二次的化合物の保護膜を形成して摩耗を防止する

エ　油性向上剤は、低荷重下における摩擦面に油膜を形成し、摩擦および摩耗を減少させる

【3】作動油に関する記述のうち、適切なものはどれか。

ア　リン酸エステル系作動油は、ニトリルゴムパッキンに使用できる

イ　塩素化炭化水素作動油は、ふっ素ゴムパッキンに使用できない

ウ　ジエステル油は、ブチルゴムパッキンに使用できる

エ　水-グリコール系作動油は、ウレタンゴムパッキンに使用できない

【4】作動油の流動点に関する記述のうち、適切なものはどれか。

ア　粘度をその液体の同一状態(温度、圧力)における密度で除した商である

イ　規定条件下で引火源を試料蒸気に近づけたとき、試料蒸気が閃光を発して瞬間的に燃焼し、かつその炎が液面上を伝播する試料の最低温度を101.3 kPaの値に気圧補正した温度のことである

ウ　試料を45℃に加熱した後、試料をかき混ぜないで規定の方法で冷却したとき、試料が流動する最低温度である

エ　試料1g中に含まれる酸性成分を中和するのに要する水酸化カリウムのmg数である

【5】作動油の管理に関する記述のうち、誤っているものはどれか。

ア　水―グリコール系作動油は、使用圧力や回転数について上限値を設定せずに使用できる

イ　W/Oエマルジョンを使用しているので、低温使用限界を0℃と
　　した

ウ　鉱油系作動油を使用しているので、水の混入限界を0.1％として
　　管理した

エ　リン酸エステル系作動油を使用しているので、ふっ素系のシール
　　を使用した

【6】　作動油の管理に関する記述のうち、適切なものはどれか。

ア　鉱油系作動油は使用温度が高くなると酸化速度が速くなるので、
　　使用範囲を80℃～90℃として管理した

イ　リン酸エステル系作動油、脂肪酸エステル系作動油ともに水分の
　　混入には十分注意する必要がある

ウ　作動油は油温が約70℃を超えると10℃温度が上昇するごとに酸
　　化速度が1／2になる

エ　脂肪酸エステル系作動油を使用しているので、ニトリルゴム系の
　　シールを使用した

【7】　作動油に関する記述のうち、適切なものはどれか。

ア　作動油の粘度 ν と動粘度 η との関係は、作動油の比重を ρ とする
　　と，$\nu = \eta \times \rho$ と表される

イ　油圧作動油の凝固点と流動点の温度は異なるが、引火点と燃焼点
　　はほぼ同じである

ウ　リン酸エステル系作動油配管中のパッキンの材質は、エチレンプ
　　ロピレンゴムを使用する

エ　ISO4406-1999は、一定潤滑油中に含まれる固体粒子の数によっ
　　て汚染の程度を表す

【8】 作動油の具備すべき条件に関する記述のうち、誤っているものは
　　　どれか。

　　ア　火災の危険防止のために水分の含有率が高いこと
　　イ　劣化の抑制のために酸化安定性が良いこと
　　ウ　粘度の低下の防止のためにせん断安定性が良いこと
　　エ　潤滑性低下の防止のために消泡性が良いこと

解答と解説

【油圧機器および空気圧機器】

【1】 ウ

ア 題意のとおり。メータアウト回路では、流入側が絞られることなく十分な空気量が供給され、排気側は絞り弁によって高い背圧が確保されるので、ピストンの移動途中で負荷や抵抗が変化しても速度への影響が少ない。そこでメータアウト回路は、負荷の変動に対して比較的安定した速度が得られる

イ 題意のとおり。潤滑油にはVG32タービン油を使用する

ウ 3点セットではなく、方向制御弁であるので誤り。急速排気弁では排気エアを切換弁（電磁弁など）まで戻さずに排気するため、急速な排気が可能となる

エ 題意のとおり。空気圧モータは方向制御弁で正転・逆転が自在に行える

【2】 エ

ア 設定圧力はスプールが作動しない原因とはならないので誤り。作動不良の原因の1つとしては、スプールの摺動部への異物かみ込みがある

イ 方向制御弁をアクチュエータの近くに設置しても、スプールが作動しない原因とはならないので誤り。作動不良の原因の1つとしては、パイロット流路の詰まりがある

ウ 方向制御弁の取付けねじのゆるみは、排気ポートから空気が漏れる原因とはならないので誤り。排気ポートから空気が漏れる原因の1つとして、スプール部のシールパッキンのきずがある

エ 題意のとおり。ピストンパッキンにきずがあるとシリンダ内部に空気が漏れ、やがて排気ポートからも漏れるようになる

【3】 エ

　ア　題意のとおり。交流ソレノイドは可動鉄芯を吸引させる力が一定
　　　で、動作速度が比較的速い（約10〔m/s〕）。直流ソレノイドは交
　　　流ソレノイドより音も小さいが、可動鉄芯の位置によって吸引
　　　させる力が変化し動作速度は遅く、電気的負荷は一定という特
　　　徴を持つ

　イ　題意のとおり。ポンプの吐出し量は、ポンプ効率とポンプ容積が
　　　一定であれば回転数に比例する。そこで定容量形のポンプであっ
　　　ても、回転数が変化すると吐出し量も変化する

　ウ　題意のとおり。クラッキング圧力とは、弁ばねを持ち上げる圧力
　　　であるので、ばねを持ち上げる力はクラッキング圧力×シート
　　　の受圧面積となる

　エ　ニードル形の弁ではなくスプール形の弁であるので誤り

【4】 エ

　ア　題意のとおり。オイルシールの耐圧力は一般的には0.03MPaで
　　　ある。参考：キーパー株式会社の耐圧形オイルシールには0.3MPa
　　　耐圧仕様の製品が紹介されている（http://www.tokiwashoji.
　　　co.jp/pdf/KEEPER.pdf）

　イ、ウ　題意のとおり

　エ　酸素ではなく窒素を使うので誤り。酸素などの可燃性ガスや空気
　　　を封入すると爆発を起こす可能性がある

【5】 ウ

　ウ　圧力補償付きであっても、流量調整弁では回路圧力を減圧する機
　　　能がないので誤り。減圧弁の圧力調整ができない原因としては、
　　　調整バネの破損、弁体の損傷（対処：交換）、弁シートに異物か
　　　み込み、異物による弁体の固着（対処：分解清掃）などがある

　ア、イ、エ　題意のとおり

【6】　ウ

ウ　動力損失が小さいので誤り。ブリードオフ回路はアクチュエータ
の供給側管路に設けられた主回路からバイパスさせて逃がし量
を調整し、流量制御することによって速度を制御する油圧回路
である。この回路では、シリンダが負荷を駆動するのに必要な
だけの圧力にしかならないので、ムダな動力を消費することな
く、回路効率は非常に優れている

ア、イ、エ　題意のとおり

【7】　ア

ア　問題文はメータアウト回路の説明になっているので誤り。シーケ
ンス回路は、複数のアクチュエータを自動的に順次作動させる
回路である

イ、ウ、エ　題意のとおり

【8】　エ

ア、イ、ウ　題意のとおり

エ　ロッドパッキンではなく、ピストンパッキンであるので誤り。ピ
ストンパッキンが損傷すると、給気により本来ピストンを押す
べき圧縮空気の一部がロッド側に漏れ、排気ポートから放出さ
れる。当然ピストンの押し力が弱まり、ロッドが息つき運動を
することもある

【9】　イ

ア　油圧シリンダの方が大きな出力を得ることができるので誤り。シ
リンダの出力はピストン直径Dと流体圧力Pの積であり、Pは一
般的には空気圧回路では0.7MPa以下、油圧回路では3MPa以上
であるので、内径が同じならば油圧シリンダは空気圧シリンダ
よりも大きな出力を得ることができる

イ　題意のとおり

ウ　油圧アクチュエータは空気圧アクチュエータよりも運転速度の

調整が容易であるので誤り。作動油は空気よりも流量調整弁における圧力変動が少なく圧力損失も少ないので、流量調整弁による速度の調整が容易である

エ　油圧回路は配管に戻り回路を必要とするので誤り。作動油はタンクからアクチュエータに供給され、アクチュエータから出た作動油がタンクに戻る。しかし、空気圧回路では空気は大気から供給され、排気も大気中に放出すれば良いので、戻り配管が不要である

【10】　ウ

ア、イ　題意のとおり

ウ　油漏れが発生するので誤り。スプールは円筒状の穴に内接し、軸方向に移動することで流路の開閉や絞り動作を行う。半径方向に大きい部分をランドといい、ランドが絞り部をふさぐことで弁作用が働き、流れを制御する。ランドと穴の間には隙間が存在するため、閉位置の状態でも若干の漏れが生じる

エ　題意のとおり。メータイン回路やメータアウト回路におけるポンプ出力は、シリンダの負荷の変動に無関係であるが、ブリードオフ回路では、シリンダの負荷の変動に応じてポンプ吐出し量が変化するためムダな動力を消費することなく、回路効率は優れている

【11】　エ

ア　題意のとおり

イ　題意のとおり。カウンタバランス弁は、一方向の流れに設定した背圧（流量制限）を与え、逆方向の流れを自由に流れさせる弁で、降下速度を一定に保つために用いられる。下げ荷重を支える目的で使用する場合、ロッドが急降下することを防止する

ウ　題意のとおり

エ　正確な速度制御ができないので誤り。ブリードオフ回路では、シリンダの負荷の変動に応じてポンプ吐出し量が変化するため、負荷の変動が大きい場合には正確な速度制御ができない

【12】 ア

ア　大きくなるので誤り。油圧シリンダの出力 F〔N〕は、$F=$ 作動油の圧力 P〔Pa〕×シリンダの断面積 A〔m^2〕であるので、作動油の圧力 P が同じであれば、断面積が大きくなるほど出力 F は大きい

イ、ウ、エ　題意のとおり

【13】 ウ

ウ　ポンプで発生する異常音の原因となるのは、作動油の粘度が高く、油温が低い場合であるので誤り

ア、イ、エ　題意のとおり

【14】 ア

ア　問題文はシリンダーロッドの説明であるので誤り。タイロッドとは、シリンダチューブの両端にあるヘッドカバーとロッドカバーをつないで締め付けている棒である

イ、ウ、エ　題意のとおり

【15】 エ

エ　低温による圧縮空気中での水滴の発生ではなく、ドレンのオーバーフローであるので誤り。空気中の水滴はフィルタで捉え、オイルミストセパレータは、フィルタでは取りきれない油分を除去するもので、2次側に油分が流れることを嫌う場合に設置する。ろ過度 $0.01 \sim 0.3\,\mu$m と、エアフィルタよりも目の細かいエレメントが使用されている

ア、イ、ウ　題意のとおり

【作動油の種類および性質】

【1】 ウ

ア　題意のとおり。主成分として水を含む水溶性作動油で、難燃性であり、火災対策のために開発された

イ　題意のとおり

ウ　ブチルゴムには適するが、加水分解により金属を腐食させるので誤り。

エ　題意のとおり。高圧・高速な油圧システムでの使用に適している

【2】エ

　　　油圧作動油には作動油の性能を向上するため、複数の種類の添加剤が処方されている。主な添加剤としては、酸化防止剤、耐摩耗剤、極圧剤、清浄剤、分散剤、粘度指数向上剤、消泡剤、さび止め剤、腐食防止剤などがある。

ア　極圧剤ではなく、酸化防止剤の説明であるので誤り。極圧剤は、極圧潤滑状態における焼付きやスカッフィングを防止し、潤滑油の潤滑性能を向上させる

イ　清浄剤ではなく、腐食防止剤の説明であるので誤り。清浄剤は、高温運転で生成する沈積物およびこれの出発物質などを取り除き清浄にする

ウ　分散剤ではなく、耐摩耗剤の説明であるので誤り。分散剤は、低温時でのスラッジ、すすを油中に分散させる

エ　題意のとおり

【3】エ

　　　作動油の種類とゴムの適正についての大まかな適否は表のようになる（詳しくは、ジュンツウネット：　https：//www.juntsu.co.jp/qa/qa1507.phpを参照）。表より、エが正しいとわかる。

		水 - グリコール系	リン酸エステル系	塩素化炭化水素	ジエステル油
ニトリルゴム	NBR	○	×	×	○
ふっ素ゴム	FR	○	○	○	○
ブチルゴム	IR	○	○	×	×
ウレタンゴム	UR	×	×	×	×

【4】ウ

ア　動粘度のことであるので誤り

イ　引火点のことであるので誤り

ウ 題意のとおり。JIS K 2269-1987（原油及び石油製品の流動点並びに石油製品曇り点試験方法）において、流動点とは「試料を45℃に加熱した後、試料をかき混ぜないで規定の方法で冷却したとき、試料が流動する最低温度をいい、0℃を基点とし2.5℃の整数倍で表す」と規定されている

エ 酸価のことであるので誤り

【5】 ア

ア 使用圧力や回転数について上限値の設定が必要であるので誤り。水－グリコール系やW/Oエマルジョン系などの水分を含んだ作動油は、石油系作動油と比べて潤滑油が劣るので、最高圧力や最高回転数を制限する必要がある。

イ、ウ、エ 題意のとおり

【6】 イ

ア 各ポンプメーカーが推奨する温度範囲は、32℃〜70℃であるので誤り。鉱油系作動油に限らず、使用温度が高くなると粘度が低下する。粘度が低すぎる場合には、油圧アクチュエータの内部漏れや外部漏れの増大、ポンプ容積効率の低下、摺動部分の摩擦増大、精密な流量調整に支障をきたすことになる

イ 題意のとおり

ウ 1／2ではなく2倍になるので誤り。動作温度が約70℃以上になると、酸化の速度が著しく増加する。酸化は不可逆的であり、酸化が検出された場合は作動油を交換する必要がある

エ ニトリルゴムはリン酸エステル系作動油に適さないので誤り。リン酸エステル系作動油にはふっ素ゴムを使用する

【7】 ウ

ア 作動油の粘度 ν と動粘度 η との関係は、作動油の比重を ρ とすると、$\nu = \eta \div \rho$ であるので誤り

イ 引火点と燃焼点は異なるので誤り。燃焼点は引火点よりも20

～60℃位高い値を示す（http://www.jalos.jp/jalos/qa/articles/800-319.htm）。

ウ　題意のとおり

エ　個体粒子そのものの数ではなく、規則に沿った番号コードによって汚染の程度を表すので誤り。ISO4406-1999は、作動液100mlに含まれる固体粒子をカウントすることにより、液体中の汚染物質の分布状況を表すものであるが、実際のカウント数を使用すると、表示する数値の範囲が大きくなるので、実際は2の対数を使用した番号コードに変換して、汚染の程度を表す

【8】　ア

ア　水分の含有率は低くする必要があるので誤り。作動油中の水分の混入許容度は0.1％程度である。新油でも水分が0.03％程度以内は含まれている

イ　題意のとおり

ウ　題意のとおり。潤滑油が使用中にせん断作用を受け、一時的または永久的粘度低下を起こす場合がある。永久粘度低下は油成分の化学構造の変化が原因であり、低下した粘度は元に戻らない。せん断安定性とはこのような粘度低下に対する抗性をいう

エ　題意のとおり。作動油は流れているうちに発泡しやすくなる。また、流速によっては発泡現象を生じる。潤滑油が発泡すると、キャビテーションや潤滑性低下などのトラブルが発生するので、消泡性は重要である

第6-9章

機械系保全法

非金属材料の種類、性質および用途、金属材料の表面処理

主題の傾向　学習のPOINT

　技能検定試験においては、①金属材料の種類・性質・用途、②金属材料の熱処理は「材料一般」内範囲で真偽法で出題される。本章にある①非金属材料の種類・性質・用途、②金属材料の表面処理は択一問題として出題される。しかし実際には、金属材料の表面硬化法のうち、浸炭や窒化はどちらにも出題されているので注意が必要である。

　常識的で幅の広い分野の材料知識が問われる。ファインセラミックスやプラスチックの性質・用途および機械的性質の常識的な知識や、表面処理法について日常的に利用・処理しているものを確かなものにしておきたい。

(1) プラスチックの性質と用途について理解しておく

(2) ゴムは工業的な実用はほとんど合成ゴムであり、シールやパッキンなどに応用されている。そこで、耐熱温度や耐薬品性について知っておく

(3) ファインセラミックスについては、特徴と組成材料について良く理解しておく

(4) 表面硬化法として浸炭、窒化、ショットピーニングなどについて処理内容を知っておく

1　非金属材料

1・1　プラスチック

　1958年の米国のSPE（Society of Plastic Engineers）の機関誌に紹介されたポリアセタール（デルリン）は、耐クリープ性、耐熱性、耐摩耗性が金属材料にある程度替われるほど優れた性質を持つことが実験的に示され、ダイナミックな家電機器、機械素子への応用が急激に進展した。

　そのほか耐衝撃性、耐熱性の高いポリカーボネート、耐熱性、潤滑性、機械的強度の高いナイロン樹脂、さらに耐衝撃性の高いABS樹脂なども、これにならって、構造部品、機械素子への応用が拡大され、従来のプラスチックと一味違って、工業部品へのプラスチック活用の道が開かれた。これらのプラスチックを従来のプラスチックに対しエンジニアリングプラスチック（engineering plastics、エンプラとも呼ばれる）と称するようになった。

（1）　分　類

　プラスチックを分類すると、**表6・9・1**のとおりである。

①　熱硬化性プラスチック

　フェノール、エポキシ樹脂などがあり、合成樹脂の中で加圧・加熱して硬化を完了させると後でふたたび加熱しても軟化せず、どんな溶剤にも溶解しないという性質をもっている樹脂を熱硬化性プラスチックという。

②　熱可塑性プラスチック

　塩化ビニール、ポリアミド樹脂などで、高温で軟化して自由に変形することができ、冷却すると硬化する性質をもつ樹脂を熱可塑性プラスチックという。

（2）　特　徴

　表6・9・2にプラスチックの特徴を示す。

①　ナイロン（ポリアミド　PA）

　ナイロンプラスチックは機械的強度と耐熱性はある程度高いが、吸湿

樹　脂		一般的性質	用　途
熱硬化性プラスチック	シリコーン樹脂	高温、低温に耐え、電気絶縁性、発水性良好	電気絶縁材、耐寒、耐熱のグリースやゴム、発水剤、離形剤、消泡剤
	エポキシ樹脂	金属への接着力大、耐薬品性良	金属の接着剤、塗料、積層品
	ポリウレタン樹脂	強度大、弾力性に優れる。電気絶縁性良好、耐水性、耐酸性、アルカリに弱い	スポンジ、ゴム、合成繊維、接着剤
	フェノール樹脂（ベークライト）	機械的強度、耐熱性, 電気的特性に優れる。耐溶剤性、耐酸性良好	電気機器、化粧板、絶縁材料、プリント配線基板
熱可塑性プラスチック	塩化ビニール樹脂	強度、電気絶縁性、耐薬品性良好、可塑剤で柔軟化できる。高温、低温に弱い	フィルム、雑貨、管、電気絶縁材料（とくにコード被覆）、ダイオキシン発生のため廃棄物処理が困難
	ポリビニールアセタール樹脂	無色透明、密着性良好	フィルム、安全ガラス中間層、接着剤、塗料
	メタクリル樹脂（アクリル）	無色透明、強じん、耐薬品性もかなり大、有機ガラスといわれる	風防ガラス、その他ガラス代用、広告装飾、雑貨、医療用品
	ポリアミド樹脂（ナイロン）	強じん、耐摩耗性大	合成繊維、成形品として耐摩耗材（歯車など）
	ポリエチレン樹脂	比重水より小、柔軟でも比較的強じん、耐水性、耐薬品性、電気絶縁性良好	包装フィルム、電気絶縁材（とくに高周波絶縁材）、びん、容器、雑貨
	ふっ素樹脂	低温から高温の広範囲に電気絶縁性良好、耐薬品性、強度大	電気絶縁材料、耐薬品材、パッキン、ライニング
	ポリプロピレン樹脂	耐熱性、耐薬品性にすぐれる。とくに軽量。耐候性に劣る	食器、自動車バンパー、化学機器
	ABS 樹脂	耐熱性・耐衝撃性・加工性良好、耐候性に劣り、有機溶剤に弱い	日用品、自動車部品、家電のボディ、住宅建材

表6・9・2　プラスチックの特徴

特　徴	欠　点
(1)　比較的強度が大きく軽い (2)　硬さや柔軟性が適度に得られる (3)　耐水性、耐薬品性、耐候性がよい (4)　電気絶縁性、熱絶縁性がよい (5)　成形加工や形付けが高能率で、機械加工性も悪くない (6)　着色自由で透明のものも得られ、外観が美しい	(1)　高温で変形や分解が起こりやすく、使用温度に限界がある (2)　熱による膨脹変化が大である (3)　成形時もさらに成形後も収縮変化が起こりやすい。また成形加工条件により性能も変化する (4)　衝撃強度が一般に弱い

性の高いこと（ナイロン12は低い）が欠点とされている。自動車、電気などの成形品などに使用される。

表6・9・3　ファインセラミックスの一般的な性質

材料	融点 (K (℃))	最高使用 温度(K(℃))	モース 硬度	熱膨張係数 (× 10^{-7}/K)	熱衝撃 抵抗性
Al_2O_3（アルミナ）	2323 (2050)	2223 (1950)	9	80（293〜1773K）	良好
MgO（マグネシア）	3073 (2800)	2673 (2400)	6	140（293〜1673K）	劣る
SiO_2（シリカ）	—	1473 (1200)	7	5（293〜1273K）	優良
ZrO_2（ジルコニア）	2873 (2600)	2773 (2500)	7〜8	100（293〜1673K）	普通
$3Al_2O_3 \cdot 2SiO_2$（ムライト）	2103 (1830)	2073 (1800)	8	45（293〜1573K）	良好
$MgO\,Al_2O_3$（スピネル）	2383 (2110)	2173 (1900)	8	90（293〜1523K）	劣る
$ZrO_2 \cdot SiO_2$（ジルコン）	2693 (2420)	2143 (1870) (酸化気流)	7.7	55（293〜1473K）	良好

呼称は JIS R 1600：2011（ファインセラミックス関連用語による）

②　ふっ素樹脂（四ふっ化エチレン樹脂）

　この樹脂は比重が2.1、融点が598K（325℃）でほとんどの化学薬品に侵されず、不燃性、無毒、無吸湿性で潤滑特性抜群という極端にすぐれた性質をもっている。引張り強さは $14 \sim 34N/mm^2$（$1.4 \sim 3.5kgf/mm^2$）、弾性係数は0.4GPa（$40kgf/mm^2$）と剛性は劣っている。シールテープで知られる。

1・2　ファインセラミックス

（1）定義

　セラミックスの強度を増すという目的で最初に登場したのがアルミナで、ファインセラミックスを定義づければ、「高純度の人工粉末を厳密な制御の下で成形・焼結した非金属の無機質固体材料」ということになる。

（2）特徴

　セラミックスは、金属材料や有機材料にない次のような特徴がある。
・高温での使用に耐える
・電気絶縁性が良好である
・高強度で耐摩耗性に富んでいる
・酸・アルカリに対して耐食性がすぐれている
　セラミックスに対してファインセラミックスは上記の特徴をより大きく活かした製品である（表6・9・3）。

(3) 用途

反応焼結法、常圧焼結法、雰囲気加圧焼結法、ホットプレス法などの焼結法によって得られた焼結体の用途は次のとおりである。

Al_2O_3（アルミナ）：摺動部品、ノズル、切削工具

Si_3N_4（窒化けい素）：高温用、シリンダーライナー、タービンブレード

SiC（炭化けい素）：高温用、タービンブレード、メカニカルシール、熱交換器

ZrO_2（ジルコニア）：切削工具、ハサミ

1・3 ゴ ム

(1) 天然ゴム

天然ゴムは一般に耐油性、耐熱性に劣り、時間が経つにつれて弾力性を失い、ひび割れなどの老化を起こす。また、天然ゴムには軟質ゴムと硬質ゴムがあり、とくに硬質ゴムは電気絶縁性にすぐれ、電気絶縁材料としてよく使われる。エボナイトが代表的である。使用温度範囲は－50℃～70℃程度である。

(2) 合成ゴム

合成ゴムは耐油性、耐熱性、耐摩耗性、耐老化性にすぐれている。使用温度範囲としてシール材料に使われるゴムを例に挙げると、ウレタンゴム：－40℃～80℃、ニトリルゴム：－40℃～100℃、クロロプレンゴム：－40℃～120℃、シリコーンゴム：－70℃～200℃、ふっ素ゴム：－30℃～230℃である（参照：NOK株式会社：ゴム・樹脂材料の詳細）。

2　めっき

めっきには電気めっき法・溶融めっき法・金属溶射法などがある。また、最近では真空蒸着法もある。

2・1 電気めっき法

電気めっき法は、めっきされる金属製品を陰極（−）とし、めっきする金属を陽極（＋）としてめっき液中に浸し、これに電流を流して電解によって金属製品の表面に目的の金属を被覆層として析出させる方法である。

・カチオン（cation）：正に帯電したイオンまたは陽イオン
・アニオン（anion）：負に帯電したイオンまたは陰イオン

（1）　クロムめっき

①　装飾クロムめっき

装飾クロムめっきの厚さは0.032 〜 0.050mm程度で、大気中で変色せず、またじん埃にも摩耗が少なく、長く鮮明に反射像を写す。

②　硬質クロムめっき

JIS H 8615では工業用クロムめっきと呼ばれる。非常に硬い（800 〜 1000HV）性質のめっきで、めっきの厚さは0.01 〜 0.3mmである。また、切削工具の刃先へ0.03 〜 0.08mmのクロムめっきを施し、工具寿命を3 〜 4倍に増加できる。クロムめっきは水素の吸収がいちじるしく、水素脆化の問題がある。

（2）　すずめっき

すずは価格はやや高いが金属光沢をもち、空気中で変色しにくく有機酸などに安定性があり、さらに衛生上無害のため食品容器類、缶詰類や食品加工機械類のめっきに用いられる。めっき層は軟らかで潤滑性もよく、軸受部品、ピストンリングなどの摺動部品、電気接点、鉄鋼材の窒化防止などに用いられる。

（3）　亜鉛めっき

亜鉛めっきは大気中の鉄鋼の錆止めとしてすぐれており、かつ安価である。

電気亜鉛めっきは、外観を重視しない工業用品の防食めっきとして防食ボルト・ナットに利用され、溶融めっき製品では亜鉛めっきした鋼板がトタンといわれて市販されている。

2・2　溶融めっき法

これは、熱漬法(hot dipping)ともドブ漬めっきともいわれるもので、亜鉛、すず、アルミニウム、鉛などの融点の低い非鉄金属の溶融浴に金属製品をつけた後、引き上げ凝固させてその表面を被覆する方法である。

2・3　無電解ニッケルめっき

電解によらず液に含浸することで被めっき物に金属ニッケル皮膜を析出させる方法である。カニゼンめっきとも呼ばれる。通電を必要としないため、プラスチックやセラミックスのような非金属にも使用できる。素材の形状や種類にかかわらず均一な厚みの皮膜が得られる。

3　塗　装

塗装の目的は、製品の表面に塗料の被覆をつくることによって木材や鉄材が風や雨によって腐食したり、薬液などにより侵されるのを防いだり(保護作用)、物の表面に光沢を与え、その外観を変えたり(美化作用)する。また、物の表面に防熱、電気絶縁、防音などの特殊な性質を与えるものがあり、電気絶縁塗料、示温塗料、船底防汚塗料、ひずみ測定塗料などの用途に用いられるものもある。塗料の厚みは一般機械には30〜50μm、プラント用には80〜150μm程度が1、2回塗布されている。

4　ショットピーニングとショットブラスト

（1）　ショットピーニング

粒径0.4〜1.2mmの鋼球を金属表面に吹き付けて、硬さ・疲れ強さを増す加工法である。硬さは約30〜60％上昇する。疲れ強さの上昇は、

3 〜 27%程度であるが、表面が仕上げ・熱処理されていないものでは、上昇率は23 〜 100%にもなる。

（2）　ショットブラスト

　粒径0.4 〜 1.5mmの鋼球を金属表面に吹き付ける衝撃と研削によって一皮むいて錆を取る方法である。物理的な錆落とし法のひとつである。

その他の表面処理

黒染め

鉄鋼の表面に化学薬品で緻密な酸化被膜を形成させ、錆を防ぐ処理のこと。簡単に言えば、鉄鋼の表面をあえて錆させ、それ以上錆が進行しないようにする処理である。表面は、四三酸化鉄の酸化被膜で覆われているため、錆が発生しにくくはなっているが、膜厚は1〜2μmと非常に薄いので、十分な耐食性があるとはいえない。

静電塗装

アースした塗装物を陽極、塗装霧化装置を陰極とし、これに負の高電圧を与えて両極間に静電界をつくり、霧化した塗装粒子を負に帯電させて、反対極である被塗物に効率よく塗料を吸着させる方法。他の霧化塗装法に比べて、塗料を大幅に節減でき、最高95%の塗着効率が可能である。これにより環境改善をはじめ数々のメリットが生み出される。

クラッドメタル

1つの金属の表面と他の金属（通常は異種金属）の表面を圧力を加えて圧延し接合する技術である。圧力によって金属と金属が原子間接合される圧延接合のため、表面には接着剤などは使われない。異種金属を接合することができるので、単体の金属では得られない機能をつくり出すことができる。たとえば、熱膨張係数の高い金属と低い金属を圧延接合することによって、金属を熱変形させることができる。この原理がサーモスタットバイメタルに応用されている。

酸洗い（酸洗）

金属に熱処理、溶接、ロウ付けなどにより生じた錆、スケール、酸化皮膜、不動態皮膜を硫酸や塩酸で除去する処理である。

＊この章の頻出問題＊

【非金属材料】

問　題	非金属材料に関する記述のうち、適切でないものはどれか。 ア　エポキシ樹脂は熱硬化性であり、常温・常圧で成形できる イ　ポリエチレンは熱可塑性であり、耐熱性にすぐれる ウ　ポリプロピレン樹脂は、ABS樹脂に比べて耐薬品性にすぐれる エ　結晶性合成樹脂は、非結晶性合成樹脂と比べて成形収縮率が大きい （2023年度　1級）
解　答	イ
解　説	ア、ウ、エ　題意のとおり イ　耐熱性にすぐれるわけではないので誤り

■ 解法のポイントレッスン

　プラスチックに関して種類・性質と熱可塑性・熱硬化性を問う出題であり、1、2級ともに第3位、第4位の出題頻度であるが、プラスチックは機械部品としての重要性を高めている現状から、今後も出題は増加すると思われる。プラスチックには熱可塑性(チョコレートのように熱で溶かして型に入れ、冷やして成形するもの)と熱硬化性(ビスケットのように熱を加えて成形するもの)があり、製法上から一般的には熱可塑性プラスチックは耐熱性に劣り(ポリエチレン樹脂の耐熱温度は約80℃)、熱硬化性プラスチックは耐熱性に富む(シリコーン樹脂の耐熱温度は約200℃)。熱可塑性プラスチックの代表的なものにポリエチレン樹脂やアクリル樹脂、ポリアミド樹脂(ナイロン)がある、また、熱硬化性プラスチック樹脂には、接着剤として使われるエポキシ樹脂や配管の保温・保冷材として使われるフェノール樹脂、スポンジ材料のポリウレタン樹脂がある。ア、イ、ウは、本章「表6・9・1　プラスチックの主な種類と用途」を参照すると解答できる。難しいのはエで、熱可塑性樹脂は結晶構造を持つか否かによって「結晶性樹脂」と「非晶性樹脂」

の2つに分類され、「結晶性樹脂」は「非晶性樹脂」と比べて寸法精度が不良（主縮率が大）で塗装・接着性に劣る特徴がある。「結晶性樹脂」にはポリプロピレン、「非晶性樹脂」にはABS樹脂がある。

＊この章の頻出問題＊

【材料の表面処理】

問　題	めっきに関する記述のうち、適切でないものはどれか。 ア　工業用クロムめっきは、凹凸がある複雑な形状にも適用できる利点がある イ　一般的に、工業用クロムめっきのめっき厚さは、装飾クロムめっきよりも厚い ウ　ニッケルめっきの上に工業用クロムめっきを施すことで、ピンホールや割れの発生を防ぐことができる エ　金属材料に工業用クロムめっきを施すと、めっき層に存在する水素の影響で、強度が低下することがある （2022年度　2級）
解　答	ア
解　説	ア　凹凸がある複雑な形状には適用できないので誤り イ、ウ、エ　題意のとおり

■ 解法のポイントレッスン

　出題頻度トップのめっきに関する出題であり、本問は、工業用クロムめっき(硬質クロムめっき)の特徴について基礎知識を問う良い問題である。工業用クロムめっきの特徴は、① 非常に硬い(800 〜 1000HV)、② 装飾用クロムめっきと比べて膜厚が厚い(装飾用クロムめっき：一般的には0.2 〜 0.5 μm、工業用クロムめっき：0.01 〜 0.3mm)、③ 水素脆化が発生する問題がある、ことからイとエは正解とわかる。またクロムめっきは一般的に厚付けするとめっき層にピンホールやクラックが発生しやすくなり、対策として工業用クロムめっきの下地にクラックが少なく耐食性の高い無電解ニッケルめっきを施すことになる。そこでウは正解とわかる。また、工業用クロムめっきを含めた電気めっきの特徴として、凹凸を持った複雑な形状に均一な厚みを施すことは困難である。電気が良く流れる角部などはめっきが厚く析出し、逆に電気があまり流れない箇所(凹み部)ではめっきが薄くなる。よってアは誤りの文章である。

■ 過去18年間の傾向分析

【非金属材料】

　グラフ１のように２級ではゴム、１級に関しては、セラミックス（ファインセラミックス）と樹脂に関する問題はほぼ毎年出題されているので本章で十分に復習をされたい。セラミックス（ファインセラミックス）に関する問題は、その特徴に関する問題が多い。一方、プラスチックに関しては、一般的な特徴、熱硬化性樹脂と熱可塑性樹脂の区別、ふっ素樹脂やシリコーン樹脂などの耐薬品性や耐熱性に優れる樹脂に出題が集中している。

【表面処理】

　グラフ２のように、１、２級ともにめっき（クロムめっき、電気めっきなど）、浸炭が頻出している。また、溶射に関する問題が2018年度（１級）、2019年度（１、２級）、2020年度（１、２級）、2021～2022年度（２級）と連続しているので、本章で知識を整理しておくことが望ましい。また１、２級ともに表面処理に関する問題では表面硬化法、表面処理法に関する事項の組合わせで出題されているパターンが多い。黒染め、硬質クロムめっきなどという名称もたびたび出てくるので本章「ZOOM UP その他の表面処理」などで確認しておこう。

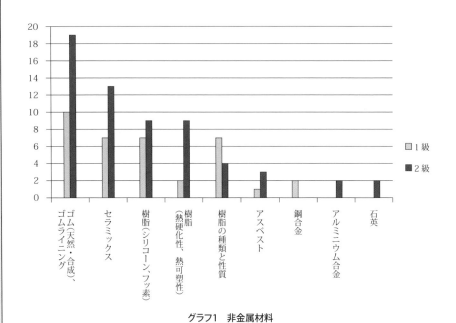

グラフ1 非金属材料

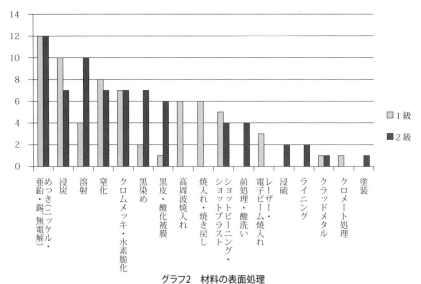

グラフ2 材料の表面処理

実力確認テスト

【非金属材料の種類、性質および用途】

【1】 下記のゴムは、最高使用温度が高いものから低いものへと並べてある。適切なものはどれか。

　ア　ウレタンゴム ＞ ニトリルゴム ＞ ふっ素ゴム ＞ 天然ゴム

　イ　ニトリルゴム ＞ ふっ素ゴム ＞ 天然ゴム ＞ ウレタンゴム

　ウ　ふっ素ゴム ＞ ニトリルゴム ＞ ウレタンゴム ＞ 天然ゴム

　エ　天然ゴム ＞ ニトリルゴム ＞ ふっ素ゴム ＞ ウレタンゴム

【2】 非金属材料に関する記述のうち、誤っているものはどれか。

　ア　ポリエチレンは熱可塑性であり、比重が水よりも小さい

　イ　アクリル樹脂は熱可塑性であり、完全に無色透明で、光の透過率は100％に近い

　ウ　フェノール樹脂は熱硬化性であり、ベークライトともよばれ、耐熱性がある

　エ　ポリウレタン樹脂は熱硬化性であり、強度が低く、弾力性に劣る

【3】 次の非金属材料に関する記述のうち誤っているものはどれか。

　ア　水—グリコール系作動油の配管中には、ウレタンゴム製パッキンを使用する

　イ　リン酸エステル系作動油のタンクのゴムライニングとしては、シリコーンゴム製パッキンが適している

　ウ　日本産業規格（JIS）によれば、耐鉱物油・耐熱用のＯリングに使用される材料として、水素化ニトリルゴムが規定してある

　エ　日本産業規格（JIS）によれば、耐寒性記号Ｇのゴムパッキンは50％衝撃ぜい化温度が－85℃である

【4】 非金属材料に関する記述のうち、適切なものはどれか。

　　ア　シリコーン樹脂は、樹脂のなかでは耐熱性や耐寒性が劣る特徴が
　　　　ある
　　イ　ナイロンは、合成繊維専用の樹脂で衣類や寝具などに使用される
　　ウ　ふっ素樹脂は、耐熱性に優れるが耐薬品性に劣る
　　エ　セラミックス材料は、一般的に高温での使用に耐えられる

【5】 非金属材料に関する記述のうち、適切なものはどれか。

　　ア　天然ゴムは一般的に耐油性、耐熱性に優れるが、時間が経つにつ
　　　　れて弾力性を失う
　　イ　ファインセラミックスは高純度の人工粉末を厳密な制御の下で
　　　　成形、焼結した非金属の無機質固体材料である
　　ウ　熱硬化性プラスチックは高温で軟化して自由に変形することが
　　　　でき、冷却すると硬化する性質を持つ
　　エ　エンジニアリングプラスチックは機械部品にも使われる硬い合
　　　　成ゴムの総称である

【6】 非金属材料に関する記述のうち、適切でないものはどれか。

　　ア　セラミック材料は一般に高強度で耐摩耗性に優れているので、切
　　　　削用工具に使用されている
　　イ　塩化ビニール樹脂は廃棄物処理が容易であるため、配管用に使用
　　　　されている
　　ウ　天然ゴムは反発弾性、耐摩擦性に優れているため、タイヤや防振
　　　　材に使用されている
　　エ　ふっ素樹脂は耐薬品性に優れるので、タンクの内面ライニングに
　　　　使用されている

【7】 次の非金属材料に関する記述のうち、誤っているものはどれか。

ア 天然ゴムは時間が経つにつれて弾力性を失い、ひび割れなどが発生する傾向がある

イ ファインセラミックスとは、主に石油などを原料として人工的に熱や圧力を加えて成形・加工された高分子材料である

ウ ふっ素樹脂には不燃性、無毒、無吸湿性で潤滑特性が非常に良いという特徴がある

エ Z_rO_2(ジルコニア)は切削工具やハサミなどに使用されている

【8】 次の非金属材料に関する記述のうち、誤っているものはどれか。

ア 天然ゴムには硬質ゴムと軟質ゴムがあり、軟質ゴムは電気絶縁性に優れるので、エボナイトのような電気絶縁材料に使われる

イ 水—グリコール系の作動油配管のシール材料としては、シリコーンゴムが適する

ウ 汎用的なゴムは低温になると硬くなり、シール機能を失うので、耐寒用パッキンには使用できない

エ ふっ素ゴムよりもシリコーンゴムの方が低温環境で使用できる

【9】 非金属材料に関する記述のうち、適切なものはどれか。

ア 低温から高温まで使えるプラスチックのうち、ふっ素樹脂は熱硬化性であり、シリコーン樹脂は熱可塑性である

イ エボナイトは合成ゴムで電気絶縁性に劣り、ニトリルゴムは天然ゴムで電気絶縁性に優れる

ウ プラスチックは焼結によって製造され、ファインセラミックスは射出成型によって製造される

エ 個体潤滑剤として使用される非金属材料には黒鉛やPTFEがある

【10】 非金属材料に関する記述のうち、適切なものはどれか。

ア 鋼板の槽などのゴムライニング計画においては、使用条件に対するゴムの強度や耐久性の検討をしておけば他の項目については検討しなくてもよい

イ プラスチックは工業生産で量産されることから、エンジニアリングプラスチックとも呼ばれる

ウ 一般的に合成ゴムの耐油性、耐熱性は、天然ゴムよりも優れている

エ 一般的に、セラミックス材料は衝撃強度が強いので航空宇宙産業でも多用される

【金属材料の表面処理】

【1】 金属材料の表面処理法に関する記述のうち、適切なものはどれか。

ア 窒化とは鋼(主に低炭素鋼)の表面層の硬化を目的として表面に炭素を拡散浸透させる処理のことである

イ 銅めっきは、クロムめっきなどの下地めっきとしては使われない

ウ ショットピーニングは、圧縮空気または遠心力によってショットを母材に噴射し激突させる表面硬化法である

エ 溶射は、金属や合金または金属の酸化物などを溶融状態にし、これに基材を浸漬して皮膜を作る表面処理法である

【2】 金属材料の表面処理に関する文中の(①)(②)内に当てはまる語句の組合わせとして、適切なものはどれか。
「金属材料に(①)を施すと、めっき層に存在する(②)の影響で、強度が低下することがある。」

	①	②
ア	亜鉛めっき	炭素

イ　ニッケルめっき　　　　窒素
ウ　クロムめっき　　　　　水素
エ　銅めっき　　　　　　　酸素

【3】　金属材料の表面処理に関する述のうち、適切なものはどれか。

ア　めっき工程で発生した水素脆性により、金属表面は硬く、同時に
　　弾性にも富むようになる
イ　アルマイト処理は美観は向上するが、アルミニウム表面が腐食し
　　やすくなる
ウ　硬質クロムめっきは、クロメート処理と呼ばれる工程によって表
　　面処理される
エ　クラッドメタルとは、異なる金属を貼り合わせたものである

【4】　工業用クロムめっきに関する記述のうち、適切なものはどれか。

ア　めっき対象が凹凸のある複雑な形状の場合には適用が困難であ
　　る
イ　一般的に、工業用クロムめっきのめっき厚さは、装飾クロムめっ
　　きよりも薄い
ウ　硬度が高いので、ピンホールや割れの発生を考えなくてもよい
エ　金属材料に施すと、めっき層に存在するクロムの影響で、強度が
　　低下することがある

【5】　鋼材料の表面処理に関する記述のうち、適切なものはどれか。

ア　硬質クロムめっきは厚さが0.001 ～ 0.03mmであり、硬さは一
　　般的にHV200以下である
イ　クラッドメタルは、1つの金属の表面と他の金属の表面を圧力を
　　加えて圧延し、接合した材料である
ウ　黒染めは、鋼の表面にニッケル膜を生成したものである

エ　ユニクロめっきは、黒鉛を電磁処理で鋼板の表面に付着させたものである

【6】　金属材料の表面処理に関する記述のうち、適切なものはどれか。

ア　浸炭は、主に高炭素の鋼に使用される
イ　鋼の窒化処理後に、焼入れと焼戻しを行う
ウ　浸炭処理は、SPCCやS15Cの表面硬度の向上には適さない
エ　めっき後にクロメート処理を行うことで、めっき表面を保護することができる

【7】　金属の表面処理に関する記述のうち、誤っているものはどれか。

ア　窒化は、調質後の鋼の表面に窒素を浸透させ、表面層のみを硬くする方法である
イ　酸洗いは、金属に熱処理、溶接、ロウ付けなどにより生じた錆、スケール、酸化皮膜、不動態皮膜を硫酸や塩酸で除去する方法である
ウ　溶射は、鋼の表面を高温に加熱することで、塗装やめっきなどの表面の皮膜を除去する方法である
エ　黒染めは、鋼の表面に化学薬品で緻密な被膜を形成させ、錆を防ぐ方法である

【8】　鋼材料の表面処理に関する記述のうち、適切なものはどれか。

ア　炎焼入れは形状複雑な部品や多品種少量生産に向いている
イ　陽極酸化被膜は鋼のみに適用され、被膜への染色はできない
ウ　高周波焼入れで、小型の部品を浅く硬化したい場合には低めの周波数を用いる
エ　窒化では加熱による製品の熱変形が生じるという欠点がある

解答と解説

【非金属材料の種類、性質および用途】

【1】　ウ

　　ふっ素ゴム230℃、ニトリルゴム100℃、ウレタンゴム80℃、天然
ゴム70℃なので、ウが正解となる。

【2】　エ

　エ　ポリウレタン樹脂は強度が大きく、弾力性に優れるので誤り。ポ
　　　リウレタン（PU）は別名ウレタンゴムとも呼ばれるプラスチック
　　　で、ゴムのように柔かく抗張力（引張り強度）や耐摩耗性、弾性、
　　　耐油性に優れている。発泡ポリウレタンとして、防音材や接着
　　　剤といった工業用材料にも使われる

　ア、イ、ウ　題意のとおり

【3】　ア

　ア　適していないので誤り。表より、スチレンゴムまたはクロロプレ
　　　ンゴム製のパッキンを使用する必要がある

　イ　題意のとおり。表を参照

　ウ　題意のとおり。JIS B 2401—1：2012（Oリング—第1部：Oリ
　　　ング）に問題文の材質についての規定がある

　エ　題意のとおり。JIS K 6380：2014（ゴムパッキン材料—性能区
　　　分）に問題文についての規定がある。

	ニトリルゴム	シリコーンゴム	ウレタンゴム	スチレンゴム	クロロプレンゴム	フッ素樹脂
鉱油系作動油	○	△	○	×	△	○
水—グリコール系作動油	△	×	×	○	○	○
W/Oエマルジョン系作動油	○	×	△	×	×	○
りん酸エステル系作動油	×	○	×	×	×	○

Packing Land資料
(https://www.packing.co.jp/GOMU/sadoyutekigou1.htm)
○：適合　△：チェックが必要　×：不適

【4】 エ
　ア　耐熱性や耐寒性に優れるので誤り
　イ　合成繊維専用ではなく、歯車や軸受などの機械部品に広く使用される
　　　のので誤り
　ウ　耐薬品性にも優れるので誤り
　エ　題意のとおり

【5】 イ
　ア　天然ゴムは一般的に耐油性、耐熱性に劣るので誤り
　イ　題意のとおり
　ウ　問題文は熱可塑性プラスチックの説明なので誤り。熱硬化性プラ
　　　スチックはビスケットのように加熱することで硬化し、その後
　　　は再加熱しても軟化しないプラスチックである
　エ　エンジニアリングプラスチックはゴムではないので誤り。エンジ
　　　ニアリングプラスチックとは、高い強度と耐熱性を持ち、歯車
　　　や構造部品など工業用途に適した性質を持つプラスチックの総
　　　称である

【6】 イ
　ア、ウ、エ　題意のとおり
　イ　廃棄物処理が困難であるので誤り。塩化ビニール自体は無害であ
　　　るが、塩ビ製品を軟らかくするための添加物（DEHP：可塑剤）の
　　　発がん性や焼却時のダイオキシン発生が問題となっている

【7】 イ
　イ　問題文はプラスチックの説明となっているので誤り。ファイン
　　　セラミックスとは、高純度の人工粉末を厳密な制御の下で成形・

焼結した非金属の無機質固体材料である

　ア、ウ、エ　題意のとおり

【8】　イ

　ア　題意のとおり

　イ　シリコーンゴムは適さないので誤り。ウレタンゴムも不適であるが、それ以外のニトリルゴム、クロロプレンゴム、エチレンプロピレンゴムなどは使用可能である

　ウ　題意のとおり。－40℃における汎用的なクロロプレンゴムやニトリルゴム、シリコンゴムの剛性率は0℃のときの約100倍以上になる

　エ　題意のとおり。耐寒温度はシリコーンゴムが－70℃、ふっ素ゴムが－30℃である

【9】　エ

　ア　ふっ素樹脂は熱可塑性であり、シリコーン樹脂は熱硬化性であるので誤り

　イ　エボナイトは天然ゴムで電気絶縁性に富み、ニトリルゴムは合成ゴムで電気絶縁性に劣るので誤り

　ウ　プラスチックは射出成型によって製造され、ファインセラミックスは焼結によって製造されるので誤り

　エ　題意のとおり

【10】　ウ

　ア　鋼板の槽などのゴムライニングは、使用条件に対するゴムの強度や耐久性のほかに加工性や施工性・補修性に対する検討も重要であるので誤り

　イ　工業生産されるからではなく、工業製品の原料に使われることからエンジニアリングプラスチックとも呼ばれるので誤り。プラスチックはコーヒーカップなどの日常生活用品などに使われる汎用プラスチックと歯車などの工業製品に使われるエンジニア

リングプラスチック（略称はエンプラ）に大別される

ウ　題意のとおり

エ　セラミックス材料は衝撃強度が弱いので誤り。航空宇宙産業に使われるのは主にその優れた耐熱性による

【金属材料の表面処理】

【1】　ウ

ア　問題文は浸炭の説明なので誤り。窒化とは鋼の表面に窒素を拡散進入させて、表面を硬化する方法である

イ　下地めっきに使われるので誤り。銅は電気導電性、熱伝導性、展延性に優れており、ある程度の強度と耐食性があるが、変色しやすいので他の金属めっきの下地めっきとして使われる

ウ　題意のとおり

エ　基材を浸漬するのではなく、吹き付けるので誤り。溶射とは、加熱することで溶融またはそれに近い状態にした粒子を、物体表面に吹き付けて皮膜を形成する表面処理法である

【2】　ウ

「金属材料に（クロムめっき）を施すと、めっき層に存在する（水素）の影響で強度が低下することがある。」クロムめっきにおける水素脆化の問題である。そこでウが正解となる。

【3】　エ

ア　脆くなるので誤り。水素脆性を起こした素材は割れやすくなり、ばね材では致命的な欠陥となる

イ　腐食しにくくなるので誤り。アルマイトは非常に薄く安定した酸化被膜であり、アルミニウムの表面を保護し、被膜内部の酸化を抑える働きをする

ウ　硬質クロムめっきとクロメート処理は異なる表面処理であるので誤り。クロメート処理は一般的には亜鉛めっきを施した後、

表面にクロム酸クロムを主成分とする被膜を生成させるもので、クロムのめっきである硬質クロムメッキとは異なる

エ　題意のとおり。クラッド鋼とは、異種金属同士を冶金的に一体化接合することにより、それぞれの金属の特徴を合わせ持たせることが可能になった高機能材料である

【4】　ア

ア　題意のとおり。電気が良く流れる角部などはめっきが厚く析出し、逆に電気があまり流れない箇所（凹み部）ではめっきが薄くなるので凹凸を持った複雑な形状に均一な厚みを施すことは困難である

イ　装飾用クロムめっきと比べて膜厚が厚いので誤り。装飾用クロムめっき：一般的には $0.2 \sim 0.5\,\mu m$、工業用クロムめっき：$0.01 \sim 0.3mm$

ウ　クロムめっきは一般的に厚付けするとめっき層にピンホールやクラックが発生しやすくなり、対策として工業用クロムめっきの下地にクラックが少なく耐食性の高い無電解ニッケルめっきを施すことになる

エ　クロムではなく、水素であるので誤り

【5】　イ

ア　硬質クロムめっきは厚さが $0.01 \sim 0.3mm$ であり、硬さはとくに指定がない限り HV700 以上であるので誤り。この硬質クロムめっきを切削工具の刃先へ $0.03 \sim 0.08mm$ 施すと、工具寿命を $3 \sim 4$ 倍に延長できる

イ　題意のとおり

ウ　ニッケルでなく四三酸化鉄であるので誤り。黒染めは、鋼の表面に四三酸化鉄を生成したもので、黒染めされた表面は四酸化三鉄の不動態酸化皮膜で覆われているため、錆が発生しにくい

エ　黒鉛を付着させたものではなく、光沢クロメート皮膜処理を施したものであるので誤り。ユニクロめっきとは、光沢クロメート

皮膜処理を施したものを指す。光沢クロメート皮膜は、クロメート処理により亜鉛に防食皮膜を生成させたところに化学研磨作用を利用して、めっきに光沢を与えたクロメート皮膜である

【6】　エ

　ア　浸炭は、主に低炭素の鋼に使用されるので誤り
　イ　窒化後には、焼入れ・焼戻しが不要であるので誤り
　ウ　表面硬度の向上には適するので誤り。SPC材は炭素含有量が0.15％以下、S15Cは炭素量含有量が0.13～0.18であり、どちらも低炭素鋼なので浸炭処理に適する
　エ　題意のとおり。クロメート処理は亜鉛めっきや亜鉛合金めっき、またアルミニウム素材などの表面を保護するために、めっき表面などに行われる化成処理である

【7】　ウ

　ウ　溶射は、溶射材料を加熱し、溶融またはそれに近い状態にした粒子を物体表面に吹き付けて皮膜を形成させる方法なので誤り
　ア、イ、エ　題意のとおり

【8】　ア

　ア　題意のとおり
　イ　陽極酸化被膜はほとんどアルミニウムおよびその合金に適用され、陽極酸化された表面は活性であるので染料を吸着し、染色することができるので誤り。
　ウ　誘導電流は周波数が高いほど表面層に集中するため、小さな素材に浅い硬化層を形成したい場合には高い周波数を用いるので誤り。
　エ　熱変形が生じないので誤り。窒化では鋼材中に侵入した窒素が微細な窒化物を形成し、そのひずみ硬化によって表面層を硬化する。そこで焼入れによる硬化ではないので処理温度も低くてよく、素材の変形も起きない

機械系保全法

第 6-10 章 力学および材料力学の基礎知識

主題の傾向 ⬇ 学習のPOINT

　保全員として必要な技能という立場から試験の「基準および細目」を見たとき、これらがもっとも適切な範囲・レベルだと断定はできないが、最低限この程度の知識は必要だと考えるべきである。ただし、工業高校程度のレベルで十分であり、数式の取扱いについても高度のものは必要としない。それよりも、基本的なことが正しく理解されていることが大切である。

・モーメントの定義と計算
・荷重を吊り上げるときの張力と角度の計算
・荷重の種類、せん断応力の計算
・許容応力と安全率
・応力集中と切欠き効果

などについて用語の意味、単位、公式を正確に把握しておきたい。

1 力 学

1・1 力学の基礎知識

(1) 荷重の種類

荷重とは材料(物体)に加えられた力、すなわち材料に作用する外力のことをいう。**表6・10・1**に、材料への作用のしかたによる荷重の分類を示す。また、**表6・10・2**に材料への荷重の加わりかたによる分類をまとめておく。

同じ引張り荷重であっても、静荷重か動荷重(繰返し荷重)かによって材料に与える影響は異なってくる。

(2) 力の3要素

力の3要素は次のとおりである。

① 力の大きさ、② 力の方向と向き、③ 力の着力点(または作用点ともいう)。

1・2 応力とひずみの基礎知識

(1) 応力と単位

日本機械学会の定義では、単位面積あたりの外力を応力という(JIS Z 2241：2011(金属材料引張試験方法)によると、試験力を試験片の原断面積で除した値を公称応力または単に応力という。また、試験力をそのときの試験片並行部の断面積で除した値を真応力という)。本書においては断りのない限り公称応力について述べ、呼称も「応力」とする。

$$応力〔Pa〕 = \frac{荷重〔N〕}{断面積〔m^2〕}$$

(2) 応力の種類

応力の種類には、次のようなものがある。

名　　称		説　　　　明
静　荷　重		材料に対してきわめてゆっくりかかる荷重。また加えられたまま変化しない荷重
動荷重	くり返し荷重	ほぼ一定の大きさで周期的に働く荷重。引張りなら引張り、圧縮なら圧縮が連続してくり返し作用する荷重のこと
	交　番　荷　重	たとえば引張りと圧縮のように、反対方向の荷重が交互に作用するもので、くり返し荷重の特別な場合
	衝　撃　荷　重	短い時間に衝撃的に作用する荷重。荷重の中では材料にもっとも大きな影響を与える

表6・10・2　材料への荷重の加わり方による分類

名　　称	ⓐ　引張り荷重	ⓑ　圧縮荷重	ⓒ　曲げ荷重
図			
説　明	材料を軸方向に引き伸ばすように働く	材料を軸方向に押し縮めるように働く	材料を曲げるように働く
名　　称	ⓓ　せん断荷重		ⓔ　ねじり荷重（トルク）
図			
説　明	材料を横からはさみ切るように働く		材料をねじるように働く

（注）図中の点線は、荷重が加わる前の材料の形状を示す
　　　荷重は記号 *W* で表す
　　　トルクは記号 *T* で表す
　　　反力は記号 *R* で表す

・引張り応力：引張りを受ける材料に生じる応力
・圧縮応力：圧縮を受ける材料に生じる応力
・曲げ応力：曲げを受ける材料に生じる応力
・せん断応力：せん断を受ける材料に生じる応力
・ねじり応力：ねじりを受ける材料に生じる応力

Zoom Up

丸棒に作用する応力

丸棒の断面積をA、荷重をPとするとき、丸棒に作用する諸応力は次のようになる。

引張り応力（図①） $\sigma = \dfrac{P}{A}$

圧縮応力（図②） $\sigma = \dfrac{P}{A}$

せん断応力（図③）
（せん断面が1つの場合） $\tau = \dfrac{P}{A}$

せん断応力（図④）
（せん断面が2つの場合） $\tau = \dfrac{P}{2A}$

＊せん断応力の場合には、せん断面の数で応力が異なることに注意が必要である。

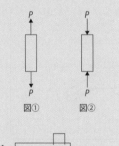

図①　図②

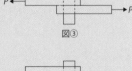

図③

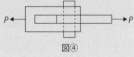

図④

図6・10・1　縦ひずみと横ひずみ

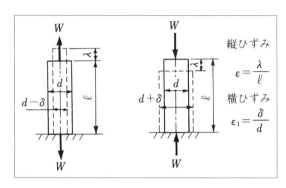

(3)　ひずみ

　物体に荷重を加えて変形したとき、単位寸法あたりの変形の割合を「ひずみ」という。ひずみは次の式で表され、百分率（％）で表すこともある。

$$ひずみ = \frac{変形量〔\lambda〕}{もとの長さ〔\ell〕}$$

　図6・10・1のように丸棒に引張荷重（圧縮）荷重を加えたときの伸び（縮み）λを引張る前の長さℓで除した値を縦ひずみεという。また，直径の伸び（縮み）δを引張る前の直径dで除した値を横ひずみε_1という。

2　材料力学

2・1　材料力学の基礎知識

(1)　材料の応力とひずみ

①　荷重変形図

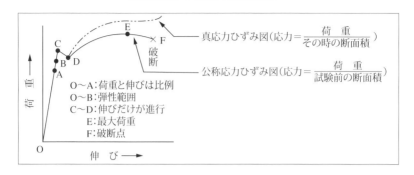

図6・10・2　荷重変形図

表6・10・3　応力ひずみ図の見方と重要な点の名称

点	名　称	説　　明
A　点	比例限度	応力の小さいO からA 点までは、応力とひずみは直線的に変化する。つまり比例している。この比例関係の範囲内の最大応力であるA 点を比例限度という
B　点	弾性限度	A 点をわずかに超えたB 点までは、応力を静かに除去して0にすると、ひずみも完全に消え去る。このような性質をもちうる限界の応力であるB 点を弾性限度という。弾性限度以下で発生するひずみを弾性ひずみという
（注）		以上のように、厳密には比例限度と弾性限度とは異なるが、材料の種類や試験方法によっては、2つの点を判別するのがむずかしい場合が多い
C　点 D　点	降伏点	応力が増加しないのにひずみが急激に増加しはじめる点である。C 点を上降伏点、D 点を下降伏点という。JIS では、上降伏点をその材料の降伏点として採用している
E　点	極限強さ	応力が最大になる点、すなわち最大荷重を試験前の試験片の断面積で割った値である。引張り試験、圧縮試験における極限強さが、それぞれの材料の引張り強さ、圧縮強さである

図6・10・2は、荷重と材料の変形量との関係をグラフにしたものである。また**表6・10・3**に応力ひずみ図の各点の名称とその見方を示す。

②　フックの法則

フックの法則は「比例限度内において応力とひずみは正比例する」というものである。

これを式で示すと次のようになる。

図6・10・3　着力点が共通で作用線が異なる2力　　図6・10・4　力の平行四辺形

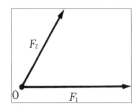 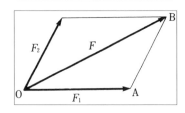

$$\frac{応力}{ひずみ} = 一定 \quad \frac{\sigma}{\varepsilon} = E \ [\text{N/cm}^2(\text{kgf/cm}^2)] \quad \therefore \sigma = E\varepsilon$$

　σ：応力、ε：ひずみ、E：弾性係数

また、ひずみには単位がないので、弾性係数の単位は応力と同じN/cm^2(kgf /cm^2)またはN/mm^2(kgf/mm^2)になる。

③　弾性係数

弾性係数は垂直応力(引張り応力、圧縮応力)と縦ひずみの比である。また、弾性係数には縦弾性係数と、接線応力(せん断応力)とせん断ひずみの比である横弾性係数の2種類がある。

縦弾性係数を「ヤング率」と呼ぶ。

④　ポアソン比

材料は弾性範囲内において、横ひずみ(荷重と直角方向のひずみ)と縦ひずみ(荷重の方向のひずみ)は互いに比例する性質があり、この2つの

ひずみの比 $\frac{\varepsilon_1}{\varepsilon}$ は、弾性限度内(比例限度内ではないことに注意)では材料によって一定の値を持つことが知られている。

この比をポアソン比といい $\frac{1}{m}$ で表す。また、$\frac{1}{m}$ の逆数mをポアソン数という。

⑤　安全率

機械や構造物を設計する場合には、許容応力(材料に作用が許される最大の応力)を設定しなければならない。許容応力は基準強さ(引張り強さなど材料の破壊の限界となる応力)を超えないように小さめに設定されるのが普通である。この余裕尺度を安全率といい、次の式で表される。

安全率 ＝ 基準強さ ÷ 許容応力

　安全率は、材料の種類や荷重の作用の仕方によっても設定する必要がある。ZoomUpに安全率の例を示す。

（2）　力の合成

　物体に2つ以上の力が作用しているとき、この2つ以上の力をこれと同等の効果を持つ1つの力で表すことを力の合成という。また、この合成によって得られた同等の効果を持つ1つの力のことを合力と呼ぶ。

　たとえば**図6・10・3**のように着力点Oにそれぞれ方向の異なる2力、F_1とF_2が作用する場合の合力Fを求める場合には、**図6・10・4**のように、この2力F_1とF_2を2辺とする平行四辺形をつくり、その対角線Fを求めればよい。

　このように、F_1、F_2を2辺とする平行四辺形をつくって合力を求める方法を「力の平行四辺形の法則」という。

（3）　力のつり合い

　O点に対してF_1、F_2、F_3の3力が作用し、この3力がつり合っている場合は次の条件が成り立つ。

・任意の2力の合力と残った力がつり合う
・3力を示す矢が閉じた三角形をつくる(力の三角形が閉じなければならない)
・任意の方向の直角分力の、それぞれの代数和が0となる(代数和＝符号を考えた総和)

図6・10・5　1点に作用する3力のつり合い

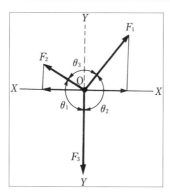

2・2　材料に働く力の特性

（1）　モーメント

モーメントとは物体を回転させようとする力の働きである（図6・10・6）。このような力の作用を点O のまわりの力のモーメント（moment of force）あるいは単にモーメントという。モーメントの記号は M で表す。

モーメント（ M ）の大きさは、次のように表す。

　　モーメント＝力×回転軸から力の作用線に引いた垂線の長さ

　　$M = F \times \ell$ 〔N・m〕

（2）　は　り

図6・10・7のように、支えられた棒（はり）の軸線に対して直角方向の荷重 W がかかるとき、棒には曲げモーメントが作用する。

はりの基本的な例題として、図6・10・8に示したような両端支持ばりに荷重 W が作用した場合の支点A、Bに生じる反力を求める。

はりがつり合う条件（平行力のつり合い条件）としては、次の2つがある。

① はりに作用する外力の総和が 0 になる（反力も外力とみなす）

② 力のモーメントの代数和がどの点についても 0 になる

これより、まず条件①から、

　　$W - R_A - R_B = 0$ 　∴ $W = R_A + R_B$

また、条件②からA点のまわりのモーメントの代数和について考えると、

　　$W \cdot a - R_B \cdot l = 0$

$$W \cdot a = R_B \cdot l \qquad \therefore R_B = \frac{W \cdot a}{l}$$

同様にしてB点について考えると、

　　$-W \cdot b + R_A \cdot l = 0$

$$R_A \cdot l = W \cdot b \qquad \therefore R_A = \frac{W \cdot b}{l}$$

図6・10・6　力のモーメント

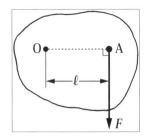

図6・10・7　は　り

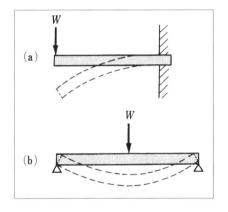

図6・10・8　両端支持ばりの反力計算

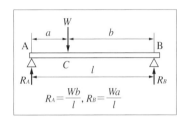

（3）　はりの強さ

①　曲げモーメント

曲げモーメントMは、曲げ半径ρ、弾性係数E、断面2次モーメントIにより次式で表される。

$$M = \frac{E}{\rho} I$$

表6・10・4　各種断面のA、I、Zの例

番号	断　　　面	A(面積)	$I\left(\begin{smallmatrix}\text{断面2次}\\\text{モーメント}\end{smallmatrix}\right)$	Z(断面係数)
1		bh	$\dfrac{1}{12}bh^3$	$\dfrac{1}{6}bh^2$
2		$b(h_2-h_1)$	$\dfrac{1}{12}b(h_2{}^3-h_1{}^3)$	$\dfrac{1}{6}\cdot\dfrac{b(h_2{}^3-h_1{}^3)}{h_2}$
3		h^2	$\dfrac{1}{12}h^4$	$\dfrac{1}{6}h^3$

② 　**断面2次モーメントと断面係数**

ひずみ、応力、縦弾性係数の間には$E=\dfrac{\sigma}{\varepsilon}$ の関係があるので、前式へ代入すると$M=\sigma\dfrac{I}{y}$となる。

$\dfrac{I}{y}$は断面の形状によって一定の値をとるので、これをZとすると$M=\sigma Z$となり、Zを断面係数という。

表6・10・4に各種断面のA、I、Zについて、その一部を掲載しておく。

3　仕事とエネルギー

3・1　すべり摩擦

（1）　最大静摩擦力

図6・10・9に示すように、水平面上の物体を水平方向に動かす場合、加える力Fと最大静摩擦力 f_{max} との関係について「クーロンの摩擦の法則」という関係が存在する。

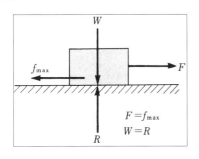

図6・10・9　水平面における摩擦

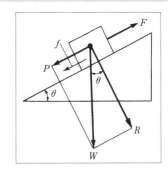

図6・10・10　斜面における摩擦

　クーロンの摩擦の法則から最大静摩擦力は直圧力に比例し、次の式が成立する。

$$f_{max} = \mu \cdot R$$

　　f_{max}：最大静摩擦力、R：直圧力、μ：比例定数

　また、μ：比例定数は接触面の性質により定まる値で「静摩擦係数」という。薄い油膜の表面で$0.01 \sim 0.1$、ボールベアリングで$0.001 \sim 0.007$程度である。

（2）　斜面における摩擦の計算

　物体の重量W〔kg〕、傾斜角θ、静摩擦係数μのとき、物体を斜面に平行な力Fで引き上げる場合に要する力は次のように計算する。

　すなわち、**図6・10・10**より$F = f + P$、$F = \mu \cdot R + P$から、

$$F = \mu \cdot W\cos\theta + W\sin\theta$$

　　$\therefore F = W(\mu \cdot \cos\theta + \sin\theta)$

となる。

3・2　仕事と動力

（1）　仕　事

　ある物体に力を作用させ、その物体の位置を変位させたとき仕事をしたという。物体Aを一定の力Fで押して、力Fの方向にSだけ変位させたときの仕事Qは力Fと変位Sの積で表され、次のようになる。

$Q = F \cdot S \, [\mathrm{N} \cdot \mathrm{m(kgf} \cdot \mathrm{m)}]$

また上式で、物体が力に対して θ の角度をなす方向に S だけ移動したとすれば、次の関係式が得られる。

$Q = F \cos \theta \cdot S \, [\mathrm{N} \cdot \mathrm{m(kgf} \cdot \mathrm{m)}]$

(2) 動　力

単位時間にする仕事の割合を仕事率または動力(power)といい、仕事をする能力を表すのに用いる。

$$\text{動力} = \frac{\text{仕事}}{\text{単位時間}} \quad P = \frac{Q}{t} = \frac{F \cdot S}{t} \quad [\mathrm{N} \cdot \mathrm{m/s(kgf} \cdot \mathrm{m/s)}] \, (P = \text{power})$$

また、$\dfrac{S}{t} = $ 平均速度 $= v$ であるから、

$P = F \cdot v \, [\mathrm{N} \cdot \mathrm{m/s(kgf} \cdot \mathrm{m/s)}]$

となる。

$$\mathrm{kW} = \frac{F \cdot S}{102t} = \frac{F \cdot v}{102} \quad \mathrm{PS} = \frac{F \cdot S}{75t} = \frac{F \cdot v}{75}$$

また、仕事量は次の式で表される。

仕事量 $(L) = $ 動力 $(P) \times$ 時間 (t)

なお、仕事・動力における重要関係式を次にまとめておく。

$$\left[\begin{array}{l} 1\mathrm{kgf} \cdot \mathrm{m/s} = 9.8\mathrm{W} \\ 1\mathrm{PS} = 75\mathrm{kgf} \cdot \mathrm{m/s} = 735\mathrm{N} \cdot \mathrm{m/s} \end{array} \right]$$

$$\left[\begin{array}{l} 1\mathrm{kW} = 1.36\mathrm{PS} \\ 1\mathrm{PS} = 0.735\mathrm{kW} \end{array} \right]$$

$[1\mathrm{kW} = 1000\mathrm{W}]$

$[1\mathrm{kW} = 102\mathrm{kgf} \cdot \mathrm{m/s}]$

(3) 運動エネルギー

仕事をなし得る能力、または物体が仕事をすることができる状態にあるとき、この物体はエネルギーを持っているという。エネルギーは「仕事をなし得る能力」であるから、単位は仕事と同じ単位である。

エネルギーは現象の変化に伴い、その形を変えるが、総和は常に変わらないことが確かめられている。これをエネルギー保存の法則という。

図6・10・11　滑車

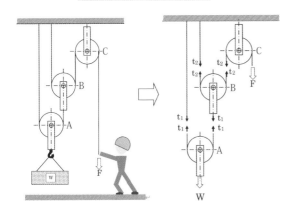

速度 V で運動している重さ W の物体の持つ運動エネルギーは、重力加速度を g として、

運動エネルギー $=(1/2)\times(W/g)\times V^2$

で表される。

(4)　単振り子の振動

長さ L の糸の先端に錘を下げて単振り子運動をさせた場合、その周期 T は錘の重さによらず、

$T=2\pi\sqrt{(L/g)}$

（g：重力加速度）

となる。

(5)　力の利用（差動滑車）

①　滑車

図6・10・11の滑車については、地上からある高さ吊り上げて重量 W の資材を静止したとき人のロープに加えている力 F を求める問題であるので「力の釣合い」の問題となる。図のように各滑車のロープに作用する張力をそれぞれ t_1、t_2 とする。

Zoom Up

安全率

材　料	静荷重	動荷重		
		繰り返し	交番	衝撃
鋳　　鉄	4	6	10	15
軟　　鋼	3	5	8	12
鋳　　鋼	3	5	8	15
銅（軟金属）	5	6	9	15
木　　材	7	10	15	20
レンガ・石	20	30	—	—

はりの強さは
断面係数でわかる

長方形のはりは、横向きよりも縦向きに使うほうが強い。そのわけは、長方形の断面係数は横向きより縦向きのほうが大きいからである。簡単にいうと、図(a)のように断面の中央から上下縁hまでの距離が大きくなればなるほど、曲げモーメントによる上下縁の応力度は小さく、それだけ伸縮も少なく、また断面の回転も少ないからである。だから、断面積の大部分がはりの中央から離れたところにあるような断面形が曲げに対して有効といえる。

たとえば、同じ断面積の

Zoom Up

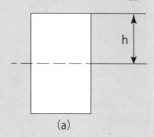

(a)

鉄の棒なら中空のパイプ状にしたほうが強いのである。

図(b)のように断面積が等しい場合、曲げに対しては中空のほうが約3倍強い。

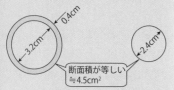

(b) 断面積の等しい2断面

図6・10・12　玉掛け

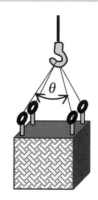

滑車Aから順番に張力と重量Wや人の力Fとの釣合い式をたてると以下のようになる。

$2\,t_1 = W$　　　(1)　（滑車A）

$2\,t_2 = t_1$　　　(2)　（滑車B）

$F = t_2$　　　　(3)　（滑車C）

(1)より、$t_1 = W/2$

(2)より、$t_2 = t_1/2 = W/4$

(3)より、$F = t_2 = W/4$

② 玉掛け

図6・10・12のような玉掛けにおいて、ロープのつり角度θと張力の比を張力係数という。

n本吊りの場合のワイヤロープ1本に掛かる張力をt〔N〕、吊り荷の質量をm〔kg〕、重力加速度をg〔m/s^2〕、張力係数をKとすると、

$$t = \frac{m}{n} \times g \times K$$

（2本つりの場合は$n = 2$、4本つりの場合は$n = 4$）

＊この章の頻出問題＊

【力　学】

問　題	下図に示す滑車の仕掛けで、物体に働く力Wが800Nのとき、ロープを引く力Fとして適切なものはどれか。 ア　100N イ　200N ウ　400N エ　800N （2021年度　1級）
解　答	イ
解　説	荷重を支えるためにロープを引く力 F を求める問題であるので「力の釣合い」の問題となる。図のように各滑車のロープに作用する張力をそれぞれ t_1、t_2 とする。 滑車①から順番に張力と重量 W や人の力 F との釣合い式を立てると以下のようになる。 $2t_1 = W$　　　　（1）　（滑車①の力の釣合い） $2t_2 = t_1$　　　　（2）　（滑車②の力の釣合い） $F = t_2$　　　　　（3）　（滑車③の力の釣合い） （1）より、$t_1 = W/2$ （2）より、$t_2 = t_1/2 = W/4$ （3）より、$F = t_2 = W/4 = 800N/4 = 200N$ よってイが正解となる。

■ 解法のポイントレッスン

　力学の分野の出題は、力のつり合い問題と運動の問題がほとんどである。力のつり合い問題のパターンとしては、① 天井から下げたロープの張力計算、② 滑車を引張り上げる問題、③ シーソー（モーメント）のつり合い問題があり、交代で繰返し出題されているので、過去問を調べることで次年度の出題パターンの予想がしやすい。本問題は② 滑車を引張り上げる場合のロープを引く力の計算であり、業務の上でも吊り荷作業に関して理解しておきた基本的な課題である。滑車の問題についての解法のポイントは滑車の左右のロープには同じ張力が働くことであり、この点さえ把握しておけばどのような複雑な組合わせ滑車の問題でも対応できる。本章の図6・10・11の滑車について復習をしておかれたい。

＊この章の頻出問題＊

【材料力学】

問　題	下図の応力－ひずみ線図に関する記述のうち、適切でないものはどれか。 ア　B点を降伏点といい、弾性変形から塑性変形に移行する点である イ　線①を公称応力－ひずみ図といい、線②を真応力－ひずみ図という ウ　E点を引張強さといい、F点を破断点という エ　D点を下降伏点といい、応力が増加せずひずみが急に増加しはじめる点である。 （2023年度　1級）
解　答	ア
解　説	ア　B点は比例限度であるので誤り イ、ウ、エ　題意のとおり

■ 解法のポイントレッスン

　鋼の引張試験の応力とひずみ関係線図は材料の強度を検討するために重要である。試験片に荷重を加えて時間が経過するにしたがい、応力とひずみの特徴ある山谷のグラフができ、グラフの形やグラフ上の各点に名称がついている。名称はどれも紛らわしいため、出題も多い。この機会に理解しておこう。

①は公称応力－ひずみ図、②は真応力－ひずみ図

A点は比例限度：応力とひずみが比例関係にある範囲の最大応力値

B点は弾性限度：荷重を取除いても元の長さに戻る範囲の最大応力値

C点は上降伏点：降伏中の最大応力値

D点は下降伏点：降伏中の最低応力値

E点、E'点は引張強さ：試験片が耐えた最大応力値

F点、F'点は破断点：材料が破断する際の応力値

である。

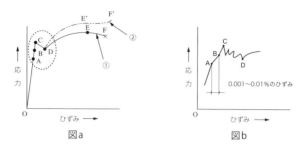

図a　　　　　　　　　　　図b

厳密には図aの ⸺ 部は図bのようになっている。A点を超えるとB点に至るまでに0.001～0.01％の永久ひずみを生じる。しかし近似的には、B点(弾性限度)までは弾性域内にあるとみなす。

■ 過去18年間の傾向分析

【力学】

　グラフ1のように、1、2級ともに滑車に関する問題が頻出である。1級ではロープの張力計算、2級では力の釣り合い(シーソーなど)が毎年のように出題されている。また、物理の基礎的事項(直線運動、円運動、落下、エネルギー、仕事、モーメント、釣合い、てこ、振り子、効率)が4択の中で組み合わされて出題されている。とくにヤマはかけられないが、事項は限られているので、復習で十分対応できる。

【材料力学】

　グラフ2のように1級の出題範囲は広くみえるが、問題を研究すると、①梁の問題(断面係数、たわみ量、曲げモーメントなど)、②フックの法則を使う問題(弾性係数、応力、伸びなど)、③安全率と荷重の種類(交番荷重など)に関する出題が主となっている。2級の場合は、フックの法則を応用した問題が圧倒的に多く出題されている。基本的な計算問題ばかりではなく、荷重や断面積を一定にしたときの引張り応力と断面積や荷重の比例関係など、フックの法則の式の意味を問う問題も多い。本書でよく確認をしておくことが大切である。また1、2級ともに梁の曲げ応力と断面形状、断面係数の関係は間違えやすいので注意をしておこう。また、応力－ひずみ線図についても曲線の形状と応力の種類(降伏点など)を結びつけて覚えておくこと。

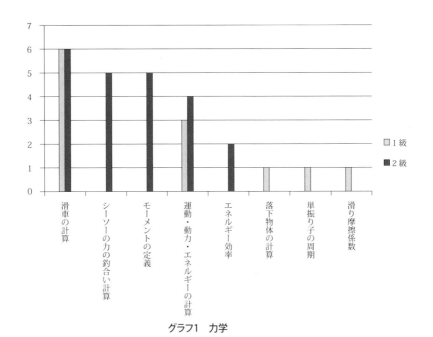

グラフ1　力学

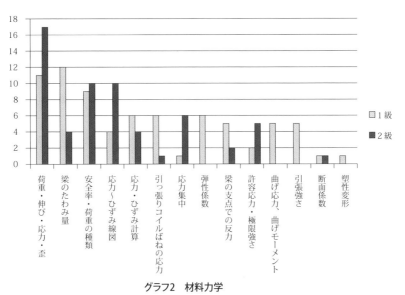

グラフ2　材料力学

実力確認テスト

【1】 下図において、釣合いがとれるW_2の荷重として適切なものはどれか。ただし、滑車およびロープの荷重、摩擦などは無視するものとする。

ア　800〔N〕
イ　1600〔N〕
ウ　2400〔N〕
エ　3200〔N〕

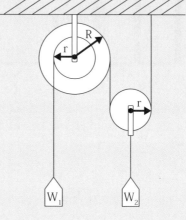

W_1=1000〔N〕
R=200〔mm〕
r=80〔mm〕

【2】 力学に関する記述のうち、適切なものはどれか。

ア　物体を力$F = 200$Nで押して、40秒間で10m移動したとき、この物体に行った仕事は8000〔J〕である
イ　物体を力$F = 200$Nで押して、40秒間で10m移動したとき、この物体に与えた動力は2000〔W〕である
ウ　質量$m = 200$kgの物体が直線を一定速度$v = 20$m/sで運動している。この物体が持っている運動エネルギーEは、$E = 40$〔kJ〕である
エ　地上よりの高さ$H = 50$mの位置にある重さ$W = 40$Nの物体が持つ位置エネルギーJは、$J = 1.25$〔Nm〕である

【3】 下図のような玉掛け作業を行う。直方体の荷物を2本の玉掛け用ワイヤロープを用いてつり角度60°で吊る場合、1本のワイヤロープにかかる張力として、もっとも近い数値はどれか。ただし、荷物の質量は1000kg、張力係数は1.16、重力の加速度は9.8m/s²とする。また、荷の前後左右のつり合いは取れており、左右のワイヤロープの張力は同じとし、ワイヤロープおよび荷のつり金具の質量は考えないものとする。

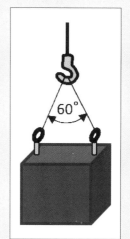

　ア　5.7kN
　イ　57kN
　ウ　116kN
　エ　1160kN

【4】 力学に関する記述のうち、適切なものはどれか。

　ア　カーブを曲がりつつある自動車に働く遠心力は速度の2乗に比例する
　イ　質量mの錘をのコイルばねの端に吊るしたばね振り子の周期は錘の質量に反比例する
　ウ　物体は、その高さに反比例する位置エネルギを持つ
　エ　物体が斜面に沿ってすべるときの摩擦力Fは、傾斜角度の正弦（sin）に比例する
　　　ただし、重力以外に外力は働かないものとする。

【5】 力学に関する記述のうち、適切でないものはどれか。

　ア　機械装置の効率とは、機械装置が外部に対して行った有効な仕事と、外部から機械装置に供給された全エネルギーとの比である
　イ　物体の運動エネルギーは、物体の速度に比例するため速度が2倍

になると運動エネルギーも2倍となる

ウ　丸鋼の軸に直角な断面に作用する垂直応力とそれによって生じるひずみは、弾性限度内で正比例の関係がある

エ　力のモーメントにおいて、力の大きさを変えずにモーメントの腕の長さを短くすると、モーメントも小さくなる

【6】　材料力学に関する記述のうち、適切なものはどれか。

ア　引張り試験において、永久ひすみを生じない限界の応力を比例限度という

イ　片持ちはりにおいて、曲げモーメントが最大になる位置は下図のA点である

ウ　機械部品において、繰返し荷重や交番荷重がかかる場合、安全率は交番荷重よりも繰返し荷重を大きくとる

エ　応力集中とは、切欠き溝のように形状が急に変わる部分においては、局部的に応力が0になる個所が発生する現象である

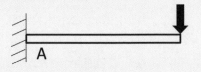

【7】　下図において、各ワイヤロープに作用する張力は荷重Wのおよそ何倍であるか。

ア　約0.3倍
イ　約0.6倍
ウ　約1.2倍
エ　約1.8倍

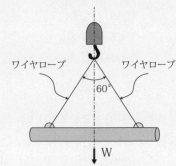

【8】 次の力学に関する記述のうち適切なものはどれか。

ア 図のように締付けトルク17.7Nmでボルトを締め付たい。ボルトの中心から力の作用点までの距離 $L = 200$mmのとき、スパナに加える力 F は44.5Nである。

イ 等速運動をする物体の速度が倍になると、運動エネルギーは2倍になる

ウ 単位時間にする仕事の割合を仕事率または動力という

エ 長さ L の糸の先端に重さ W の錘をつけた単振り子の振動の周期は W に比例する

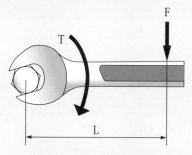

【9】 材料力学に関する記述のうち、適切なものはどれか。

ア 鋼の丸棒の疲労試験において、疲れ限度は同じ丸棒を引張り試験した場合の極限強さよりも一般的には小さい

イ 鋼の丸棒のねじり試験において、丸棒断面のせん断応力は中心で最大、外周0になる

ウ 鋼の丸棒の曲げ試験において、曲げ応力は丸棒の断面積に反比例する

エ 鋼の丸棒の引張り試験において、弾性限度までは応力とひずみが比例する

【10】 下図において、両端支持はりに集中荷重が作用する場合の反力として、適切なものはどれか。

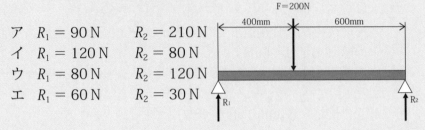

ア $R_1 = 90\,\mathrm{N}$　　$R_2 = 210\,\mathrm{N}$
イ $R_1 = 120\,\mathrm{N}$　　$R_2 = 80\,\mathrm{N}$
ウ $R_1 = 80\,\mathrm{N}$　　$R_2 = 120\,\mathrm{N}$
エ $R_1 = 60\,\mathrm{N}$　　$R_2 = 30\,\mathrm{N}$

【11】 下図に示すように、2つの部品をM10の通しボルトで連結して、5Nの荷重で左右に引っ張ったとき、ピンに生じるせん断応力としてもっとも近い数値はどれか。ただし、ボルトには曲げ作用は働かないものととする。

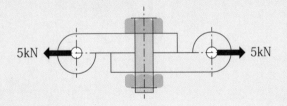

ア 16MPa
イ 32MPa
ウ 64MPa
エ 128MPa

【12】 図に示すような応力―ひずみ線図に関する記述のうち、適切なものはどれか。

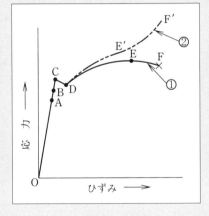

ア 図の実線①が応力―ひずみ図であり、2点鎖線②が荷重―伸び図である

イ 図のD点を比例限度といい、この点まではフックの法則が成立する

ウ 図のB点を降伏点といい、弾性変形から塑性変形に移行する限界点である

エ　図のE点は極限強さで、応力が最大になる点であり、最大荷重を試験前の試験片の断面積で割った値となる

【13】　材料力学に関する用語の説明うち、誤っているものはどれか。

ア　公称応力とは，引張試験中の任意の時点での試験力を試験片の原断面積で除した値のことである

イ　ポアソン比とは横弾性係数と縦弾性係数の比であり、金属系のポアソン比は0.3前後の値である

ウ　弾性係数が異なるが同じ断面積を持つ円い断面の棒と四角い断面の棒がある。それぞれの棒に同じ大きさの引張荷重が作用したとき、棒に生じる応力は四角い棒も円い棒も同じである。

エ　軸などに作用する許容応力は安全率を考慮すると許容応力 ＝ 基準強さ ÷ 安全率で定めることになる

【14】　力学に関する記述のうち、誤っているものはどれか。

ア　同じ断面積の中実軸と中空軸にそれぞれ同じ大きさの荷重が作用した場合、引張り応力は両軸とも等しい

イ　片持ちはりの先端に荷重をかけたとき、はりにかかる曲げモーメントは、はりの固定端で最大になる

ウ　縦ひずみとは、物体に引張り荷重を加えたときの伸びた長さのことである

エ　材料の縦ひずみと横ひずみの比をポアソン比といい、弾性限度内では材料によって一定の値となる

【15】　材料力学に関する記述のうち、誤っているものはどれか。

ア　断面積40mm^{2}の丸棒に、1600Nの引張り荷重が働いているときの引張応力は40MPaである

イ　長さ8mのパイプに引張り荷重が働いて縦ひずみが0.2%となっ

た場合、パイプの伸びは5mmである

ウ　引張りをうける S45C 軸について引張強さ 690N/mm^2 を基準強さとするとき、安全率が5であるならば軸の許容応力は 138N/mm^2 である

エ　両端支持ばりで、中央に 1kN の集中荷重が作用して、釣り合っているときの2つの支点の反力はそれぞれ 500N である

解答と解説

【1】 ア

A滑車の中心に関するモーメント
の釣合いから

$r \times W_1 = R \times t_2$

であるから、

$t_2 = W_1 \times (r / R)$
$= 1000 \times (80 / 200) = 400\text{N}$

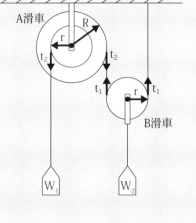

A滑車とB滑車を連結するロープ
において、

$t_1 = t_2 = 400\text{N}$

次にB滑車の釣合いから、

$W_2 = 2\,t_1 = 2 \times 400 = 800\ [\text{N}]$

が求まる。

【2】 ウ

ア 仕事Wは、物体に加えた力を$F[\text{N}]$、力の方向に動いた距離を$L[\text{m}]$
とすると、

$W = F \times L$ で表され、単位は$[\text{Nm}]$または$[\text{J(ジュール)}]$である。

問題では、$F = 200\ [\text{N}]$、$L = 10\ [\text{m}]$ であるので、

$W = F \times L = 200 \times 10 = 2000\ [\text{Nm}] = 2000\ [\text{J}]$ となる。

イ 動力Qは、仕事$W\ [\text{J}]$、要した時間を$t\ [\text{s}]$ とすると、

$Q = W \div t$ で表され、単位は$[\text{J/s}]$または$[\text{W}]$である。

問題では、$t = 40\ [\text{s}]$ であるので、

$Q = 2000 \div 40 = 50\ [\text{J/s}] = 50\ [\text{W}]$ となる

ウ 題意のとおり。運動エネルギー Eは質量を$\text{m}[\text{kg}]$、速度を$\text{v}[\text{m/s}]$
とすると、$E = \text{mv}^2 / 2$で表され、単位は仕事と同じ$[\text{Nm}]$ま

たは〔J〕である。問題より、m = 200〔kg〕、v = 20〔m/s〕であるので、E = mv² / 2 = 200 × 20² / 2 = 40000 = 40〔kJ〕となる

エ　位置エネルギー J は、物体の重量 W〔N〕、地上からの高さを H〔m〕とすると、

　　$J = W \times H$ で表され、単位は〔Nm〕=〔J〕である。

　　問題では、$W = 40$〔N〕、$H = 50$〔m〕であるから、

　　$J = W \times H = 40 \times 50 = 2000$〔Nm〕となる

【3】　ア

吊り本数を n、張力を t、荷物の質量を m、重力加速度を g、張力係数を k とすると、

$t = (m/n) \times g \times k$ である。

題意より、2本つりであるから、$n = 2$、$m = 1000$〔kg〕、$g = 9.8$〔m/s2〕、$k = 1.16$ であるから、

$t = (1000/2) \times 9.8 \times 1.16 = 5684$〔N〕≒ 5.7〔kN〕

【4】　ア

ア　題意のとおり。速度 V で半径 R のカーブを曲がりつつある質量 m の自動車に働く遠心力 F は、

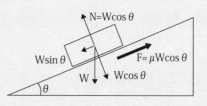

$F = m \times V^2/R$ であるから、F は V の2乗に比例する

イ　反比例ではなく、1/2乗に比例するので誤り。質量 m の錘をのコイルばねの端に吊るしたばね振り子の周期 T は、ばね定数 K とすると、

　　$T = 2\pi\sqrt{m/K}$ と表される。

ウ　高さに比例するので誤り。物体の質量を m、物体の地上からの高さを h とすると、この物体は位置エネルギー E は、

　　$E = m \times h$ と表される。

エ　正弦(sin)ではなく余弦(cos)に比例するので誤り。図より摩擦力 F は、

$F = \mu W \cos \theta$ である。

【5】　イ
物体の運動エネルギーEは、物体の質量をm、速度をvとすると、
$$E = (1/2)mv^2$$
の関係がある。すなわち、物体の運動エネルギーは、速度の2乗に比例する。そこで、速度が2倍になると、運動エネルギーは$2^2 = 4$倍となる

【6】　イ
ア　弾性限度であるので誤り。比例限度とは、引張り試験の応力〜ひずみ線図において応力とひずみの関係が直線になる（応力とひずみが比例する）限度のことである。弾性限度は比例限度よりやや大きな値となる

イ　題意のとおり。片持ちはりでは、はりの支点に最大曲げモーメント＝はりの長さ × 荷重が作用する

ウ　交番荷重を大きくとるので誤り。繰返し荷重とは、0からある値Fまでの間を繰り返す荷重であるが、交番荷重は−F〜0〜＋Fの間を繰り返す荷重で、繰返し荷重よりきびしい条件となる。そこで、安全率も交番荷重の方を大きくとる

エ　局部的に大きな応力になる個所が発生する現象であるので誤り。応力集中とは、切欠きや段付き部のように形状が急に変わる部分において、局部的に大きな応力が発生することである

【7】　イ
ワイヤロープ1本に作用する張力をtとすると、
図より
$2 \times t \times \cos 30° = W$
よって
$t = W/(2 \times \cos 30°) = W / 1.73$
　　　　　　$= 0.577W \fallingdotseq 0.6W$
そこでイが正解となる。

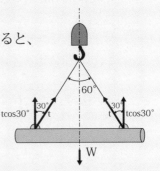

【8】 ウ

ア 88.5Nであるので誤り。締付けトルク T = 締付け力 F × ボルト中心から力の作用点までの距離 L であるので、$F = T \div L$ となる。題意より、$T = 17.7$〔Nm〕、$L = 200$〔mm〕 = 0.2〔m〕であるので、$F = 17.7 \div 0.2 = 88.5$〔N〕となる

イ 4倍になるので誤り。運動エネルギー E〔J〕は、物体の質量を m〔kg〕、速度を V〔m/s^2〕とすると、$E = 1/2(mV^2)$ である。そこで2倍の速度を V_2 とすると、そのときに運動エネルギー E_2 は、$E_2 = 1/2 \{m(V_2)^2\} = 1/2 \{m(2V)^2\} = 1/2 \{m \times 4V^2\} = 4 \times \{1/2(mV^2)\} = 4E$ となる

ウ 題意のとおり

エ 振動数は錘の重さによらないので誤り。振動数 T は、g を重力加速度として $T = 2\pi\sqrt{(L/g)}$ と表される

【9】 ア

ア 題意のとおり

イ せん断応力は中心で0、外周で最大になるので誤り。丸棒をねじるとその断面にはせん断応力が発生し、中心からの距離に比例して一次的に分布する。このせん断応力は円周方向に作用し、外力のモーメントつまり丸棒をねじるトルクと釣り合う

ウ 面積ではなく断面係数に反比例するので誤り。曲げ応力 = 曲げモーメント ÷ 断面係数であるが、引張り応力 = 荷重 ÷ 断面積であるので混同しないように注意が必要である。また断面係数 = 断面二次モーメント ÷ 中立軸からの距離で表される

エ 弾性限度ではなく比例限度であるので誤り。引張り試験を行うと、比例限度までは応力とひずみが正比例して荷重を除去すると元の長さに戻る(ひずみ=0)。ところが、比例限度を超えて弾性限度までは荷重を除去すると元の長さに戻るが、応力とひずみが正比例するとは限らない。鋼では比例限度 ≒ 弾性限度と見なせる

図のように荷量Fが作用する両端支持はりの反力R_1、R_2については、

$$R_1 = \frac{Fb}{L} \qquad R_2 = \frac{Fa}{L}$$

であるので、上式にa＝0.4m、b＝0.6m、L＝a＋b＝0.4m＋0.6m ＝1m、F＝200Nを代入すると

$$R_1 = \frac{Fb}{L} = \frac{200 \times 0.6}{1} = 120N$$

$$R_2 = \frac{Fa}{L} = \frac{200 \times 0.4}{1} = 80N$$

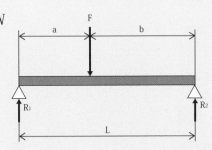

よってイが正解となる。

【11】 ウ

ボルトに作用するせん断応力τは

τ ＝ 荷重 P／ボルトの外形断面積 Aである。ボルトの呼び径は10 〔mm〕＝ 0.01〔m〕であるので、

$A = \pi(0.01)^2 / 4 = 7.85 \times 10^{-5}\,[\mathrm{m}^2]$

$P = 5\,[\mathrm{kN}] = 5000\,[\mathrm{N}]$

であるから

$\tau = 5000 / 7.85 \times 10^{-5}$

$\fallingdotseq 63.7 \times 10^6\,[\mathrm{Pa}]$

$\fallingdotseq 64\,[\mathrm{MPa}]$

となり、ウが正解とわかる。

【12】 エ

ア 図の実線①が公称応力―ひずみ図であり、2点鎖線②が真応力― ひずみ図であるので誤り

イ 図のD点は下降伏点で、応力が増加しないのにひずみが急に増加 し始める点であるので誤り

ウ　図のB点は弾性限度であるので誤
　　り。この点までは応力を静かに除
　　去して0にすると、ひずみも完全に
　　消える

エ　題意のとおり

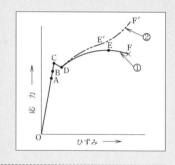

ア　題意のとおり。JIS Z 2241：2011（金属材料引張試験方法）に問
　　題文どおりの規定がある。

イ　縦ひずみと横ひずみの比であるので誤り。金属丸棒に引張荷重を
　　加えたとき材料は軸方向に伸びるに従って直角方向に縮む。軸
　　方向の伸びを縦ひずみ、直角方向の縮みを横ひずみといい、縦
　　ひずみと横ひずみの比の絶対値をポアソン比という。ポアソン
　　比は厳密には材料によって異なる値であるが、実用的には金属
　　のポアソン比＝0.3として差し支えない。

ウ　題意のとおり。応力＝荷重÷断面積の関係がある。そこで応力は
　　荷重と断面積で決まり、弾性係数の値や断面形状には無関係で
　　ある。よって四角い棒も円い棒も同じ値の応力を生じる。

エ　題意のとおり。

【14】　ウ

ア、イ、エ　題意のとおり

ウ　伸びた割合であるので誤り。縦ひずみとは、物体に引張り荷重を
　　加えて変形したとき、単位寸法あたりの伸びの割合のことであ
　　り、ひずみ ＝ 伸びた長さ ÷ 元の長さで表される

【15】　イ

ア　題意のとおり。応力σは、$\sigma =$ 荷重 $W \div$ 断面積 Aで求められる。
　　題意より$W = 1600$〔N〕、断面積$A = 40$〔mm^2〕

$= 40 \times 10^{-6}$ 〔m^2〕であるので、

$\sigma = 1600 \div (40 \times 10^{-6}) = 40 \times 10^{6}$ 〔N／m^2〕$= 40$ 〔MPa〕

となる。

イ　16mmであるので誤り。ひずみ ε は、$\varepsilon = $ 引張りによる伸び $\lambda \div$ 引張る前の長さ L で求められる。この式より伸び $\lambda = \varepsilon \times L$ となる。題意より、$\varepsilon = 0.2\% = 0.002$、$L = 8m = 8000$mmであるので

$\lambda = 0.002 \times 8000 = 16$mmとなる。

ウ　題意のとおり。安全率$S = $ 基準強さ $\div$ 許容応力であるので、本問の場合は、安全率$S = $ 引張り強さ $\sigma_B \div$ 許容応力σ_0 となる。この式より、

許容応力$\sigma_0 = $ 引張り強さ$\sigma_B \div$ 安全率S　（1）

題意より、$\sigma_B = 690$ 〔N/mm^2〕、$S = 5$ であるので、式（1）に代入すると

許容応力$\sigma_0 = 690 \div 5 = 138$ 〔N/mm^2〕が求まる。

エ　題意のとおり。両端支持ばりにおける反力は① 力のつり合いと② モ―メントのつり合いの連立方程式を解くことで得られるが、唯一、荷重Wがはりの中央に作用する場合には、① 力のつり合いだけから反力Rは求まり、$R = W \div 2$となる。本問題においては、$W = 1kN = 1000$Nであるので、$R = 1000 \div 2 = 500$Nとなる。

　保全員は図面を見ることが多いため、出題の傾向も完成品の見取り図を見て第三角法で投影したものを選定させたり、はめ合い、油・空圧、電気用図記号に関するもの、代表的な溶接記号、材料記号などが中心である。

　要は設計図面や製作図面を描く技能の習得ではなく、機械設備や部品の図面が読めること、および概要図や略図ならば必要に応じて適切なものが描けることが眼目である。たとえば、点検や分解検査をしたときに必要な概要図や略図が描け、それが簡単にして要を得たものであって、内容を正しく人に伝達できることが保全員には求められる。

・第一角法と第三角法による見取り図の判定
・JISで規定された金属材料記号、S45C、SCM5などの記号と数字の意味
・はめ合いは、軸の種類と等級および穴の種類と等級ごとにそれぞれの許容差が定まり、両者の組合わせにより「しめしろ」または「すきま」が定まる。はめ合い方式では穴基準または軸基準をとることとし、通常は穴基準を用いる。穴基準では穴の種類をHに限定し、所要のしめしろやすきまに応じて軸の種類を選ぶ。等級は寸法精度に関係し、要求値と工作法やコストなどを考えて決める。また、しまりばめ、すきまばめと、しめしろ・すきまの両者が起こりうる中間ばめがあり、機能に応じて選定がなされる。これらの基本事項を正確に理解されたい

1　製図の基礎

1・1　投影法

　直角に交わった2つの平面で、空間を4つに区切ると4つの空角（角）ができる。この角を右上方から左回りに第一角、第二角、第三角、第四角といっている。

　4角のうちの第三角に品物を置いて投影図を表した場合を第三角法（third angle projection）といい、第一角に品物を置いて投影する方法を第一角法（first angle projection）という。

　図6・11・1に第三角法、図6・11・2に第一角法を示す。

　JIS製図通則では下記のように定めている。

① 投影の方法は第三角法か第一角法によること。ただし、機械製図では第三角法によることを標準とする

② 第三角法か第一角法のいずれの画法を使ったかの区別を図面に記入する

③ 同一の図面には第三角法と第一角法を混用して使ってはいけない。ただし、とくに必要なときは一部分に限って混用してもよい。その場

図6・11・1　第三角法

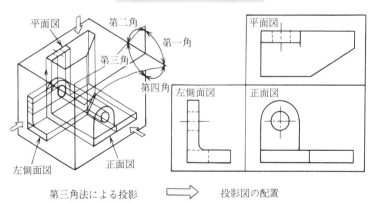

第三角法による投影　⇨　投影図の配置

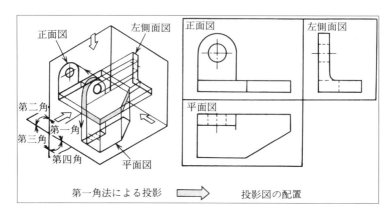

図6・11・2　第一角法

正面図　　左側面図

第二角
第一角
第三角
第四角
平面図

第一角法による投影　⟹　投影図の配置

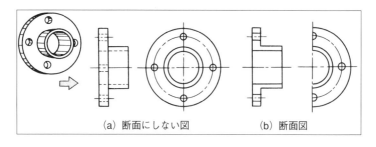

図6・11・3　断面図示

（a）断面にしない図　　　　（b）断面図

合、その部分に投影した方向を示しておく

1・2　線の用法

表6・11・1に、機械製図に必要な線の用法を示す。

1・3　断面の図示

（1）　断面の図示をする位置

原則として基本中心線を含む平面で切断する。この場合は切断線は記入しない（**図6・11・3**）。

表6・11・1 線の種類および用法（JIS B 0001：2010）

用途による名称	線 の 種 類[c]		線 の 用 途
外 形 線	太い実線	───────	対象物の見える部分の形状を表すのに用いる
寸 法 線	細い実線	───────	寸法を記入するのに用いる
寸法補助線			寸法を記入するために図形から引き出すのに用いる
引出し線			記述・記号などを示すために引き出すのに用いる
回転断面積			図形内にその部分の切り口を90度回転して表すのに用いる
中 心 線			図形の中心線を簡略に表すのに用いる
水 準 線[a]			水面、油面などの位置を表すのに用いる
かくれ線	細い破線 または太い破線	─ ─ ─ ─ ─ ─	対象物の見えない部分の形状を表すのに用いる
中 心 線	細い一点鎖線	─ · ─ · ─ · ─	a）図形の中心を表すのに用いる b）中心が移動した中心軌跡を表すのに用いる
基 準 線			とくに位置決定のよりどころであることを明示するのに用いる
ピッチ線			くり返し図形のピッチをとる基準を表すのに用いる
特殊指定線	太い一点鎖線	━ · ━ · ━	特殊な加工を施す部分など特別な要求事項を適用すべき範囲を表すのに用いる
想 像 線[b]	細い二点鎖線	─ ·· ─ ·· ─	a）隣接部分を参考に表すのに用いる b）工具、ジグなどの位置を参考に示すのに用いる c）可動部分を、移動中の特定の位置または移動の限界の位置で表すのに用いる d）加工前または加工後の形状を表すのに用いる e）くり返しを示すのに用いる f）図示された断面の手前にある部分を表すのに用いる
重 心 線			断面の重心を連ねた線を表すのに用いる
破 断 線	不規則な波形の細い実線 またはジグザグ線	～〰～	対象物の一部を破った境界、または一部を取り去った境界を表すのに用いる
切 断 線	細い一点鎖線で、端部および方向の変わる部分を太くしたもの[d]	┏━·─·━┓	断面図を描く場合、その切断位置を対応する図に表すのに用いる
ハッチング	細い実線で、規則的に並べたもの	/////	図形の限定された特定の部分を他の部分と区別するのに用いる。たとえば、断面図の切り口を示す
特殊な用途の線	細い実線	───────	a）外形線およびかくれ線の延長を表すのに用いる b）平面であることをX字状の2本の線で示すのに用いる c）位置を明示するのに用いる
	極太の実線	━━━━━	圧延鋼板、ガラスなど薄肉部の単線図示を明示するのに用いる

注　a）JIS Z8316には規定していない
　　b）想像線は、投影法上では図形に現れないが、便宜上必要な形状を示すのに用いる
　　　また、機能上・工作上の理解を助けるために、図形を補助的に示すためにも用いる
　　c）その他の線の種類は、JIS Z 8312 または JIS Z 8321 によるのがよい
　　d）他の用途と混用のおそれがないときは、端部および方向の変わる部分を太くする必要はない

また、上下（または左右）対称な品物で外形と断面を同時に示したい場合は、普通は対称中心線の上側（または右側）を断面で表す。

（2）　断面を図示してはならないもの

軸、キー、ピン、ボルト、ナット、座金、小ねじ、止めねじ、リベット、リブ、車のアーム、歯車の歯などは原則として長手方向に切断しないことを原則とする。

（3）　断面の表示

断面であることを明確に示す必要がある場合には、ハッチングを用いる。ハッチングとは細い実線による斜線を断面を示す個所に規則的に並べたものである。

2　はめあい

2・1　はめあいの種類

（JIS B0401-1：2016（製品の幾何特性仕様（GPS）-長さに関わるサイズ公差のISOコード方式-第1部：サイズ公差、サイズ差及びはめあいの基礎）

（1）　はめあい

外側サイズ形体と内側サイズ形体（同じ形状の穴及び軸）との間の互いにはまり合う関係

（2）　すきまとしめしろ

①　すきま

軸の直径が穴の直径よりも小さい場合の、穴のサイズと軸のサイズとの差

②　しめしろ

軸の直径が穴の直径よりも大きい場合の、はまり合う前の穴のサイズから軸のサイズを差し引いた値

（3）　はめあいの種類

①　すきまばめ

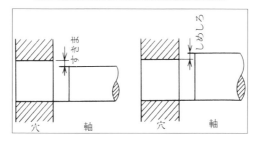

図6・11・4　すきま・しめしろ

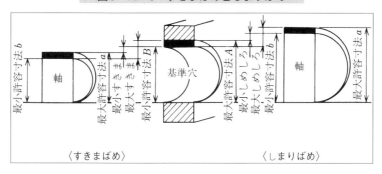

図6・11・5　すきまばめとしまりばめ

はめ合わせたときに、穴と軸との間に常にすきまができるはめあい。すなわち、穴の下の許容サイズが軸の上の許容サイズ以上の場合。

② しまりばめ

はめ合わせたときに、穴と軸との間に常にしめしろができるはめ合い。すなわち、穴の上の許容サイズが軸の下の許容サイズ以下の場合。

③ 中間ばめ

はめ合わせたときに、穴と軸との間にすきままたはしめしろのいずれかができるはめあい

図6・11・5に、すきまばめとしまりばめの概念を示す。

2・2　はめあい方式の選択

穴基準によるか軸基準のはめあいによるかは加工するものにより決定すればよい。参考として図6・11・6に穴基準のはめあいの例を示す（正

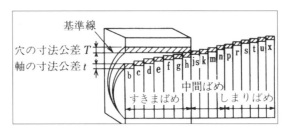

図6・11・6　穴基準のはめあい

図6・11・7　常用する穴基準はめ合い図（図は寸法30mmの場合を示す）

基準穴	H5				H6								H7													H8				H9				H10		
	軸				軸								軸														軸				軸				軸		
はめあいの種類	すきまばめ		中間ばめ		すきまばめ		中間ばめ					しまりばめ	すきまばめ		中間ばめ					しまりばめ						すきまばめ				すきまばめ				すきまばめ		
軸の種類	g	h	js	k	m	f	g	h	js	k	m	n	p	e	f	g	h	js	k	m	n	p	r	s	t	u	x	d	e	f	h	c	d	e	h	b	c	d
軸の等級	4	4	4	4		4	6	5	6	5	6	5	6	5	6	5	6	5	6	6	6	6	7	6	7	6	6	6	6	6	6	6	6	6	9	8	9	7	8	7	8	9	8	9	8	9	9	9

穴最大φ30.021
穴最小φ30.000
基準寸法φ30
軸最小φ29.939
軸最大φ29.960

H5　H6　H7　H8　H9　H10

寸法許容差

μ
50
0
−50
−100
−150
−200

式にはJIB B 0401-1：2016を参照）。

　一般的には、軸と穴の加工を考えた場合、軸よりも穴の加工のほうがむずかしい。穴基準のはめ合いは、1つの基準穴に対して各種の軸をはめ合わせるので、各種の穴を加工する軸基準のはめ合いより加工が容易なので多く採用されている。また、軸基準はめ合いの場合は、軸用限界ゲージより高価な穴用限界ゲージやリーマを数多く備えなければならないことからも、一般には穴基準はめあいが多い。

　図6・11・7に常用する穴基準はめあいの例を示す（参考）。

はめあいの表示　《 実技試験出題項目！

① 許容限界寸法の表示

寸法の許容限界は、公差域クラスの記号(以下、寸法公差記号という)または、寸法許容差の値を基準寸法に続けて表示する。

$$32H7 \qquad 80js15 \qquad 100g6 \qquad 100 \begin{array}{l} -0.012 \\ -0.034 \end{array}$$

また、寸法の許容限界を許容限界寸法によって示すことがある。この場合、最大許容寸法を上の位置に、最小許容寸法を下の位置に重ねて表示する。

00.988
99.966

② はめあいの表示

はめあいは、穴・軸の共通の基準寸法に、穴の寸法公差記号と軸の寸法公差記号を続けて表示する。

$$52H7 / g6 \qquad 52H7 - g6 \qquad または 52\frac{H7}{g6}$$

なお、よく用いられている表示例を以下に示す。

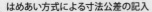

はめあい方式による寸法公差の記入

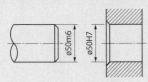

はめあいの記号と上・下の寸法許容差の併記

はめあい部のはめ合い記号の記入

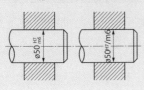

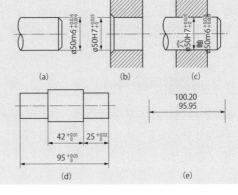

(a)　(b)　(c)

(d)　(e)

記号	意味	呼び方
φ	180°を超える円弧の直径または円の直径	「まる」または「ふぁい」
Sφ	180°を超える球の円弧の直径または球の直径	「えすまる」または「えすふぁい」
□	正方形の辺	「かく」
R	半径	「あーる」
CR	コントロール半径	「しーあーる」
SR	球半径	「えすあーる」
⌒	円弧の長さ	「えんこ」
C	45°の面取り	「しー」
t	厚さ	「てぃー」

3　製図用記号

3・1　寸法補助記号

　製図上では、寸法数値とともに種々な記号を併記して、図形の理解を
はかるとともに、図面あるいは説明の省略をはかっている。このような
記号を寸法補助記号といい**表6・11・2**に示すものが規定されている。

3・2　溶接用記号

　JIS Z 3021を参照されたい。溶接用記号は基本記号と補助記号の2つ
から成り立っている。とくに補助記号は正確に覚えてほしい。

3・3 材料記号

(1) 材料記号の表示

1位の部分は英語またはローマ字の頭文字あるいは化学元素記号を用いて材料を表す。

2位の部分は英語またはローマ字の頭文字を使って、板、棒、管、線、鋳造品などの製品の形状別の種類や用途を表した記号を組み合わせて製品名を表している。

3位の部分は材料の種類番号の数字または最低引張り強さを表している。**図6・11・8**に表示例を示す。

図6・11・8　材料記号表示の例

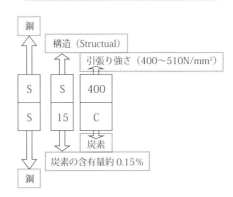

(2) 材料記号の例（頻出）

SS	一般構造用圧延鋼材	例：SS400	JIS G 3101
S-C	機械構造用炭素鋼鋼材	例：S15C	JIS G 4051
SK	炭素工具鋼鋼材	例：SK140	JIS G 4401
SKH	高速度工具鋼鋼材	例：SKH51	JIS G 4403
FC	ねずみ鋳鉄品	例：FC150	JIS G 5501
SC	炭素鋼鋳鋼品	例：SC360	JIS G 5101
SCS	ステンレス鋼鋳鋼品	例：SCS24	JIS G 5121
SUS-B	ステンレス棒鋼	例：SUS304	JIS G 4303
SWP	ピアノ線	例：SWP-A	JIS G 3522

3・4 油圧・空気圧用記号

　油圧・空気圧用の記号のおもなものを**図6・11・9～13**に示すので参照されたい。

3・5 電気用記号

　電気用図記号としてはJIS C 0617－1～JIS C 0617－13に規定されているが、受検対策としては、モータなどの図記号を規定しているJIS C 0617－6（電気エネルギーの発生及び変換）や接点の図記号が載っているJIS C 0617－7（開閉装置、制御装置及び保護装置）において、日常業務で目にする程度の種類の記号にマトを絞って学習しておくのが効率的である。

図6・11・9　ポンプ・モータの記号

名　称	記　号	名　称	記　号
油圧ポンプ ・1方向流れ ・定容量形 ・1方向回転形	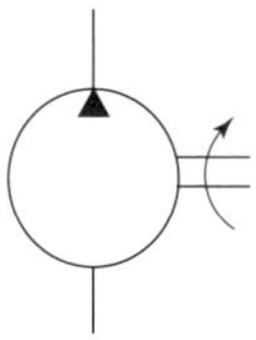	空気圧モータ ・2方向流れ ・定容量形 ・2方向回転形	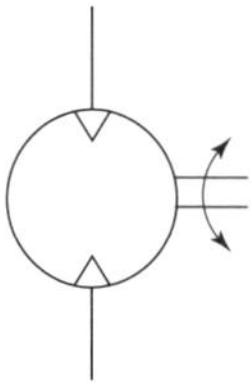
油圧モーター ・可変容量形 ・外部ドレン ・両軸形	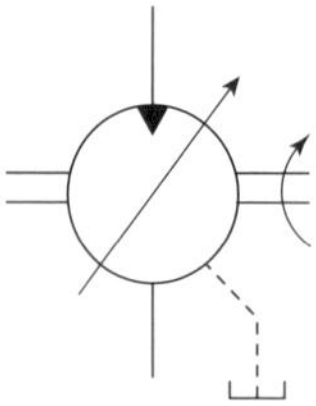	（注）▶油圧、▷空気圧 ・三角形は流体の出口を示す ・1つは1方向流れ、2つのときは2方向流れを示している	

図6・11・10　逆止弁の記号

名　称	記　号	名　称	記　号
逆止め弁	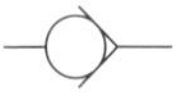	固定絞り付き逆止め弁	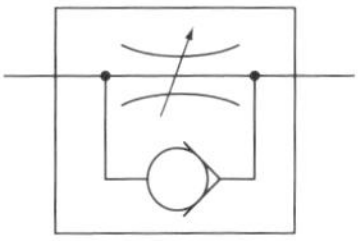
パイロット操作逆止め弁	(1)制御信号によって開く場合	シャトル弁	
	(2)制御信号によって閉じる場合	急速排気弁	

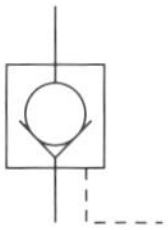

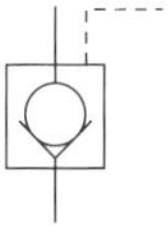

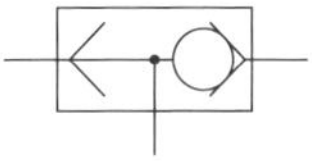

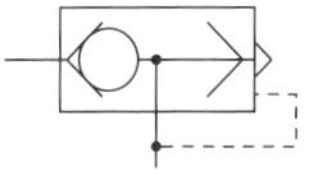

図6・11・11　圧力制御弁の記号

名　称	記　号	名　称	記　号
リリーフ弁	(1) 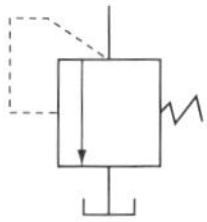	アンロード弁	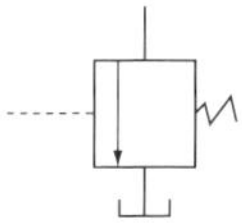
カウンターバランス弁	(2) 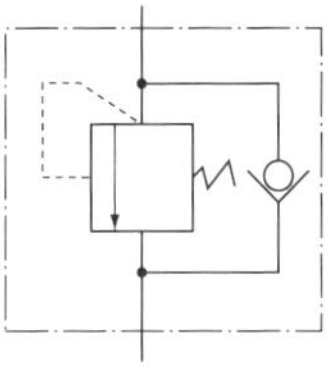	シーケンス弁外部パイロット方式	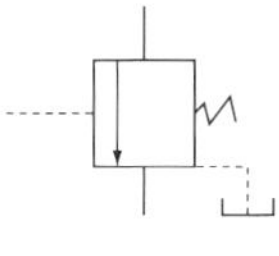
		減圧弁外部パイロット方式	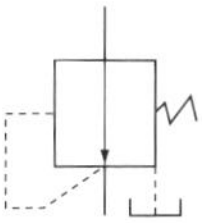

図6・11・12　流量制御弁の記号

名　　　称	記　　号	名　　　称	記　　号
可変絞り弁	(1) 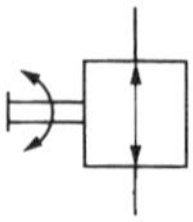 (2) 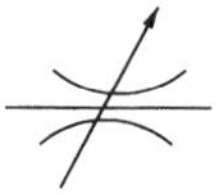	シリーズ形 流量調整弁 （温度補償 付き）	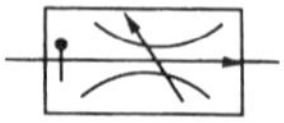
		シリーズ形 流量調整弁 （圧力補償）	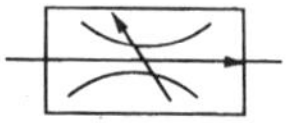
(1)詳細記号	(2)簡易記号		

図6・11・13　方向制御弁の記号

名　　　称	記　　　　号
基本表示 2ポート2位 置切換え弁	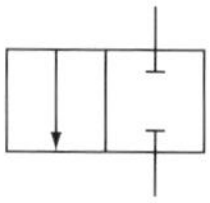
4ポート3位 置切換え弁	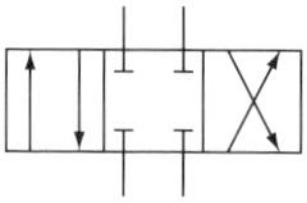
4ポート絞り 切換え弁	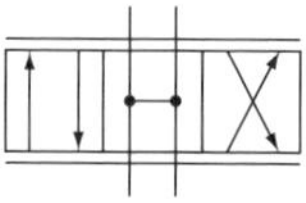

＊この章の頻出問題＊

問　題	材料記号に関する記述のうち、適切でないものはどれか。 ア　SPCのC記号は、冷間を表している イ　S45CのC記号は、炭素を表している ウ　SS400の400は、炭素含有量が0.4%を表している エ　S45Cの45は、炭素含有量が0.45%を表している （2023年度　1級）
解　答	ウ
解　説	ア、イ、エ　題意のとおり ウ　SS400の400は炭素含有量ではなく、最低引張り強さが400N/mm^{2}であることを表しているので誤り

■ 解法のポイントレッスン

　材料記号は1級においてもっとも出題されるテーマであるが、実際の職場においても種々の材料を扱うことから、2級を受検する方にもぜひ知っておいていただきたい内容である。材料記号はJISで規定されており、数字とアルファベットの組合わせである。問題はカバーなどに使われる鉄板のSPC材、軸などに使われるS**C材、鋼材であるSS材に関するものである。

　材料記号の意味は以下のとおりなので、ウが誤りとわかる。

　SPC（冷間圧延鋼板）：SはSteel（鋼）、PはPlate（板）、CはCold（冷間）S45C（機械構造用炭素鋼鋼材：SはSteel（鋼）、CはCarbon（冷間）、45は炭素量が0.45%であることを表す。

　SS400（一般構造用圧延鋼材）：SSはStructural Steel、400は最低引張り強さ：400N/mm^{2}以上であることを表す。

■ 過去18年間の傾向分析

　本章の出題傾向についてはグラフのように1級と2級では出題エリアが違うことである。過去18年間では、1級では、"材料記号""はめあいの種類と特徴"などの問題が頻出となっている。2級では、"製図用記号(球の表示法)"と"ボルトの図示と名称"が繰り返し出題されている（2020年度にも出題された）。製図記号に関する問題では、φ、SR、□、R、Cなどのような図面に頻繁に使う記号は確実に意味と読みを押さえておく必要がある。また、2019年度1級には電気用図記号、2022年度には幾何公差記号が出題されている。本章の実力確認テストで復習しておきたい。

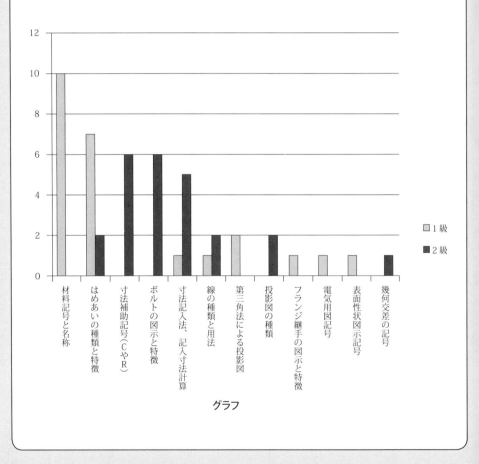

グラフ

実力確認テスト

【1】 下図の（　　）内に入る数値で、正しいものはどれか。

　　ア　125〔mm〕
　　イ　150〔mm〕
　　ウ　175〔mm〕
　　エ　200〔mm〕

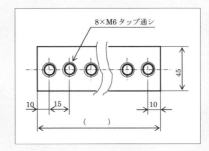

【2】 下図に示すボルトによる部材の締結方法はどれか。

　　ア　通しボルト（2枚の平座金付き）
　　イ　押さえボルト（平座金、ばね座金付き）
　　ウ　植込みボルト（平座金、ばね座金付き）
　　エ　リーマボルト（2枚の平座金付き）

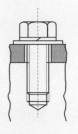

【3】 材料記号に関する記述のうち、誤っているものはどれか。

　　ア　S40CのCは、冷間加工を表している
　　イ　SUS403のUSは、ステンレス（Use Stainless）を表している
　　ウ　SS400の400は、引張り強さを表している
　　エ　S40Cの40は、炭素含有量を表している

【4】 はめあいに関する記述のうち、適切なものはどれか。

　　ア　すきまばめは、穴の最大許容寸法に対して軸の最小許容寸法が等
　　　　しいか、大きい場合のはめあいである

イ　複数の穴と軸のはめあいを加工する場合、一般的に穴の寸法を基準として穴を加工する

ウ　中間ばめは、穴の最小許容寸法に対して軸の最大許容寸法が等しいか、小さい場合のはめあいである

エ　しまりばめは、穴の最小許容寸法に対して軸の最大許容寸法が等しいか大きい場合、または穴の最大許容寸法に対して軸の最小許容寸法が等しいか、小さい場合のはめあいである

【5】 JISにおいて、表面性状の図示記号の構成として、適切なものはどれか。

【6】 製図に関する記述のうち、正しいものはどれか。

ア　下図に示すような弦の長さ（85mm）は、弦に直角に寸法補助線を引き、円弧状の寸法線を用いて表す

イ　日本産業規格（JIS）の機械製図によれば、想像線は細い一点鎖線で表す

ウ　ハンドルや軸、構造物の部材などの切り口は、90度回転して示してもよい

エ　図形が中心線に対して対象形式な場合であっても、中心線の片側の図形だけを描くことはできない

【7】 日本産業規格（JIS）に示される油空圧図記号のうち、下図と名称
の組合わせで適切なものはどれか。

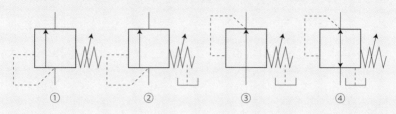

①　　　　　　②　　　　　　③　　　　　　④

	①	②	③	④
ア	シーケンス弁	減圧弁	リリーフ付き減圧弁	リリーフ弁
イ	リリーフ弁	シーケンス弁	減圧弁	リリーフ付き減圧弁
ウ	リリーフ付き減圧弁	リリーフ弁	シーケンス弁	減圧弁
エ	減圧弁	リリーフ付き減圧弁	リリーフ弁	シーケンス弁

【8】 下図に示す幾何公差の記号として、適切なものはどれか。

ア　円筒度
イ　真円度
ウ　面の輪郭度
エ　同軸度

解答と解説

【1】 ア

図において、M6のめねじが8個あることから、穴間のピッチは7ヵ所である。ピッチ1ヵ所あたりの寸法は15mmであるから、めねじピッチの総計L_1は、

$L_1 = 15 \times 7 = 105$mm、

また両端がそれぞれ10mmであるから、全長Lは、

$L = L_1 + 10 + 10 = 105 + 20 = 125$mmとなる

【2】 イ

ア 通しボルトは、被締結部材の貫通孔にボルトを通して反対側からナットで締め付ける締結法なので誤り。また、使っている座金は平座金とばね座金である

イ 題意のとおり。押さえボルトは被締結部材のめねじにボルトを通して締め付ける締結法であるので、植え込みボルトや通しボルトと異なることに注意しよう

ウ 植込みボルトにはボルト頭がなく、ボルトの両端にねじが切ってあるので誤り。押さえボルトと同様に、被締結物のめねじにボルトを通す締結法であるが、締付けはナットを用いる

エ リーマボルトは、ボルトによる締結法ではないので誤り

【3】 ア

ア S40CのCは、炭素含有量を表しているので誤り。40とは炭素含有量が0.37 ～ 0.43％の平均値0.40％であることを示す

イ、ウ、エ 題意のとおり

【4】 イ

ア 問題文はしまりばめの説明となっているので誤り

イ 題意のとおり

ウ　問題文はすきまばめの説明となっているので誤り

エ　問題文は中間ばめの説明となっているので誤り

【5】　ア

JIS B 0031：2003（製品の幾何特性仕様（GPS）－表面性状の図示方法）によると、表面性状の図示記号の書き方は下の図のとおりである。そこで、正解は以下のとおりである。

ア　題意のとおり

イ　加工方法と性状パラメータの上下の位置が逆で誤り

ウ　旋削（加工方法）の記入位置が誤り。旋削（加工方法）は性状パラメータの上に記入する

エ　節目とその方向の記入位置が誤り。節目とその方向は ▽ の右横である

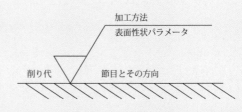

【6】　ウ

ア　下図に示すように弦の長さ（85mm）は、弦に直角に寸法補助線を引き、弦に平行な寸法線を用いて表すので誤り。問題の図は孤の寸法の示し方である

イ　想像線は細い二点鎖線で描くので誤り。細い一点鎖線は中心線や基準線に用いる

ウ　題意のとおり

エ　図形が対象形式な場合には、対称中心線の片側の図形だけを描き、他方の図形を省略することができるので誤り

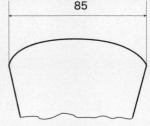

【7】 イ
　よく似た図記号であるが、可変で圧力を制御する弁であることは
わかる。基本は、リリーフ弁は回路設定圧以上の油はすべてタン
クに戻す、シーケンス弁は１次側油が設定圧に達すると２次側に
流し、設定圧以上の油はタンクに戻す、減圧弁は１次側油を設定
圧以下にし、２次側に流す機能がある。そこでこれらの機能を考え
ると、リリーフ弁は①、シーケンス弁は②、減圧弁は③とわかる。
④は減圧弁の記号に下向きの矢印がついており、この矢印がリリー
フ弁機能を表しているので、リリーフ弁付き減圧弁とわかる。①
のリリーフ弁は、下記のような向きにしてタンクを加えるとわか
りやすい。問題の図記号はいずれも JIS B0125－1：2007（油圧・
空気圧システム及び機器－図記号及び回路図－第１部：図記号）に
規定されている。

【8】 エ
　ア　円筒度は下図（1）であるので誤り
　イ　真円度は下図（2）であるので誤り
　ウ　面の輪郭度は下図（3）であるので誤り
　エ　題意のとおり

(1)円筒度　　(2)真円度　　(3)面の輪郭度

INDEX

本書の内容に関するお問合わせは、インターネットまたはFax でお願いいたします。電話でのお問合わせはご遠慮ください。
・URL　https://www.jmam.co.jp/inquiry/form.php
・Fax 番号　03（3272）8127
　機械保全技能検定の詳細については、日本プラントメンテナンス協会（https://www.kikaihozenshi.jp）に直接ご確認ください。

2024年度版 機械保全の徹底攻略［機械系・学科］

2024年 8 月10日　初版第1刷発行
2024年10月20日　　　第3刷発行

編　者 ── 日本能率協会マネジメントセンター
　　　　　 ©2024 JMA MANAGEMENT CENTER INC.

発行者 ── 張　士洛

発行所 ── 日本能率協会マネジメントセンター

〒103-6009　東京都中央区日本橋2−7−1　東京日本橋タワー
TEL：03-6362-4339（編集）／03-6362-4558（販売）
FAX：03-3272-8127（編集・販売）
https://www.jmam.co.jp/

装　丁 ────── 冨澤 崇（EBranch）
本文DTP・印刷所 ── 株式会社グロップ
製　本　所 ────── 株式会社三森製本所

ISBN 978-4-8005-9246-0 C3053
落丁・乱丁はおとりかえします。
PRINTED IN JAPAN